ruf & ehns
enzyklopädie
des
schachspiels

Herausgegeben von
Michael Ehn und Ernst Strouhal

en passant

SpringerWienNewYork

Edition Angewandte

Buchreihe der
Universität für angewandte Kunst Wien
Herausgegeben von Gerald Bast, Rektor

edition: 'ʌngewʌndte

Herausgeber: Michael Ehn, Ernst Strouhal (Wien)

Printed in Austria
SpringerWienNewYork ist ein Unternehmen
von Springer Science + Business Media
springer.at

Texterfassung: Ingrid Graf
Grafisches Konzept und Satz: Amt 7 (Waldegg | Békési)
Diagramme: Michael Ehn
Druck und Bindearbeiten: Holzhausen Druck GmbH, 1140 Wien, Austria
Schriften: Sabon LT und Berthold Akzidenz-Grotesk
Papier: Algro Design 1-seitig 300g (Cover), Selena Werkdruck 100g, 1,75 (Kern),
Gedruckt auf säurefreiem, chlorfrei gebleichtem Papier – TCF
Umschlagbild: Hans-Christof Stenzel: C'est la vie Rose (1976, ddp-Images GmbH)

SPIN: 80074967
Mit zahlreichen Abbildungen

Bibliografische Information der Deutschen Nationalbibliothek
Die Deutsche Nationalbibliothek verzeichnet diese Publikation in der Deutschen Nationalbibliografie; detaillierte bibliografische Daten sind im Internet über http://dnb.d-nb.de abrufbar.

Wir danken für die Unterstützung des Bundesministeriums
für Unterricht, Kunst und Kultur.

ISSN 1866-248X
ISBN 978-3-7091-0345-6 SpringerWienNewYork

»Da wird ja eine riesengroße Schachpartie gespielt, so groß wie die ganze Welt – wenn das hier überhaupt die Welt ist, meine ich.«
LEWIS CARROLL

»Letztlich ist Schach einfach nur Schach – nicht das beste auf der Welt und nicht das schlechteste auf der Welt.«
W. C. FIELDS

»Doch was ich auch über diesen Gegenstand sage, es will mir nicht recht gelingen, das Vergnügen deutlich zu machen, welches der Kern dieses Vorganges ist, seine Berührungspunkte mit verschiedenen anderen, offenkundigeren und produktiveren Tätigkeiten des schöpferischen Geistes, vom Kartographieren gefährlicher Meere bis zur Niederschrift eines jener unglaublichen Romane, bei denen sich der Autor in einem Anfall klarsichtigen Wahnsinns gewisse nur für ihn allein geltende Regeln gesetzt hat, an die er sich nun hält.«
VLADIMIR NABOKOV

»It might feel good
It might sound a little somethin
but damn the game if it don't mean nuttin
What is game? Who is game?
Where's the game in life behind the game behind the game
I got game, she's got game
We got game, they got game, he got game
It might feel good ...«
PUBLIC ENEMY

»$\frac{\text{S}}{\text{M}}$adness!«
ARNO SCHMIDT

Robert James Fischer, New York 1962

INHALT

Savielly Tartakower vs Sultan Khan, Semmering 1931

VORWORT

Dieses Buch handelt vom Schachspiel. Unter allen Spielen nimmt das Schachspiel eine besondere Stellung ein. Seit mehr als einem Jahrtausend begleitet und fasziniert es die Menschheit. Wo immer es auftritt, erzeugt es ein gewaltiges kulturelles Echo.

Vor 20 Jahren erschien in »Der Standard« die erste Schachkolumne von *ruf & ehn*. Sie handelte von Sultan Khan, einem mysteriösen Inder, der 1931 am Semmering gegen den Großmeister Savielly Tartakower antrat. Bis zum heutigen Tag sollten weitere 1034 Kolumnen folgen: Woche für Woche, Jahr für Jahr, ohne Unterbrechung. Gesammelt ergeben die Texte eine ironische Enzyklopädie dieses Spiels, die weit über den Brettrand hinaus reicht.

Die Schachkolumnen von *ruf & ehn* sind nicht nur unter Schachspielern Kult. Hergestellt werden die Bezüge des königlichen Spiels zu Kunst und Literatur, zu Musik und Mathematik, zu Philosophie und Politik, zu den großen Niederlagen und zu den kleinen Triumphen im Leben.

Die Frage war, wie das alles zwischen zwei Buchdeckel passen soll. Die Autoren waren natürlich zu Kürzungen oder einer Auswahl nicht bereit und haben deshalb zur Poesie der Liste gegriffen. Eine Chronologie listet zunächst alle Titel auf, das alphabetische Register im zweiten Teil erlaubt jede Recherche von »Abakus« bis »Zwolle«, von Marcel Duchamp bis Bobby Fischer. Alle Artikel finden sich dann im Original auf der beigelegten DVD.

Die Schachrätsel im Mittelteil des Buches – von »Ganz leicht«, über »Ganz schön«, bis »Ganz schön schwer« – reichen für ein ganzes Leben.

Hinter *ruf & ehn* stehen die Herausgeber Michael Ehn und Ernst Strouhal, die sich im Laufe der Jahre zwei Kunst(Schach)-figuren – heute würde man vielleicht sagen: zwei Avatare – erschaffen haben. ruf & ehn sind zwei Autoren mit höchst unterschiedlichen Charakteren: ehn, der penible, leicht melancholische Archivar, den nichts erschüttert, und ruf, ein expeditiver, aber eher nervöser Geselle.

So unterschiedlich beide auch sind, es verbindet sie eine tiefe produktive Freundschaft, miteinander und mit ihren Lesern – auch davon und nicht zuletzt davon erzählt dieses Buch.

OSCAR BRONNER

ruf & ehn als RZA und GZA mit Bill Murray

SENTIMENTAL

ruf *(wischt sich den Staub ab)*: Geschafft. Wir brauchen noch ein Vorwort. Also ehn, das Band läuft. Wie lange machen wir das eigentlich schon?
ehn *(blättert)*: 20 Jahre. Exakt: 1035 Wochen, 1917 Partien, 3277 Schachrätsel, inklusive der Zwischenräume sind das ungefähr 5,713 Millionen Zeichen.
ruf: Ungefähr. Bei 181 Beistrichfehlern wirst Du gleich sagen.
ehn: Das Problem hatten wir schon. Vor zehn Jahren, zuletzt vor fünf Jahren.
ruf: Also ehn! Bei aller Freundschaft, das ist ein sentimentaler Moment, jetzt erscheint ein Buch, unser Gesamtwerk! – Manchmal gehst Du mir wirklich…
ehn: Seit wann sind wir per Du?
ruf: Gute Frage, ich weiß nicht mehr so recht. Das war, glaube ich, nach unserem ersten gemeinsamen Artikel – über Sultan Khan, den mysteriösen Inder am Semmering, im Juni 1990. Oder nach unserem Sieg gegen Viktor Kortschnoi 2002 in Basel. Nein warte, das war nach unserem Besuch bei Bobby Fischer in Budapest 1994. Oder war es bei Kasparow? Ach, ehn, all die schönen Erinnerungen! Oder war es, als wir über Arno Schmidt…
ehn *(blickt auf)*: Wir sind nicht per Du.
ruf: Also ehn, manchmal! 20 Jahre gemeinsames Schreiben der Schachkolumne in »Der Standard«, nun vereint in einer einzigartigen Enzyklopädie. Wir brauchen ein Resümee mit Gefühl, die Leserinnen und Leser wollen das. Vielleicht sogar mit ein bisschen Wehmut. Etwas Persönliches.
ehn: Sentimental, hm. Wir haben 1989 eine Partie gegeneinander gespielt, ein Matt in sieben Zügen. Eine schöne Erinnerung.
ruf: Aber darum geht es jetzt nicht. 20 Jahre Zusammenarbeit, 1000 Artikel zum Thema Schach, die Geschichte einer Freundschaft, und zudem Woche für Woche quasi ein kultureller Auftrag im Dienste …
ehn *(unterbricht ihn)*: … 1035.
ruf: Was heißt 1035?!
ehn: Es waren 1035 Artikel.
ruf: Wirklich so viele! *(schreibt)*, »… so sind Woche für Woche in gemeinsamer, freundschaftlicher Arbeit ohne Unterbrechung über tausend Artikel von den Ursprüngen des königlichen Spiels bis zur unmittelbaren…«

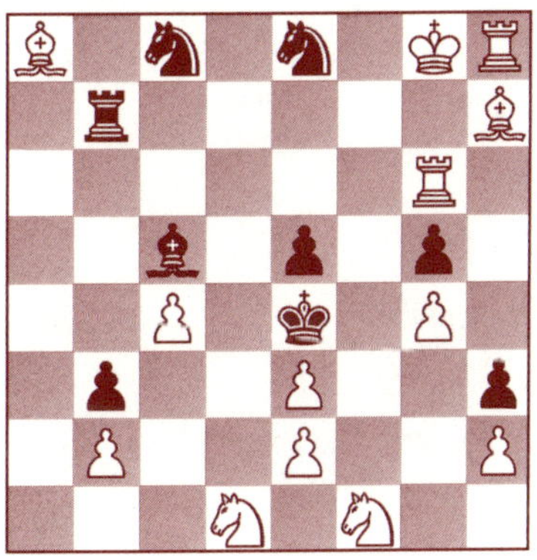

Weiß zieht und setzt nicht matt.

ehn: …1035.
ruf: Also gut: »… so sind Woche für Woche in gemeinsamer, freundschaftlicher Arbeit ohne Unterbrechung über 1035 Artikel von den Ursprüngen…« Nein, so das geht nicht, wir müssen runden.
ehn: Wieso runden? Es sind sogar inklusive dem heutigen 1036 Artikel. Mit 54 Druckfehlern, 22 davon nachträglich korrigiert (ohne den möglichen heutigen). Einmal war ein Diagramm spiegelverkehrt abgedruckt, und zwar am 4. November 1991 nach dem 27. Zug in der Partie…
ruf *(entnervt)*: …ich glaube, so wird das nichts. Probieren wir es anders: Herr ehn, nach zwanzig Jahren Erfahrung, was ist Schach heute noch für Sie? Würden Sie Vladimir Nabokov zustimmen, wenn er meint, dass Schach der Arbeit des Künstlers durchaus nicht…
ehn: …schau her, das ist Schach, von Karl Fabel 1952 – Weiß zieht und setzt nicht matt *(ehn stellt die Figuren auf)*.
ruf *(kiebitzt)*: Tatsächlich nicht schlecht, keine Ahnung wie das gehen soll, es ist immer matt. Ach ehn, 20 Jahre, eine so lange gemeinsame Zeit! Haben wir uns je gestritten?
ehn: Wozu?
ruf: *(nach langem Schweigen)*: Ich glaub, ich geb's auf.
ehn: Also: Auf den nächsten Seiten findet sich eine Chronologie sämtlicher Schachartikel von 1990 bis 2010, danach folgt ein Sach- und Personenregister, an den Seitenrändern jeweils drei ausgewählte Schachrätsel, insgesamt 273. Am Ende des Buches ein Verzeichnis der 1917 kommentierten Partien geordnet nach Eröffnungen, schließlich die Lösungen der Rätsel und eine Danksagung. Beigelegt ist eine DVD mit Scans aller Schachartikel im Volltext. Chronologie, Register und Partieverzeichnis verweisen per Datum auf die Artikel auf der DVD.
ruf *(blickt auf das Schachbrett)*: Wie ist die Lösung?
ehn: Der weiße Turm zieht nach C6.
ruf: Haben wir noch etwas vergessen?
ehn: Nächste Woche beginnt das Turnier in Dortmund. Noch etwas?
ruf: Ja, vielleicht. Gibt es dich wirklich?
ehn: Ja.
ruf *(zögernd)*: Und mich?
ehn: So halbwegs.

»Chess Fever« von Wsevolod Pudovkin & Nikolai Shpikovsky (UdSSR, 1926)

CHRONOLOGIE

Das folgende Verzeichnis umfasst die Titel sämtlicher, im Zeitraum von 1990 bis 2010 in »Der Standard« erschienenen Artikel von ruf & ehn in chronologischer Ordnung. Das jeweilige Datum verweist auf den Zeitpunkt der Publikation, die Artikel können dadurch auf der beigelegten DVD aufgefunden und im Volltext nachgelesen werden.

Vor dem Duell . . .

GARRY KASPAROV VS. ANATOLY KARPOV 1990 SCHACH-WELTMEISTERSCHAFT

Mit diesem Sonntag beginnt DER STANDARD seine Berichterstattung über das Schachereignis des Jahres.

Anatoli Ewgenewitsch Karpov		Garri Kimowitsch Kasparov
23. 5. 1951	*geboren*	13. 4. 1963
Slatoust (URAL)	*in*	Baku als Harry Weinstein
mit 15 Jahren	*Nationaler Meister*	mit 12 Jahren
mit 18 Jahren	*Internat. Meister*	mit 16 Jahren
mit 19 Jahren	*Großmeister*	mit 17 Jahren
1969	*Jugendweltmeister*	1980
2 Mal	*UdSSR - Meister*	2 Mal
1975-1985	*Weltmeister*	1985-?
9	*Schach - Oscars*	3
ca. 70	*Turniersiege*	ca. 30
2730	*Elozahl*	2800 - (höchste je erreichte)
ja (zum 2. Mal)	*verheiratet*	ja
ein Sohn	*Kinder*	nein
Chefredakteur der auflagenstärksten Schachzeitung der Welt namens "64" Vorsitzender des Sowjetischen Friedensrates		bis vor kurzem Präsident der GMA im Vorstand einer kleinen Partei der radikalen Perestroika
Capablanca	*Schach -Vorbild*	Aljechin

Auch wenn diesen Sonntag Nationalratswahlen sind, ist er für den wahren Schach-Aficionado aus einem anderen Grund ungleich bedeutender: In ihrem bereits fünften Weltmeisterschaftsmeeting wird die Frage Karpow oder Kasparow entschieden, wenn diese Schachgiganten im Hudson Theatre des Hotels Macklowe in New York um 17.30 Ortszeit zu ihrem ersten Treffen Platz nehmen. Der mit 3 Mio. Dollar dotierte Wettkampf wird auf 24 Partien gespielt, wobei die erste Hälfte in New York, die zweite in

Schach

Lyon stattfindet. Mit 3 Partien pro Woche wird er die Gemüter bis Dezember beschäftigen.

Zur Vorbereitung bestritt Kasparow in Murcia einen 6rundigen Trainingswettkampf gegen Lev Psachis, während sich Anatoli Karpow am SKA Großmeisterturnier in Biel beteiligte. Beide wurden ihrer Favoritenstellung gerecht: Kasparow fegte Psachis mit 5:1 vom Brett, während Karpow, ohne voll aus sich herauszugehen, in Biel dominierte.

In Murcia hatte Psachis nicht den Hauch einer Chance. Kasparow war in Hochform:

Weiß: Psachis
Schwarz: Kasparow
Murcia (1. Wettkampfpartie) 1990

1.c4 g6 2.e4 Lg7 3.d4 d6 4.Sc3 Sf6 5.f3 0-0 6.Le3 Sbd7 7.Ld3 7.Sh3 e5 8.d5 Sh5 9.g4 Sf4 10.Sxf4 exf4 11.Lxf4 Se5 12.Le2 f5 13.gxf5 gxf5 14.Dd2 fxe4 15.Sxe4 Dh4+ 16.Lg3 Dh5 17.Sg5 Sxf3+ 18.Sxf3 Txf3 19. Lxf3 Dxf3 20.Tf1 ist unklar. Seirawan Nunn, Lugano 1987. **7. . .c5 8.Sge2 cxd4 9.Sxd4 e6 10.0-0 d5!** Dieser Vorstoß sichert Schwarz zumindest den Ausgleich. **11.exd5 exd5 12.Lf2 Se5 13.c5?! Sfd7 14.Le2 Sxc5 15.Sdb5 b6 16.Sxd5 Lf5 17.Sd4 Ld3!** Jetzt dominieren die schwarzen Figuren das Brett. Schlecht ist natürlich 17. . .Dxd5 18.Sxf5 Dxd1 19.Se7+. **18.Lxd3 Dxd5 19.Lc2 Tad8 20.De2 Tfe8 21.Tfe1** Schwach, weil die folgende Kombination möglich wird. Es war aber schon sehr schwer, hier gute Züge zu finden.

21. . .Sxf3+! 22.Dxf3 Txe1+ 23.Txe1 Lxd4 24.Dxd5 24.Te8+?? Txe8 25.Dxd5 Te1+ **24. . . Txd5 25.Te2** Das Endspiel ist hoffnungslos. **25. . . Lxb2 26.Lxc5 Txc5 27.g3 b5 28.Kg2 Le5 29.Lb3 a5 30.Tf2 Tc7 31.Te2 Lc3 32.Te8+ Kg7 33.Tb8 a4 34.Ld5 Tc5 35.Le4 b4 36.Lc2?** (36. . . Le5—+) 0-1

Auch Karpows Generalprobe in Biel kann als geglückt bezeichnet werden, obwohl er sich gegen Ende des Turniers mit schnellen Punkteteilungen zufriedengab (Turniertaktik?).

Die folgende Partie benötigt eigentlich keinen Kommentar: Seinen unnachahmlichen Stil, selbst mikroskopische Stellungsvorteile zu verwerten, demonstriert er hier in ausgezeichneter Weise:

Weiß: Karpow
Schwarz: Miles
Biel 1990

1.e4 e5 2.Sf3 Sc6 3.Lb5 Sf6 4.0-0 Sxe4 5.d4 Sd6 6.Lxc6 dxc6 6. . . bxc6 7.dxe5 Sb7 8.Sc3 Le7 9.Te1 0-0 10.Lf4 sc5 mit kleinem, aber solidem weißen Plus. **7.dxe5 Sf5 8.Dxd8+** Weiß vertraut auf seine schnellere Figurenentwicklung. **8. . . Kxd8 9.Sc3 Ke8 10.b3 h5 11.Td1 Le7 12.Lg5 Sh6 13.h3 Lf5 14.Lxe7 Kxe7 15.Sd4 Tad8 16.Td2 Lg6 17.Tad1 h4 18.b4 Sf5 19.Sce2 Scd4 20.Sxd4 f6 21.exf6+ Kxf6 22.Sb3 Txd2 23.Txd2 b6 24.Td7 Tc8 25.Td4 Lx2 26.Txh4 Te8 27.Tf4+ Ke5 28.Tf7 Lxb3 29.axb3 Kd4 30.Txg7 Kc3**

Der weiße Vorteil wächst und wächst. **31. Txc7 Kxb4 32.Txc6 Kxb3 33.f4 Tf8 34.g4 Txf4 35.g5 b5 36.g6 Tf8 37.g7 Tg8 38.Tc7 a5 39.h4 a4 40.h5 a3 41.h6 a2 42.Ta7 1-0**

Allgemein gilt Kasparow als leichter Favorit, da er ja eigentlich „nur" 24 Remisen benötigt und sich andererseits seit Monaten konstant in schachlichen Höchstleistungen überbietet. Bei Karpow gab es hingegen einen kleinen Ausrutscher im Turnier in Haninge, wo Seirawan mit beachtlichem Vorsprung gewann. Merkwürdig auch die Tatsache, daß der einst blitzschnelle Anatoli heute oft in Zeitnot gerät.

Da aber auf diesem hohen Niveau schon kleinste Formschwankungen und Finessen in der Eröffnungsvorbereitung den Ausschlag geben können, wäre jede Prognose eine gewagte Spekulation. Die Gleichwertigkeit der beiden Kontrahenten zeigt sich vor allem auch in der Tatsache, daß von bisher 131 zwischen ihnen ausgetragenen Partien Kasparow um eine(!) mehr gewann, während sie beide gegen „normale" Großmeistergegnerschaft Turnierscores von 70 bis 80 Prozent erreichen.

Auf jeden Fall erwartet uns Schach auf höchstem Niveau, wie ihre 131. und bisher letzte Partie gegeneinander beweist:

Weiß: Karpow
Schwarz: Kasparow
Skelleftea (Weltclub) 1989

1.d4 Sf6 2.c4 g6 3.Sc3 Lg7 4.e4 d6 5.Sf3 0-0 6.Le2 e5 7.0-0 Sc6 8.d5 Se7 9.Sd2 a5 10.a3 Sd7 11.Tb1 f5 12.b4 Kh8 13.f3 13.Dc2!? Sg8 14.Lb2 Sgf6 15.Tbc1 mit kleinem weißen Vorteil. **13. . .Sg8 14.Sb3!?** (14.Sa4) **14. . .axb4 15.axb4 Sdf6 16.Ld2 Sh5** Die Drohung 17. . .Sf4 zwingt Weiß zu folgendem, die weißen Felder schwächenden Bauernaufzug. **17.g3 Shf6 18.Tf2 Sh6 19.Ta1 Txa1 20.Dxa1 Sfz 21.Dc1 f4!** Schwarz opfert einen Bauern für aktives Spiel. **22.g4!?** 22.gxf4 exf4 23.Lxf4 Sh5 24.Le3 g5 25.Sd4 Df6 mit aktiver schwarzer Stellung. **22. . . h5 23.h3 24.Le1** Es drohte Dh4 **24. . .Lf6 25.Kg2 Kg7 26.Tf1 Shg5 27.Th1**

(Siehe DIAGRAMM 3)

27. . .Sxh3! 28.Txh3 Sg5 29.Th2! 29.Th1? würde sofort verlieren (siehe Anmerkung zum 30. Zug von Schwarz) **29. . .hxg4 30.fxg4 Th8!** 30. . . f3+ 31.Lxf3 Sxf3 32.Dh6+ Kf 33.Kxf3 Th8 34.Dd2!

(Jetzt sieht man, warum der Turm auf h2 stehen muß!) 34. . . Lg5 35.Dg2 Df6 36.Ke2 Txh2 37.Dxh2 Lxg4+ 38.Kd3 Df1+ 39.Kc2 Dxe1 40.Dh7+ Kf8 41.Dxg6+ **31.Lh4** Schließt die gefährdete h-Linie **31. . . f3+ 32.Lxf3 Sxf3 33.Lxf6+ Dxf6 34.Txh8 Kxh8 35.Kg3 g5?** Mit dem ungewöhnlichen Manöver 35. . . Kg8! 36.De3 Sd4 37.g5! Dh8!! hätte Schwarz entscheidende Vorteile erzielen können. **36.Se2!** Ein gewaltiger Verteidigungszug: auf 36. . . Sh4 folgt 37.Dh1 und Schwarz kann nirgends eindringen. **36. . .Kg7 37.Dh1 Sd4 38.Sbxd4 exd4 39.Dd1!** Nun muß Schwarz das Remis forcieren. **39. . .De5+ 40.Kf3 Df6+ 41.Kg3 De5+ 42.Kf3 Df6+** ½-½-Angriff und Verteidigung standen auf gleicher Höhe.

Eine hübsche, nicht allzu schwere Aufgabe eines der bekanntesten österreichischen Studienkomponisten steht heute zur Diskussion. Wie können die beiden weißen Leichtfiguren gegen die momentan noch etwas abseits stehende schwarze Dame reüssieren?

Alois Wotawa 1962

Weiß zieht und gewinnt!

Lösung vom 30. 9. 1990: 1...Dxd5! 2.cxd5 Te1+ 3.Kg2 Lf1+ 4.Kg1 Lh3 Matt!

ruf&ehn

1990

17.6. Ein mysteriöser Inder
Am Semmering spielte Sultan Khan (1905–1966) 1931 ein Match gegen Savielly Tartakower

24.6. Ein Schachbaron
Ignatz von Kolisch (1837–1889): Wie man trotz oder durch Schach reich wird

1.7. Ein Champion mit fünfzehn
Gastkommentar Alexej Suetin zu Konstantin Sakaew

8.7. Larsen back on stage
Bent Larsen feiert in England ein überraschendes Comeback

15.7. Blue Jeans und Nadelstreif
Der exzentrische Mathematiker Jon Speelman schlägt Garri Kasparow

22.7. Zwickmühlen: Logik der Zerstörung
Carlos Torre stürzt Emanuel Lasker ins Räderwerk der Schachmühle

29.7. Selenus: Königliches Spiel
1616 erschien das erste Schachlehrbuch in deutscher Sprache

5.8. Über kurz oder lang
Der englische Historiker Ken Whyld hat schwarz-weiße Rekorde versammelt

12.8. Thriller in Manila
Die ersten Kandidaten für die übernächste Weltmeisterschaft stehen fest

19.8. Klingendes Oberwart
Österreichs Hoffnung Josef Klinger gewinnt erstmals das Traditionsopen

26.8. Hitze in Stadlau
Turniersaal statt Biergarten: Alex Fauland obsiegt in der der Donaustadt

2.9. Er kennt keine Angst
Alexej Suetin aus Moskau über Alexej Schirow aus Riga

9.9. Es begann in Lothal
Joachim Petzolds Spekulationen zum Ursprung des königlichen Spiels

16.9. Ein Fest für Karpow
Herausforderer Anatoli Karpow gewinnt Biel en passant

23.9. Ein aktiver Präsident
Vaclav Havel findet Zeit für eine Prager Partie mit Bessel Kok

30.9. Es klingert weiter, diesmal geschah es im kleinen Tenneck
Großmeister Josef Klinger reist nach Salzburg und gewinnt locker

7.10. Vor dem Duell
Garri Kasparow vs Anatoli Karpow 1990 Schach-Weltmeisterschaft (I)

14.10. Hungern und Hassen
Garri Kasparow vs Anatoli Karpow 1990 Schach-Weltmeisterschaft (II)

21.10. Mit Haut und Haaren?
Garri Kasparow vs Anatoli Karpow 1990 Schach-Weltmeisterschaft (III)

28.10. Feuer und Eis
Garri Kasparow vs Anatoli Karpow 1990 Schach-Weltmeisterschaft (IV)

4.11. Das Empire schlägt zurück
Garri Kasparow vs Anatoli Karpow 1990 Schach-Weltmeisterschaft (V)

11.11. Drei Balanceakte am Hudson River
Garri Kasparow vs Anatoli Karpow 1990 Schach-Weltmeisterschaft (VI)

18.11. Keine Medizin gegen Karpow
Garri Kasparow vs Anatoli Karpow 1990 Schach-Weltmeisterschaft (VII)

25.11. Rekord beim Wiener Open
Gleich sechs Sieger beim Massenandrang im Rathaus

2.12. Stark wie schottischer Whisky
Garri Kasparow vs Anatoli Karpow 1990 Schach-Weltmeisterschaft (VIII)

9.12. Diamanten für Herrn K.
Garri Kasparow vs Anatoli Karpow 1990 Schach-Weltmeisterschaft (IX)

16.12. Alle Höhen und Tiefen
Garri Kasparow vs Anatoli Karpow 1990 Schach-Weltmeisterschaft (X)

23.12. Götterdämmerung in Lyon
Garri Kasparow vs Anatoli Karpow 1990 Schach-Weltmeisterschaft (XI)

28.12. Innovativ, offensiv, impulsiv
Garri Kasparow steht nach der 22. Partie vor dem großen Sieg

30.12. Silvestermenü
Vorspeise, Hauptspeise, Nachspeise zum Jahreswechsel auf 64 Feldern

1991

6.1. Schach-WM – die Letzte
Garri Kasparow vs Anatoli Karpow 1990 Schach-Weltmeisterschaft (XII)

13.1. Kann man Diemer lieben?
Politische Partien 1: Emil Joseph Diemer starb im 82. Lebensjahr

20.1. »Grenzenloser Jubel«
Politische Partien 2: Zwei Männer und der Anschluss von 1938

27.1. Ein furchtbarer Richter
Politische Partien 3: Dr. Alois Wotawa (1896–1970)

3.2. Der Mann mit dem Variantenkoffer
Politische Partien 4: Ernst Grünfeld (1893–1962)

10.2. Ein wüstes Leben
Politische Partien 5: Alexander Aljechin (1892–1946)

17.2. Schwarzweiße Helden-Plätze
Politische Partien 6: Über Ermordete und Vertriebene

24.2. Capa verliert nicht!
Josè Raul Capablanca (1888–1942)

3.3. Die Kandidaten
Anand, Gelfand, Iwantschuk, Jussupow, Kortschnoi, Short, Timman – und Karpow

10.3. Der Mohr von Wien
Angelo Soliman (1721–1796)

17.3. Ein logischer Spieler
Alexej Suetin über Boris Gelfand

24.3. Professor Elos Zahlenzauber
Von der Suche und der Sucht nach Bewertung

31.3. Sensation in Linares
Iwantschuk schlägt Kasparow und Karpow

7.4. Erstes Monatsrätsel
Ganz leicht. Ganz schön. Ganz schön schwer.

14.4. Die Chinesinnen kommen
Xie Jun erreichte das Finale der Weltmeisterschaft

21.4. Das Buch des Lucena
Liebe und Kunst des Spiels in der Renaissance

28.4. Deep Thought II
Das Monster in Hannover

5.5. Rätseln im Mai
Ganz leicht. Ganz schön. Ganz schön schwer.

12.5. Play it again, Sam!
Humphrey Bogart, die andere Karriere

19.5. New York im Zeitraffer
Alexander Goldin gewinnt das New York Open

26.5. Nach zwölf Jahren Pause…
Das brasilianische Schachwunder Henrique da Costa Mecking

2.6. Rätseln im Juni
Ganz leicht. Ganz schön. Ganz schön schwer.

9.6. Wie an feinen Fäden
Gustav Meyrink und Rudolf Charousek

16.6. Morgens in Kopenhagen
Bent Larsens verschlafenes Finish

23.6. Ein Globetrotter in China
Tony Miles gewinnt in Peking

30.6. Bronsteins Bullfrog
Von abgelehnten, wilden und weggetauchten Ochsenfröschen

Der Zauberer ist tot

Schach: Michail Tal 1936 – 1992

Gehörte bis zuletzt zur Weltspitze: Michail Tal *Foto: Votava*

Als 1960 die Uhren nach der letzten Matchpartie im WM-Kampf Botwinnik – Tal abgestellt wurden, brandete in der Moskauer Kongreßhalle tosender Applaus auf. Es war tatsächlich etwas Unerhörtes geschehen. In knapp vier Jahren hatte Michail Tal den Thron des Weltmeisters erobert. Und in welchem Stil!

Fremd und unversöhnlich war die Romantik des Arztsohnes aus Riga der sowjetischen Schachschule begegnet. Man schrieb das Zeitalter der Zähigkeit. Vorbereitung und Wissenschaftlichkeit dominierten das Spiel. Fast ein Jahrhundert nach Paul Morphy gab Michail Tal mit diesem Erfolg dem Schach das Moment des Künstlerischen wieder. Wie ein Zauberer vermochte er, das Brett mit wenigen Zügen in Brand zu setzen und die verborgene Dynamik von Stellungen aufzuspüren.

Knapp ein Jahr später war Tal seinen Titel freilich wieder los. Botwinnik machte im Revanchekampf den Magier zum jüngsten Ex-Weltmeister der Geschichte.

Tals Opferstil wurde jedoch sprichwörtlich. Er suchte nicht die Ordnung, sondern regierte mit Intuition, Spielwitz und Aggressivität in einem Reich des Chaos, in dem selbst Bobby Fischer einmal in einem Wettkampf unterging.

Toran – Tal
Oberhausen 1961

1.c4 e5 2.Sc3 d6 3.g3 f5 4.d4 e4 5.f3 Sf6 6.Lg2 exf3 7.Sxf3 g6 8.0-0 Lg7 9.e4 Riskant, 9.d5 führt zu ruhig-kompliziertem Spiel. **9... fxe4 10.Sg5 0-0 11.Sgxe4 Sxe4 12.Txf8 + Dxf8 13.Sxe4 Sc6 14.Le3 Lf5 15.Dd2** Besser 15.Sg5 Se7 mit verteilten Chancen. **15... Te8 16.Sg5 Txe3!** Der Zauberer erwacht . . . **17. Ld5 +** Nach 17.Lxc6 De7! 18.Ld5 + Kf8! 19.Sxh7 + Ke8 kann Schwarz auf Vorteil spielen. **17... Kh8 18.Sf7 +**

18... Dxf7!! Ein ganz unglaubliches Damenopfer! **19.Lxf7 Td3** Schwarz hat nur zwei Leichtfiguren für die Dame, ihre aktive Stellung soll den Materialnachteil kompensieren. **20.De2** Nach der Partie schüttelte Tal schmunzelnd folgende Variante aus dem Ärmel: 20.Dg2 Lxd4 + 21.Kh1 Se5 22.Ld5 c6 23.Le4 Td2!! **20... Lxd4 + 21.Kg2 Se5 22.Td1 Te3 23.Df1** Oder 23.Dd2 Le4 + 24.Kh3 Sf3 25.Da5 Lf5 + 26.Kg2 Te2 +! 27.Kxf3 Tf2# bzw. 23.Df2 Lb6! 24.Ld5 c6 25.c5 Lxc5 26.Lb3 Le4 + 27.Kh3 g5! **23... Le4 + 24.Kh3 Tf3 25.De2 Lf5 + 0-1**

In den späten 70er Jahren wurde Tals Spiel etwas positioneller, doch blieb er der Rolle des jugendlichen Helden gerecht. Trotz schweren Nierenleidens und unsteten Künstlerlebens gehörte er bis zuletzt zur Weltspitze. Tal hat das Schach in diesem Jahrhundert verändert und früh die Türen zur Neoromantik der Gegenwart aufgestoßen. Er starb 55jährig am 28. Juni in Moskau.

Tal – Solmanis
UdSSR 1970

Tal (Weiß, am Zug) entfachte ein brillantes Feuerwerk.

Lösung vom 5. 7. 1992: Nein! Nach **1.Df6 + Kg8 2.Dg7 +!! Kxg7 3.h6 +! K-beliebig** ist es patt!

● *ruf&ehn*

7.7. Stille Stunden mit Réti
Über Zugzwänge und diagonale Wunder

14.7. Der Informator
Eine Legende erscheint im 50. Band

21.7. Zwischen Salsa und Reggae
Isländische Überlegenheit in der Karibik

28.7. Blitzkrieg in Schwarzweiß
Schach im Zeitalter der Beschleunigung

4.8. Über Randspringer
Schlenkereien und seltsames Getier

11.8. Spannung in Hartberg
Leonid Jurtaew gewinnt das 1. Minolta-Open

18.8. Erfolg nach Bauchschuß
Artur Jussupows Einstand in Germania

25.8. Unterm Hammer
Die Bibliothek Muffang wurde versteigert

1.9. Eine französische Revolution
Frankreichs Nationalliga ist die zweitstärkste der Welt

8.9. Viertelfinale in Brüssel
Timman, Karpow, Short und Jussupow qualifiziert

15.9. Die Technik als Gegner
Im Dialog mit Ephraim Kishons geschwätziger Elektronik

22.9. Hommage an den Patriarchen
Michail Botwinnik zum 80. Geburtstag

29.9. Chaotische Systeme in Britannia
Trompowskys Angriff in Eastbourne

6.10. New York - Moskau per Telegraph
100 Jahre Wilhelm Steinitz vs. Michail Tschigorin

13.10. Zuerst das Fressen...
Neue Theorie zu Moral und Fressen auf 64 Feldern

20.10. Der Desperado
Opfer zwischen Hoffnung und Verzweiflung

27.10. Karpow und Iwantschuk ex aequo
Auftakt zum Weltcup-Zyklus in Reykjavik

3.11. Ganz Wien auf 64 Feldern
Großmeisterturnier an Larry Christiansen

10.11. Kamsky back in the USA
Ein Wunderkind gewinnt die US-Meisterschaft

17.11. Chinesisches Wunder
Xie Jun überraschend Damen-Weltmeisterin

24.11. Rekordturnier
Das meiste Geld, die höchsten Elopunkte, der beste Weltmeister

1.12. Ein getürkter Sieg
Napoleon Bonapartes Niederlage im Schloß Schönbrunn anno 1809

8.12. Immer nur Französisch
Das demütige Leben des Wolfgang Uhlmann

15.12. Geldregen in Paris
Timman besiegt Kasparow im Aktiv-Schach

22.12. Erinnerungen an einen Fremden
Vor 100 Jahren starb Louis Paulsen

29.12. Schwarzweiße Märchen
Seltsame Nüsse zum Jahreswechsel

1992

5.1. Bogart, die zweite
Eigentlich müsste das Ochsenfrosch-Gambit Bogart-Gambit heißen

12.1. Ein Wunder in neun Zügen
Conrad Bayers unsterbliches Problem

19.1. Der indische Tiger
Das Superturnier von Reggio Emilia wurde Viswanathan Anands Beute

26.1. Kälberstich und Todesblick
Wie man es in China spielt

2.2. Genie oder geniale Züchtung?
Die 15jährige Ungarin Judit Polgar wurde jüngster Großmeister

9.2. Traditionsturnier Wijk aan Zee
Überraschende Führung, logische Sieger

16.2. Einer gegen alle
Kasparow zerstört die deutsche Nationalmannschaft

23.2. Die Erfindung der Zeitnot
Über Uhren, Alpträume und die Vernichtung der Bruthennen

1.3. Der Kubismus des Gyula Breyer
Aus dem Alphabet der Provokateure, 1. Lieferung

8.3. Rudolf Spielmanns Kombination
Aus dem Alphabet der Provokateure, 2. Lieferung

15.3. Michael Basmans Anarchismus
Aus dem Alphabet der Provokateure, 3. Lieferung

22.3. Der Autismus des Duncan Suttles
Aus dem Alphabet der Provokateure, letzte Lieferung

29.3. Das Spiel des Weltmeisters
Garri Kasparow demütigt die Konkurrenz in Linares

5.4. Kafka oder Herzmanovsky?
Über den wenig diskreten Charme des Managements

12.4. Kleine Ungeheuer
Peter Leko ist der jüngste internationale Großmeister

19.4. Easy Rider
Alex Wohl gewinnt die australische Meisterschaft

26.4. Exzentrische Welt der Studien
23.000 kleine Kunstwerke sind auf Diskette erschienen

3.5. Geradeso wie Atmen
Letzte Klappe für Sam Reshevsky

10.5. WM-Halbfinale in Linares
Timman und Short überraschend qualifiziert

17.5. Ästhetik des Verlustes
Hegel, der Papyrologe, ein Flegel und der Weltmeister

24.5. Vergangene Zukunft
Besuch in Raymond Smullyans Retro-Welt

31.5. Kurz-Schlüsse
Amusement und Schrecken der Miniaturen

7.6. Eigensinn und Aggression
Die königsindische Verteidigung, ein Spiel für Taktiker

14.6. Schwarzenegger statt Dionysos
Zweifelhafter Trend zur Fitness in Amsterdam

21.6. Deutsche Bundesliga
Bayern München vor Porz und Solingen

28.6. Spanische Renaissance
Anatoli Karpow und Judit Polgar überraschen in Madrid

5.7. Remis? Remis!
Unentschieden können spannend sein

12.7. Der Zauberer ist tot
Michail Tal 1936–1992

19.7. Die Neuen dominierten
Ungewohntes Spitzenfeld bei der Schacholympiade in Manila

26.7. Sponsor nach Kampf
Millionen für die WM-Kandidaten Short und Timman

2.8. Unter Schwestern
Frauen im Zeitalter der Beschleunigung

9.8. Komm und spiele, Kerl!
Mythos Robert James Fischer, 1. Teil

16.8. Wie ein Wolf
Mythos Robert James Fischer, 2. Teil

22.8. Psycho-Killer
Mythos Robert James Fischer, 3. Teil

SCHACH

Auf dem Weg, wirklich zu werden

Das aggressive Spiel des Vesselin Topalov

Illustration: Oliver Schopf

Wirkliche" Schachspieler, das sind für ihn Kasparow, Karpow, Kramnik und noch ein paar mehr. Die anderen – die schemenhafte, amorphe Masse der Patzer – zählen nicht. Er selbst, sagte er unlängst bei einem Interview bescheiden, sieht sich auf dem Weg, ein wirklicher zu werden.

Vesselin Topalov, 22jähriger Jungstar aus Bulgarien, ist es längst. Zweifellos Spieler des Jahres, verzeichnete er heuer bereits fünf Turniersiege, die seine Elozahl in astronomische Höhe schnellen ließen. Hinter Kasparow (2785) und Karpow (2783) nimmt er mit 2745 Punkten bereits Rang drei der aktuellen Elowertung ein, vor den sehr „wirklichen" Großmeistern Kramnik und Anand (je 2740), Kamsky (2735) und dem mächtigen Iwantschuk (2725).

Trotz seiner Jugend verfügt Topalov über ernorme Erfahrung. Viele Jahre hinweg spielte er zumindest zwei offene Turniere pro Monat. Und diese Turniere, wo man gewinnen muß, um zu überleben, haben Topalovs erfolgshungrigen Stil geprägt: Niemand spielt derzeit auf diesem Topniveau aggressiver, keiner rechnet genauer. Das Ergebnis sind Partien von äußerster Energie, Positionen unter Starkstrom. Ein Fehltritt, und man verglüht.

Adams – Topalov
Madrid 1996

1.d4 Sf6 2.Lg5 Octavio Trompowskys immer öfter gespielter Angriff. **2 ... e6** Oder aggressiv 2 ... Se4. **3.e4 h6 4.Lxf6** Unaufmerksam wäre 4.Lh4? g5 5.Lg3 Sxe4 -+ **4 ... Dxf6 5.Sc3 d6 6.Dd2 g5** Notwendig, denn f4 mit Einengung drohte stark. **7.0-0-0 Lg7 8.g3** Nur auf den ersten Blick schärfer war 8.e5 dxe5 9.dxe5 De7 10.f4 Sc6 = **8... Sc6 9.Sb5!?** Ein Ausflug ohne Ziel. 9.Lb5 Ld7 10.Sge2 a6 11.Lxc6 Lxc6 ist die gute Alternative. **9 ... Dd8 10.Se2** Interessant war 10.c3 a6 11.Sa3 mit Bastion gegen den Lg7. **10 ... a6 11.Sbc3 b5 12.Lg2 Lb7** Doppelte Eselsohren – ein witziger Aufbau von Schwarz. **13.f4 Se7 14.h4?!** Schlecht, weil der Königsflügel abgeschlossen wird. Hinterlistig war 14.Thg1. **14 ... g4 15.h5?** Sinnlos. **15 ... b4 16.Sb1 a5 17.De3 0-0** Jetzt ist die Rochade ohne Gefahr möglich. **18.Sd2 f5!** Ein Idealfeld für den Se7. **19.Thg1 fxe4 20.Lxe4** Schwarz kommt auch nach 20.Sxe4 Sf5 21.Dd2 Lxe4 22.Lxe4 d5 in Vorteil. **20... Sf5 21.Db3 d5 22.Lxf5 exf5**

Die Früchte des originellen schwarzen Spiels: Die Stellung ist strategisch gewonnen – die weißen Springer finden keine guten Felder. **23.Tge1 Te8 24.Sf1 La6 25.Sg1 Lc4 26.Da4 Lxf1?!** Schneller ging's mit 26 ... Txe1 27.Txe1 Lxd4 28.Sd2 Df6! 29.Sxc4 dxc4 30.Te8+ Txe8 31.Dxe8+ Df8 32.De6+ Df7, und Weiß kann aufgeben. **27.Txf1 Te6** Die weiße Dame darf nicht nach c6. **28.Db3?** Beschleunigt das Ende. 28.Tfe1! mit der Drohung Te5 schuf Gegenspiel. Wenn Schwarz mit 28 ... Txe1 29.Txe1 Lxd4 30.Dc6 abtauscht, wird's kompliziert. **28 ... c6 29.Tfe1 Txe1 30.Txe1 Lxd4** – die Ernte. **31.Se2 De7 32.Kd1 Lf2 33.Tf1 Lc5 34.Dd3 Te8** Weiß wird auf der e-Linie zusammengedrückt. **35.Te1 De6 36.c3** Unzeitgemäße Aktivität. Aber Schwarz drohte, den c-Bauern mit leichtem Gewinn zu mobilisieren. **36 ... bxc3 37.bxc3 d4! 38.cxd4 Lb4 39.d5 Dxd5 40.Dxd5+ cxd5 41.Tg1 Te3 42.Sc1 d4 43.Sb3 a4** 0–1

Kortschnoj – Topalov
Wien 1996

1.Sf3 d6 2.c4 Lg4 Weg von der Theorie, und das schon im zweiten Zug! **3.e4** Gewollt originell. Besser war 3.d4, denn nun fällt der Punkt d4 in schwarze Hand. **3 ... c5 4.Sc3 Lxf3 5.Dxf3 Sc6 6.d3 g6 7.g3** Leise Anklänge an den geschlossenen Sizilianer. **7 ... Lg7 8.Lg2 e6 9.0-0 Sge7 10.Le3 0-0 11.De2 Tb8 12.Dd2 Sd4 13.Kh1 Sec6 14.f4 f5** Stemmt sich sofort entgegen, da ansonsten g4 und weiße Herrschaft am Königsflügel folgt. **15.Tae1 Da5 16.Lg1?!** Etwas gekünstelt. Geradliniger 16.h3 nebst Durchsetzung von g4. **16 ... Kh8 17.h3 a6 18.g4 Tbe8** B5 durfte der Bulgare nicht spielen: 19.exf5 gxf5 20.Lxc6 Sxc6 21.Txe6 mit Bauernverlust bzw. 18 ... b5 19.exf5 exf5 e-Linie und Feld d5 in weißem Besitz. **19.Lh2 Dd8 20.exf5 gxf5 21.gxf5?!** Eine schwerwiegende Entscheidung. Kortschnoj versprach sich (zu) viel vom Königsangriff. Solider war geduldiges Manövrieren mit 21.Lg3. **21 ... Sxf5 22.Se4 Scd4 23.Dd1 Sh4 24.Tg1 Sdf5 25.Sg5 Ld4?!** Ein typischer Spontanzug Topalovs. Umsichtiger war 25 ... Dd7, um das Feld e6 zu decken.

26.Sxh7?! An Mut hat es Kortschnoj nie gemangelt. Die Entblößung des schwarzen Königs ist natürlich verlokkend, doch Schwarz überlebt alles. Gut war hingegen 26.Sxe6 Txe6 27.Txe6 Lxg1 28.Dxg1 (28.Lxg1 Sxg2) 28 ... Tg8 29.Te2 mit Gleichgewicht des Schreckens. **26 ... Kxh7** Nun muß der König an die frische Luft, was ihm aber durchaus behagt. **27.Dh5+ Kg8** Erste Falle: 27 ... Sh6 28.Le4+ Tf5 29.Tg5+- **28.Le4+ Lg7 29.Txg7+!** Nur so geht's weiter! **29 ... Kxg7** Zweite Falle: 29 ... Sxg7?! 30.Lh7+ Kh8 31.Dh6 Tf7 32.Lg6+ Kg8 33.Dh7+ Kf8 34.Dh8+ Ke7 35.Dxh4+ Tf6 und 36.Lxe8 **30.Tg1+ Kf6 31.Lg3 Sg6** Dritte Falle: 31 ... Sxg3+? 32.Txg3 Sf5 33.Lxf5 exf5 34.Dg6+ Ke7 35.Dg7+ Tf7 36.Te3+- **32.Le1** Auch nach 32.Lxf5 exf5 33.Lf2 Ke7 34.Txg6 Kd7 entkommt der schwarze König. **32 ... Ke7!** Alle Klippen sind umschifft! **33.Txg6 Kd7 34.Dg4 Kc8 35.Txe6?** In schlechter Stellung stellt sich beizeiten ein Fehler ein. **35 ... Txe6 36.Lxf5 Txf5 37.Dxf5 Dd7** mit tödlichen Abzugsdrohungen, 0–1

Jefimov – Glek
Borschomi 1984

Kann Weiß (am Zug) dem eingepferchten schwarzen König zusetzen? *ruf & ehn* ●

***Lösung v. 6. 10.:* 2.Lxf7+! Kd8** 1 ... Kxf7 2.De6+ nebst Txh8 **2.Se6+ Kc8 3.Txh8** mit kräftigem Materialgewinn. 1–0

SPIEL

Unter Affen

Bananas

Zum Kampf treten an: drei Schimpansen gegen einen Gorilla, wobei letzterer so gemein war, sich aus den Bananen der nächsten Umgebung ein Lager anzulegen. Was bleibt den armen Schimpansen da übrig, als auf Diebstour zu gehen.

Inhalt: Ein Spieler schlüpft in die Rolle des großen Primaten und stellt diesen auf den Weg, der rund ums Bananendepot führt. Gleiches wird mit den Schimpansen gemacht – und schon kann die fröhliche Bananenjagd beginnen. Es geht dabei darum, die Felder auf dem Weg rund ums Lager zu erreichen, wo Bananen abgebildet sind. Beim ersten Besuch werden Früchte aus dem Lager aufs betreffende Symbol gelegt, und der nächste, der kommt, darf sie sich dann zu seinem Vorrat legen. Trifft bei dieser Rundwanderung der Gorilla auf einen Schimpansen, jagd er ihn ganz einfach auf einen Baum, von dem der sich erst wieder runtertraut, wenn ein Artgenosse vorbeikommt. Gewonnen hat die Partei, die zuerst zumindest neun Bananen zusammengesammelt hat.

Fazit: Ein unterhaltsames Spiel für Jugendliche oder Familien. *(rg)*

Bananas
Hersteller: Gold Sieber Spiele
Spieler: 2 bis 4
Alter: ab 7 Jahre
Spieldauer: ca. 15 Minuten
Erhobener Preis: öS 198,–

29.8. Church of God
Mythos Robert James Fischer, vorläufig letzter Teil

6.9. Alte Feinde, neue Freunde
Karpow und Kortschnoi in Biel

13.9. High Noon in Sveti Stefan
Das Duell Bobby Fischer gegen Boris Spassky, Teil eins. Die Partien 1 - 3

20.9. Mehr verloren als gewonnen
Das Duell Bobby Fischer gegen Boris Spassky, Teil zwei. Die Partien 4 - 6

27.9. Drei Siege en suite
Das Duell Bobby Fischer gegen Boris Spassky, Teil drei. Die Partien 7–9

4.10. In alter Tradition
Das Duell Bobby Fischer gegen Boris Spassky, Teil vier. Die Partien 10 und 11

11.10. En avant, Spassky!
Das Duell Bobby Fischer gegen Boris Spassky. Teil fünf. Die Partien 12–14

18.10. Fischer zieht an
Das Duell Bobby Fischer gegen Boris Spassky, Teil sechs. Die Partien 15–17

25.10. Marathon und Retourkutsche
Das Duell Bobby Fischer gegen Boris Spassky, Teil sieben. Die Partien 19 und 20.

1.11. Leidenschaft und Inspiration
Zum 100. Geburtstag von Alexander Aljechin (1892–1946)

8.11. Langsames Finale
Das Duell Bobby Fischer gegen Boris Spassky, Teil acht. Die Partien 21, 25, 26

15.11. Hätte Fischer eine Chance?
Resümee zum Wettkampf Bobby Fischer gegen Boris Spassky. Letzter Teil

22.11. Trendsetter Tilburg
»Mickey« Adams bleibt in einer Nervenschlacht siegreich

29.11. Einsame Geselligkeit
Bayern München als Europacupsieger

6.12. Legionäre und Sezessionisten
»Topchess« präsentiert rebellische Spitzenspieler in Österreich

13.12. Von Patt und Pattzern
Der Griff nach dem Strohhalm

20.12. Weihnachten in hoher Zeitnot
Endspielvarianten für den Kaufrausch

1993

3.1. Silvestermenü
Circen, Grashüpfer und maßvolle Torheiten nach dem Jahreswechsel

10.1. Ein Hölderlin im Turm
Akiba Rubinsteins Endspiel

17.1. Spiel ohne Netz
Kandidatenfinale auf historischem Boden (I)

24.1. Vom Albtraum zum Licht
Nigel Short gewinnt die 3. und 4. Partie (II)

31.1. Wir lernen Spanisch!
Timman und Short geben Unterricht in San Lorenzo (III)

7.2. Short und der Despot
Verbaler Schlagabtausch mit Kasparow vor der WM

14.2. »Krieg? Nein, Nein!«
Die Partie am Vorabend der »Letzten Tage«

21.2. Unter Giganten
Margareten Winterthur ist Österreichischer Staatsmeister

28.2. Ob Mann oder Frau...
Favoritin Judit Polgar schlägt Boris Spassky

7.3. Freunde der Flasche
Zur Geschichte der Säufer von Blackburne bis Tal

14.3. Big Blue in Kopenhagen
Bent Larsen besiegt IBM-Monster knapp

21.3. Superturnier in Linares
Klarer Erfolg für Weltmeister Kasparow

28.3. In beschaulichen Stunden
Neue Studien von Jan Timman

4.4. Das böse Genie
Kurt Landsbergers Biographie über Wilhelm Steinitz

11.4. Stürmische Sommernacht
Shakespearesches Königsdrama oder Farce um die WM-Krone?

18.4. Streit um Ödipus
Dr. Reuben Fine (1914–1993), das obszöne Werk

25.4. Blinder Seher
Kombiniertes Blind-Schnellturnier in Monaco

2.5. Parallelaktion in FIDE
Karpow spielt den Zug des Jahres

9.5. Starke Engländer
Adams und Speelman für das Interzonenturnier qualifiziert

16.5. Kleckern oder Klotzen
Bayern München im Fotofinish deutscher Meister

23.5. Kammermusik auf 64 Feldern
Verblüffende Endspiele mit Bauern und Königen

30.5. Ein guter Zug von Hietzing
Kapetanovic vor Palos und Dückstein beim Meisterturnier in Wien

6.6. Mensch gegen Maschine
Beim AEGON-Turnier siegen erstmals die Computer

13.6. Der Tanz der Zahlen (I)
Von der längsten Partie bis zum schnellsten Patt

20.6. Vom Tanz der Zahlen (II)
Die vernichtende Kraft der Dame

27.6. Vom Tanz der Zahlen (III)
Die logischen Sprünge des Rössels

4.7. Die Stunde der Frauen
Beim Walzer-Turnier wurden die Männer in Grund und Boden gespielt

11.7. Money will talk
Die neuen Ratinglisten ohne Kasparow und Short

18.7. Turings Spiel
Ist es ein Mensch? Ist's ein Computer?

25.7. Offener Sommer
Turniere von Zell am Ziller und Velden am See

1.8. Die starken Frauen, Teil 1
Vera Menchik, die erste Weltmeisterin (1906–1944)

8.8. Die starken Frauen, Teil 2
Der georgische Klub der Weltmeisterinnen nach 1945

15.8. Die starken Frauen, Teil 3
Weltmeisterin Xie Jun, ein chinesischer Komet

22.8. Die starken Frauen, Teil 4
Polgar–das ungarische Dreimäderlhaus lehrt die Männer das Fürchten

29.8. Vor dem großen Fieber
Die zehn WM-Kandidaten für 1994 stehen fest

5.9. Die große Parallelaktion
Nächste Woche beginnen zwei Weltmeisterschaften

12.9. Spannung zum Auftakt
Schwarz gewinnt in Zwolle, Zeitnot in London

19.9. Zwischen Mut und Wut
Rock'n'Roll in London, Kammermusik in Arnheim

26.9. Überraschung und Albtraum
Timman ebenbürtig, Debakel für Short in Runde 7

3.10. Verpasste Chancen
Das Ergebnis für Short entspricht im Grunde den Erwartungen

10.10. Schön, aber unglücklich
Drei Kampfremisen vor der Halbzeit in London

SCHACH

Unser Mann im Jenseits

ruf & ehns historischer Salon (VI): Sam Loyd

Am Grabstein von Marcel Duchamp steht geschrieben: „Im übrigen: Es sterben immer nur die anderen." Das ist klar, aber wenn es wider Erwarten doch sein sollte, daß ruf & ehn das Zeitliche segnen – etwa durch einen etwas heftigeren Streit am Schachbrett –, dann wollen sie zusammen auf einer Wolke sitzen und eine kleine Ewigkeit mit Mr. Sam Loyd verbringen. Alles andere wird ja irgendwann langweilig.

Sam Loyd (1841–1911) war der König der Rätsel, er hat Tausende Probleme komponiert mit unglaublicher Phantasie und Scharfsinn, wie schon sein Erstling (mit knapp 14 Jahren!) zeigt:

Sam Loyd
Saturday Courier 1855

Weiß zieht und setzt in drei Zügen matt. Lösung: Schön wäre 1.Dh2? nebst 2.Kg3 matt. Schwarz hat jedoch die Verteidigung 1... Ta2! in petto, was das Ende beträchtlich hinauszögern würde. Einzig das „außerirdische" **1.Db8!!** führt zum Ziel. Schlägt Schwarz die Dame, folgt 2.Se5! und es droht undeckbar Matt auf g4 und f7. Versucht Schwarz **1... La2** mit der Idee, den oben skizzierten Plan mit Le6 oder mit Lg8, falls Weiß den Turm schlägt, zu verhindern, wird plötzlich die ursprüngliche Idee **2.Dh2!** wiederbelebt, da der schwarze Läufer jetzt seinen Turm auf a2 blockiert. So kann Schwarz beliebig ziehen, er wird im nächsten Zug mit **3.Kg3** unwiderruflich mattgesetzt.

Loyd wurde in Philadelphia als Sohn eines, wie er schreibt, „wohlhabenden, aber anständigen" Immobilienmaklers geboren. Eigentlich sollte er Bauingenieur werden, doch Loyd entdeckte als einer der ersten die damals neue Welt der Reklame, das Advertising als Einnahmequelle für einen kreativen Kopf. Für den Zirkus P. T. Barnum – The greatest Show on Earth – konzipierte er graphische Rätsel auf den Eintrittskarten, die in millionenfacher Auflage erschienen und über lange Zeit sein Auskommen sicherten. Heute noch sind seine Geduldspiele weltbekannt, auch wenn der Name ihres Erfinders verschwand.

Die *Schweine im Klee* schuf Loyd um 1875 aus Kartonresten, und jeder kennt sie in einer der tausend Varianten aus seiner Kindheit: eine runde Schachtel mit einem Labyrinth, in dem sich Kugeln befinden. Die Aufgabe besteht darin, die ganze Kugelherde im Mittelpunkt des Labyrinths zu versammeln. Einige Firmen haben es als Werbegeschenk für Kinder vertrieben, aber auch viele Erwachsene wurden von dem Spielzeug betört.

Das berühmteste Spiel Loyds ist das *14–15* Puzzle. Noch heute hat es nichts an Reiz eingebüßt, jeder Computer hält es zur Unterhaltung ermüdeter Benützer bereit. Es besteht aus 15 viereckigen Plättchen, die Nummern tragen und in einem Kasten aufbewahrt sind, der 16 Stück fassen könnte. 14 und 15 sind vertauscht. Die Aufgabe besteht darin, die Plättchen so lange zu verschieben, bis die 15 am richtigen Platz zu liegen kommt (ein illegitimer Enkel von *14–15* ist Rubicks *Cube*). Dem Schachspiel blieb Loyd aber zeitlebens verbunden.

Sam Loyd
Pariser Turnier 1867

Weiß zieht und setzt in fünf Zügen matt. Lösung: Ein schwieriges Vexierspiel. Wie kann man sich Zutritt zum eingesargten schwarzen König verschaffen? Einzig das völlig paradoxe **1.Tf8!!** ist der Schlüssel zum Sesam. Es droht 2.Ke2! und 3.Tf1 matt, daher muß Schwarz den Turm inhalieren. **1... Sxf8 2.Lf5!** Der schwarze Springer sitzt nun in der Falle, und wenn sich der schwarze Läufer bewegt, gibt er den Weg für den weißen Bauern frei, der wiederum die tödliche Diagonale a8–h1 öffnet. Schwarz opfert also seinen Springer auf einem beliebigen Feld, worauf **3.LxS L/beliebig** sowie **4.g3 S/beliebig** und **5.Ld5/c6/e4** matt folgen.

Sam Loyds letztes Vorhaben blieb allerdings unvollendet. Er wollte sein Buch „Chess Strategy" neu herausgeben, natürlich nicht auf Englisch. Es sollte auf Isländisch erscheinen. Auf Deutsch, aber dennoch nicht leicht zu beantworten, sind Sam Loyds berühmte drei Fragen zur Ausgangsstellung:

Sam Loyd
Le Sphinx 1866

I. Wie kann Weiß in vier Zügen mattsetzen, wenn beide Seiten die gleichen Züge machen?
II. Wie kann Weiß unter Mithilfe von Schwarz ihn in zehn Zügen pattsetzen?
III. Wie läßt sich ewiges Schach vom dritten Zug an erzwingen? ●

ruf & ehn

Lösung v. 3. 8.: **1.Dxc5+!! Kxc5 2.La3+ Kc4 3.Lb5+ Kxc3 4.Tbc1** matt. 1... Ke6 2.Dxd5+ Ke7 3.La3 matt.

17.10. Das Glück des Furchtlosen
Nigel Short gewinnt seine erste Partie

24.10. Karpow zieht davon
Short kämpft, Kasparow remisiert, Karpow gewinnt

31.10. Das Waterloo des Jan Timman
Anatoli Karpow ist der einzige Gegner Kasparows

7.11. Fischers schweres Erbe
Die Doppelweltmeisterschaft ließ viele Fragen offen. Ein Resümee.

14.11. Für immer jung
Erinnerung an Jacques Mieses, den Zeitgenossen

21.11. Geist auf Diskette
Österreichische Software im Spitzenfeld der PC-Programme

28.11. Triumph der sowjetischen Schule
Die Mannschafts-WM in Luzern dominierten Spieler der ehemaligen UdSSR

5.12. Das Massaker von Monaco
Die Chinesin Xie Jun verteidigt ihren WM-Titel souverän

12.12. Der goldene Osten
In Ungarn kann man sein eigenes Turnier veranstalten

19.12. Lushin? Grünfeld? Oder...?
Drei heidnische Varianten, um Weihnachten zu überleben

1994

9.1. Knockout in Holland
Anatoli Karpow gewinnt Tilburg

16.1. Asturische Beschleunigung
Vaisser ohne Corsa, Polgar ohne Führerschein

23.1. Qualifikation in Groningen
Hungrige Kids, ein alter Bekannter

30.1. Childerichs Erben
Über Wütende, Häferln und Grobiane

6.2. Der falsche richtige Weg
Erinnerung an David Janowski (1868–1927)

13.2. Die neuen Kandidaten
Klare Entscheidung in Wijk aan Zee

20.2. Die Sprache des Geldes
Intel Corporation übernimmt die Finanzierung der PCA

27.2. Spiele der Mächtigen
Politiker von Alfons dem Weisen bis zur Gegenwart. Eine Stilkritik

6.3. Ein David als Goliath
Zum 70. Geburtstag von David Bronstein

13.3. Superturnier Linares
FIDE-Weltmeister Anatoli Karpow führt nach phantastischem Start (I)

20.3. Ein Fest für Tolja
Anatoli Karpow gewinnt das stärkste Turnier der Geschichte (II)

27.3. Nachlese Linares
Wie Anatoli Karpow das stärkste Turnier der Welt gewann (III)

3.4. Lob der Langsamkeit
Das Fernschach ermöglicht ein Leben auf Distanz und ohne Zeitnot

10.4. Digitale Meister
Genius 2.0 dominierte das 9. Welser Computer-Turnier

17.4. Titan gegen Löwe
Erinnerung an den WM-Kampf Steinitz–Lasker 1894

24.4. Die gar nicht artigen Mädchen
Die Zukunft des Spiels nach Judit Polgar

1.5. Aus reiner Liebe ...
Der private Mäzen ist selten, doch es gibt ihn!

8.5. Offside, Knockout und Bauernopfer
Was Ivan Lendl, Joe Bugner und Alfredo di Stefano gemeinsam haben

15.5. Die Taktik eines Bildhauers
Alfred Hrdlicka, Porträt des Künstlers als junger Spieler

22.5. Vlastimil Hort in Wien
»Duchamp-Simultan« an der Hochschule für angewandte Kunst

29.5. Judits großer Triumph
Die jüngste Polgar-Schwester siegt in Madrid

5.6. Kampf mit den Chips
Mensch-Maschine-Duelle in Den Haag, Wiener Neustadt und München

12.6. Der schöne Weg zum Matt
Die paradoxe Ästhetik des Schachproblems

19.6. Ein Gentleman aus Polen
Miguel Najdorf feiert seinen 84. Geburtstag

26.6. Zwei alte Meister
Erinnerung an dem Wettkampf de Labourdonnais–MacDonnell

3.7. Kampf der Kandidaten
Überraschungen beim Viertelfinale von Kasparows Herausforderern

10.7. Eine Insel am Ende der Welt
Grimsey, der ultimative Urlaubstip in diesem Universum

17.7. Verrückte mit Bedeutung
Marcel Duchamp, Porträt des Künstlers als Schachspieler–Teil 1

24.7. Obsession und junge Liebe
Marcel Duchamp, Porträt des Künstlers als Schachspieler–Teil 2

31.7. Freier Geist und Skeptiker
Marcel Duchamp, Porträt des Künstlers als Schachspieler–Teil 3

7.8. Eine offene Rechnung
Überraschungen am laufenden Band in Dortmund

14.8. FIDE-Duelle in Indien
Kamsky, Gelfand und Salow weiter, Anand ausgeschieden

21.8. Der Schachbaron von Wien
Erinnerung an Albert Freiherr von Rothschild, den Gütigen

28.8. Der gejagte Jäger
Macht und Ohnmacht des Königs liegen oft dicht beisammen

4.9. Die Ästhetik der Plötzlichkeit
Sommerreise durch die Welt der Kombinationen

11.9. Doppelsieg in Nowgorod
Kasparow wurde von Iwantschuk in der letzten Runde eingeholt

18.9. Die neuen Stars aus Silizium
Genius 2.0/Pentium boxt Kasparow aus dem Londoner PCA-Turnier

25.9. Kasparow rächt sich
Der Weltmeister kehrt zu seiner alten Gewohnheit zurück

2.10. Neuer Steirischer Herbst
Fünf Sieger beim Karl Wagner-Open in Graz

9.10. Triumph der Sowjetunion
Salow im Interpolis-Turnier in Tilburg vor Barejew, Iwantschuk und Karpow

16.10. Nigel und Mickey ohne Chancen
Anand und Kamsky stehen im Finale der PCA-Kandidaten

23.10. Schlagen Sie Ihren Mann
Zehn Stunden, ein paar Monate Praxis, und sie ist Herr der Lage

30.10. Väter und Söhne
Der Spieler des Jahres 1994 heißt Gata Kamsky

6.11. Laute Töne, leise Töne
Das Spiel der Musiker von Philidor bis John Cage

13.11. Ein Dornröschen wachgeküßt
Kindermann und Blatny gewinnen Grünfeld-Open in Wien

20.11. Noch sind wir stärker!
Großmeister schlagen Disketten im Harvard Cup in Boston

27.11. Thriller in Paris
Garri Kasparow gewinnt das Finale des Intel Grand Prix

SCHACH

Eine Meisterlektion

Momente der Wahrheit (V): Emanuel Lasker

Wenn eine mächtige, aber eher gelangweilte kosmische Intelligenz, die im Laufe von Jahrmillionen schon viele Galaxien gesehen hat, einmal an unserem Planeten vorbeikäme, was würde sie von Terra mitnehmen? Ein paar Takte Mozart vielleicht, eventuell Materialien über die seltsame Idee des Lachens und – mit Sicherheit – die Züge der Partie Lasker gegen Capablanca vom Sommer 1914.

Am 21. April begann in St. Petersburg das Prestigeturnier des Jahrzehnts. Lasker, der Nachfolger von Wilhelm Steinitz, war schon lange Weltmeister, für viele zu lange. In St. Petersburg sollte eine Zeitenwende anbrechen, die Garde der Herausforderer stand bereit. Am Start waren neben dem Weltmeister der junge Kubaner José Raul Capablanca, dessen Stern wenige Jahre zuvor in San Sebastian aufgegangen war, Siegbert Tarrasch, David Janovski, der gewaltige Akiba Rubinstein, Frank Marshall aus New York, der 27-jährige Exzentriker Aaron Nimzowitsch, Ossip Bernstein, Isidor Gunsberg, „Black Death" Blackburn und schließlich der junge russische Adelige Alexander Aljechin. Wessen Turnier sollte St. Petersburg werden?

Wie so oft hatte sich Lasker in der ersten Hälfte des Turnieres ein wenig gehenlassen. Sein Spiel war bestenfalls mittelmäßig. Capablanca schien dem Feld davonzulaufen. Doch Lasker holte Runde für Runde auf. Vor der letzten Partie führte Capa mit einem halben Punkt, und das den Kiebitzen gnädige Schicksal hatte die beiden für diese letzte Runde zusammengeführt. Capa genügte also Remis, Lasker mußte gewinnen. Dennoch wählte der Weltmeister die als remisträchtig geltende Abtauschvariante in der spanischen Verteidigung. Und erteilte dem jungen Kollegen einer Meisterlektion in psychologischem Schach.

Lasker – Capablanca
St. Petersburg 1914

1.e4 e5 2.Sf3 Sc6 3.Lb5 a6 4.Lxc6 dxc6 5.d4 exd4 6.Dd1xd4 Dxd4 7.Sxd4 Enttäuschung bei den zahlreichen Zuschauern, hatte Emanuel Lasker den Gedanken an den ersten Preis schon aufgegeben und nur mehr ein sicheres Remis im Sinn? Die auf den ersten Blick so harmlose Abtauschvariante hat ihre Tücken: Schwarz besitzt das Läuferpaar und muß aktiv, ja aggressiv, zu Werke gehen, um seine positionellen Nachteile (entwertete Bauernstruktur am Damenflügel) auszugleichen. Genau das stand aber im Widerspruch zu Capablancas Absicht, Remis zu erreichen, da er zum Turniersieg nur einen halben Punkt benötigte. **7... Ld6 8.Sc3 Se7 9.0–0 0–0** Bereits hier sieht man, daß Lasker seinen Gegner exzellent eingeschätzt hatte: Viel aktiver war 9... Ld7 nebst großer Rochade oder 9... f5 10.Te1 0–0 11.e5 Lc5 12.Sb3 La7 mit unklaren Verwicklungen, damit kann sich jedoch der Kubaner nicht anfreunden. **10.f4 Te8** Wieder konnte Schwarz seinen Figuren mehr Bewegungsfreiheit verschaffen: 10... Lc5 11.Le3 Te8 oder 10... f5 11.e5 Lc5 12.Le3 Lxd4 13.Lxd4 Sd5 sieht besser aus. **11.Sb3 f6**

12.f5! Der alte Löwe zeigt seine Pranke! Obwohl e4 sehr schwach wird, verhindert der Zug die planmäßige Entwicklung der schwarzen Figuren. **12... b6?!** Höchste Zeit, etwas zu unternehmen. Nach 12... Ld7 13.Lf4 Lxf4 14.Txf4 Sc8 bzw. sogar 12... g5!? 13.fxg6 Sxg6 14.Txf6 Le5 15.Tf1 Lxc3 16.bxc3 Txe4 stand die Sache für Schwarz nicht so schlecht. Aber Capa spielt befangen und sitzt in Laskers psychologischer Falle. **13.Lf4 Lb7** Stärker war 13... Lxf4 14.Txf4 Ld7 mit Hoffnung auf gleiches Spiel. Nun gelangt der weiße Springer auf das Idealfeld e6. **14.Lxd6 cxd6 15.Sd4 Tad8** Regen oder Traufe: Läßt Schwarz den Springer nicht nach e6 und spielt 15... Lc8, folgt 16.Tad1 nebst Td2, Tfd1, und der Bd6 fällt. **16.Se6 Td7 17.Tad1 Sc8** Driftet in vollständige Lethargie ab. Der Befreiungsversuch 17...c6–c5 mit der Idee d6–d5 konnte probiert werden. Wenn 18.Sd5, so 18... Lxd5 19.exd5 b5. **18.Tf2 b5 19.Tfd2 Tde7 20.b4** Verhindert jegliches Gegenspiel am Damenflügel. **20... Kf7 21.a3 La8** Hier war schon das Qualitätsopfer 21... Txe6 22.fxe6+ Txe6 angebracht. **22.Kf2 Ra7 23.g4** Schwarz wird systematisch eingeschnürt. **23... h6 24.Td3 a5** Der schüchterne Versuch eines Gegenspiels. **25.h4 axb4 26.axb4 T ae7?!** Warum nicht 26... Ta3? Der Kubaner ist nicht wiederzuerkennen. **27.Kf3 Tg8 28.Kf4 g6 29.Tg3 g5+ 30.Kf3** Weiß muß nicht tauschen, sondern wartet noch einen Zug, um selbst in den Besitz der h-Linie zu gelangen. **30... Sb6** Ganz schlecht wäre 30... gxh4? 31.Th3 nebst Txh4 mit einem weiteren Schwachpunkt auf h6. **31.hxg5 hxg5 32.Th3 Td7 33.Kg3 Ke8 34.Th1 Lb7** Kann sich Schwarz doch irgendwie retten (siehe nächstes Diagramm)? **35.e5!** Nein! Mit eherner Faust zertrümmert Lasker die schwarze Stellung. Der bisher untätige Sc3 soll über e4 am Zerstörungswerk mitwirken. **35... dxe5**

36.Se4 Sd5 37.S6c5! Gewinnt durch die Drohung Sxb7 nebst Sd6+ schlicht und einfach die Qualität. **37... Lc8 38.Sxd7 Lxd7 39.Th7 Tf8 40.Ta1** Die Krönung: Nun kommt er auch noch von der anderen Seite! **40... Kd8 41.Ta8+ Lc8 42.Sc5** Gegen die Drohungen Sb7+ oder Se6+ gibt es keine Verteidigung mehr. Daher 1–0

Cacho – Buxade
Torrevieja 1997

Kann Weiß (am Zug) seinen Vorteil sofort realisieren, oder ist's doch remis? *ruf & ehn* ●

Lösung vom 12. April:
1... Txh2+! 2.Kxh2 Dh4+ 3.Kg2 Ta2+ 4.Kf3 4.Kf1 Df2 matt. **4... Tf2** matt.

4.12. Von der Palamède bis zum Kiebitz
Zeitschriften und Informationen werden immer wichtiger

11.12. Die Attacke des Traubenzuckers
Vom Kauen, Musizieren und der Kunst, das Hemd nicht zu wechseln

18.12. Politische und olympische Partien
Schwierige Heimspiele für Weltmeister Kasparow

25.12. Auf alle Murphys dieser Welt
Drei Gläser zum großen Fest

1995

1.1. Silvestermenü
Logische Purzelbäume zum Jahreswechsel

8.1. Im wilden Osten
Die zwei Gesichter des Garri Kasparow

15.1. Turniere zum Jahreswechsel
Kasparow wieder in der FIDE-Ratingliste

22.1. Diskettenmonster
Elektronische Golems und Hirtenhunde beim Welser PC-Turnier

29.1. Das verschollene Buch
Erinnerungen an Francesch Vicent, Großwesir Murwardi und Prinzessin Dilaram

5.2. Oh, unbeschwerte Jugend
Alexander Morosewitsch – vom Talent zum Star

12.2. Im Reich der Bilder
Videos erobern den Markt der Informationen

19.2. The Battle of Hastings
Ein historisches Turnier in einem unbedeutenden englischen Badeort

26.2. FIDE-Duelle in Indien
Karpow, Gata und Rustam Kamsky sind qualifiziert

5.3. Genial, aber ein richtiges Ekel
Erinnerung an Howard Staunton (1810–1874)

12.3. Spannende Liga
Großmeisternorm für Franz Hölzl

19.3. Im Gleichgewicht
PCA-Kandidatenfinale Anand–Kamsky in Las Palmas

26.3. Die spanischen Festspiele
Anand und Kamsky übten in Las Palmas die Eröffnung von Ruy Lopez

2.4. Spiel der Eitelkeiten
Spanische Parallelaktionen in Las Palmas und Linares

9.4. Ein seltsamer Fall
Maja Tschiburdanidse entsagt der Welt

16.4. Faszinierend kaltblütig
Kleine Erinnerung an Leonid Stein (1934–1973)

23.4. Schnell und blind und gut
Herr Oosterom ruft, die Szene tanzt

30.4. Schräge Züge im »Gambit«
Erinnerung an Old Joe, Edith und den unbekannten Meister

7.5. Ein Fest zu Ehren eines Zauberers
Garri Kasparow gewinnt das Tal-Memorial in Riga

14.5. Perfektionismus und Leidenschaft
Zum plötzlichen Tod von Michail Botwinnik

21.5. Herausforderer als Spielverderber
Parallelturniere in Spanien und Russland

28.5. Ein ästhetisches Schwergewicht
Eduard Gufeld hat seine Biographie geschrieben

4.6. Kohlenstoff oder Silizium?
Klare Niederlage und Zittersieg gegen die Elektronik

11.6. Das virtuelle Café
Internet-Besuch im Nirgendwo und Überall

18.6. Die Spiele des Weltmeisters
Kasparows Wechselbäder in Amsterdam und Nowgorod

25.6. Das künstliche Fritzchen
Schlaue Disketten schlagen Großrechner

2.7. Britisches Urgestein
Tony Miles gewinnt das Capablanca-Memorial

9.7. Bert Brecht und die Schwalbe
Über gescheite und gescheiterte Revolutionen

16.7. Eine Reise um die Welt
Besuch im Privatmuseum von Victor Keats in London

23.7. Amazonen gegen Veteranen
Das Polka-Turnier in Prag

30.7. Offener Sommer
Ein Rundflug durch die heimische Turnierszene

6.8. Legenden und Kulte
ruf & ehn auf Urlaub

13.8. Die Kunst der Bauernführung
André Danican, genannt Philidor (1726–1795), Teil 1

20.8. Harmonie und Revolution
André Danican, genannt Philidor (1726–1795), Teil 2

27.8. Großes Getümmel in Biel
Eine Reise zum Mittelpunkt der Welt

3.9. Notfalls auch am Amazonas
Anatoli Karpow hat ein kräftiges Lebenszeichen gegeben

10.9. Eine Variante geht um die Welt
Kleine Erinnerung an Lew Polugajewski (1934–1995)

17.9. Vorsichtiger Start
WM Kasparow–Anand (I): Der Inder bewahrt zum Matchbeginn die Nerven

24.9. »So umarmt euch doch!«
WM Kasparow–Anand (II): Zu ebener Erde und im 107. Stock

1.10. »Ich bin zurück im Geschäft«
WM Kasparow–Anand (III): Die Kurse an der Wall Street steigen

8.10. »Hasta la vista, baby!«
WM Kasparow–Anand (IV): Der Herausforderer erlebte eine Woche des Grauens

15.10. »Es kann nur einen geben…«
WM Kasparow–Anand (V): Über Respekt, Biederkeit und die Wut des Narziss

22.10. Lesen, lesen, lesen
Herbstlicher Spaziergang durch den Blätterwald

29.10. Für immer jung
Viktor Kortschnoi ist Spieler des Jahres

5.11. Ein echter Sir
Kleine Erinnerung an Sir George Alan Thomas (1881–1972)

12.11. Ein heißer Herbst
Spaß, Spannung und ein Riesenturnier in Wien

19.11. Ohnmacht der Gewohnheit
Kleines Debakel für Kasparow in Horgen

26.11. Weltklasse in Wien
Sokolov vor Lobron und tollem Publikum beim Vienna Masters '95

3.12. Ein erfolgreicher Golem
Österreichische Software im internationalen Spitzenfeld

10.12. Habemus Papam!
Bischof Anatoli Karpow siegt am Konzil von Paris

17.12. Weihnachtliche Schlusspartie
Kleine Erleichterung im Kaufrausch unter Zeitnot

24.12. Der arme Rotlewi
Kleine Erinnerung an einen Verschollenen

31.12. Vernünftige Narrheiten
Sechs Gläser zum Jahreswechsel

Nächte der Mühsal und Glückseligkeit

Der Problemkomponist Vladimir Nabokov wäre heuer 100 Jahre alt geworden

Véra und Vladimir Nabokov (Montreux um 1970)

Wenn er nicht schrieb oder Schmetterlinge fing, dann spielte Vladimir Nabokov (1899 – 1977) gerne Schach. Während der Emigrantenjahre war das Schachbrett von Berlin bis Montreux quer durch unser Jahrhundert ein treuer Begleiter des Ehepaares Nabokov: Fotografien zeigen Véra und ihn beim Spiel, einige seiner Romane sind von der Analogie von Schachspiel und Leben bestimmt.

Doch mehr noch als für das praktische Spiel interessierte sich Nabokov für die Kunst des Schachproblems. „Die Inspiration, die den Entwurf einer solchen Schachaufgabe begleitet," heißt es in *Erinnerung, sprich*, „ist von quasimusikalischer, quasipoetischer oder, um ganz genau zu sein, von poetisch mathematischer Art. Häufig spürte ich in einem günstigen Augenblick mitten am Tag, am Rande irgendeiner trivialen Beschäftigung, im müßigen Gefolge eines flüchtigen Gedankens, wie ich vor lebhaftem geistigen Vergnügen zusammenzuckte, während sich unversehens die Knospe eines Schachproblems öffnete und mir eine Nacht der Mühsal und Glückseligkeit versprach."

Daß Nabokov ein Meister auch dieses Faches war, zeigen die folgenden Beispiele. Das Nachvollziehen ihre Schönheit erfordert – wie bei seinen Romanen – vom Leser höchste Aufmerksamkeit und Konzentration.

Vladimir Nabokov
Problems and Poems 1967

Weiß zieht und setzt in zwei Zügen matt.
Wäre Schwarz am Zug, würde 1... Kc5 oder 1... Kc6 2.Se3 direkt zum Matt führen. Eines scheint auch klar: Wenn sich der Läufer auf der Diagonale b1-h7 bewegt, geht die Kontrolle über e4 oder d7 verloren, wohin der König dann über c6 flüchten kann. Dann ist das Matt durch Se3 nicht mehr möglich. Wo also ansetzen? Aber trotzdem ist ein Läuferzug die Lösung: **1.Ld3!** Zugzwang. **1... Kc5 2.Se3** matt oder **1... Kc6 2.Sb6** matt. Schwarz kann sich aber auch anders verteidigen: **1... c6 2.Dg5** matt bzw. **1... c5 Dh1** matt. Eine sehr harmonische Aufgabe.

Vladimir Nabokov
Trinity Revue 1969

Weiß zieht und setzt in zwei Zügen matt. Schwarz ist von einem eisernen Ring eingeschlossen. Wie kann Weiß den gordischen Knoten zerschlagen? Der unglaubliche Zug **1.Dxe4!!** öffnet die Sardinenbüchse. Nun kann Schwarz machen, was er will, immer schnappt die Mausefalle zu: **1... fxe4 2.Lxe4** matt oder **1... Sb5** oder **Sxe4 2. Sxf7** matt, **1... f4 Lg6** matt, **1... fxg5 2.Lxf5** matt und schließlich **1... Kxg5 2.De3** matt.

Vladimir Nabokov
The Problemist 1970

Weiß zieht und setzt in drei Zügen matt. Ein verzwicktes wunderbares Rätsel. Wie muß Weiß hier seine Figuren koordinieren, um matt zu setzen? Frei nach Sam Loyd ist das ganz versteckte **1.Td8!!** der Schlüssel zur Lösung. Nun ist Schwarz im Zugzwang: Schlägt er den Turm, verstellt er dem Springer das einzige Fluchtfeld: **1... Lxd8 2.Ld7!** nebst **3.Lb5** matt. Schlägt er den Turm nicht, kann dieser entscheidend eingreifen: **1... dxe6 2.Txd6** nebst **3.Sxc5** matt.

Vladimir Nabokov
Erinnerung, sprich 1951

Weiß zieht und setzt in zwei Zügen matt.
Eines der schwierigsten Probleme Nabokovs. Man ist versucht, mit dem b-Bauern (1.b8S) sofort einzuziehen und dann mattzusetzen. Doch geht das alles wirklich so glatt? 1.b8S? geht in den meisten Fällen – 1... d6 2.Sd7 matt, 1... dxe6 2.Sf7 matt, 1... d5 Dc7 matt oder 1... Kd6 2.Dc5 matt – aber nur in einem nicht: 1... c2! rettet alles. Daher muß die Lösung mit dem vertrackten **1.Lc2!** beginnen, wodurch dem schwarzen König ein Fluchtfeld eröffnet wird. Auf **1... d6** kann nun **2.Tf5** matt, auf **1... dxe6 2.Dc5** matt folgen. Alle anderen Züge erzwingen ebenfalls das Matt. Sehen Sie alle?

Vladimir Nabokov
The Problemist 1970

Weiß zieht und setzt in zwei Zügen matt.
Da Springerabzüge ad hoc nichts bringen, muß es offenbar ein stiller Zug sein, der zum Erfolg führt. Aber welcher? Wieder führt ein scheinbar völlig paradoxer Zug zum Ziel: Nach dem „stillen" **1.Dh5!!** ist Schwarz in Zugzwang. Er hat zwar viele Verteidigungen, doch auf jede gibt es ein tödliches Gegengift: **1... Lxh5 2.Sb6** matt oder **1... b6 2.Ta7** matt, **1... e5 2.Dxf7** matt, **1... Le6 2.De8** matt, **1... Lxd5+ 2.Dxd5** matt, **1... Lg6 2.Sb6** matt und schließlich **1... Le8 2.Dxe8** matt.

Vladimir Nabokov
The Problemist 1969

Weiß zieht und setzt in drei Zügen matt.
Unser – zugegeben – nicht einfaches Wochenrätsel. Wie setzt man die Mattmaschine in Gang? Ein kleiner unscheinbarer Hebel hilft dabei. Vielleicht.

ruf&ehn ■

Lösung vom 10. Juli 1999:

Fritz fand innerhalb weniger Sekunden **1.Txb7+! Kxb7** 1... Kd6 2.Da6 e5 3.dxe5+ Ke6 4.Dxc6+ Sd6 5.Dd7 matt. **2.Da6+ Kc7 3.Tc8+ Kd7/d6 4.Dxc6** matt. 1-0

1996

14.1. Anatoli Karpow räumt ab
Ein zweiter Frühling für Tolja
21.1. Cooler Killer
Der rasche Aufstieg des Wladimir Kramnik
28.1. Besuch im Paradies
Ermunterung zu einem Ausflug nach London
4.2. Die Schönheit der Mansuben
Über die Kunst, sich Probleme zu schaffen (I)
11.2. In der Welt von Mr. Loyd
Über die Kunst, sich Probleme zu schaffen (II)
18.2. Mechanik für Fortgeschrittene
Über die Kunst, sich Probleme zu schaffen (III)
25.2. Geschwindigkeit ist nicht alles
Blade Runner Garri Kasparow besiegt IBM-Monster Deep Blue
3.3. Was heißt da schon Mäderl?
Großmeister Zsuzsa Polgar ist Weltmeisterin
10.3. Finale in Wien
Merkur Graz ist österreichischer Staatsmeister
17.3. Der stille Zauberer
Kleine Erinnerung an Henrich Kasparjan
24.3. Surrealismus und Politik
FIDE-Chef Iljumschinow plant eine Schach-WM im Irak
31.3. Ein chaotischer Rationalist
Das merkwürdige Spiel des Wassili Iwantschuk
7.4. Die Elite in Amsterdam
Kasparow gleichauf mit Topalov beim 10. VSB-Turnier
14.4. Der Mensch in der Maschine
Kleine Erinnerung an Johann Baptist Allgaier (1763–1823)
21.4. Auf der Suche nach Harmonie
Zum 75. Geburtstag von Wassili Smyslow
28.4. Zsuzsa Polgar in Wien
Die Weltmeisterin spielt im Jüdischen Museum (I)
4.5. Das Duell im Museum
Start des Bawag-GM-Turnieres in Wien (II)
12.5. Offener Kampf im Museum
Bawag-GM-Turnier startete mit Favoritensiegen (III)
19.5. Israelische Dominanz im Museum
Gad Rechlis gewinnt das Bawag-Großmeisterturnier (IV)
26.5. Quickies in Moskau
Kramnik dominiert das PCA-Schnellturnier
2.6. Blauer Dunst
Zur Erinnerung an eine gemeinsame Kulturgeschichte
9.6. Eliteturnier in Dos Hermanas
Kramnik und Topalov gewinnen weiter
16.6. Duell bei Dschingis-Khan
FIDE-Weltmeisterschaft in Kalmückien (I)
23.6. Typischer Fall von Schwarzer Magie
Anatoli Karpows Zwischenspurt in Elista (II)
30.6. Hoffnungslos, aber nicht ernst
Gata Kamsky im Zwist mit seinem Vater, Allah und Karpow (III)
7.7. Marathon in Elista
Anatoli Karpow bereitet seinem jungen Herausforderer ein Waterloo (IV)
14.7. Kein Generationswechsel in Elista
Karpows Sieg: Ein logisches Ergebnis voller Überraschungen (V)
21.7. Wahre Liebe
Wohin fährt man schon auf Hochzeitsreise?
28.7. Perfekte Tage in Amsterdam
Kleine Ermunterung zu einer Sommerreise von g7 nach e4
4.8. »Hab' ich schon gesagt?«
Historische Stimmen aus dem Café Central
11.8. Lebenslänglich
Die abenteuerliche Geschichte des Andor Lilienthal
18.8. Unter Giganten
Die Weltelite in Wien
25.8. Das Gleichgewicht der Kräfte
Boris Gelfand, Anatoli Karpow und Veselin Topalov siegen in Wien
1.9. Ein Sommer am Semmering
Reise an einen magischen Ort der Vergangenheit
8.9. Die Alten schlagen zurück!
Großmeisterinnen in London von Veteranen besiegt
15.9. Blutiger Freitag
Im Kampf gegen digitale Monster (I), heute Fritz 4
22.9. Ein Golem mit teuflischer Präzision
Im Kampf gegen digitale Monster (II), heute Nimzo 3.
29.9. Rache für Garri!
Im Kampf gegen digitale Monster (III), heute Genius
6.10. Getümmel in Jerewan
Olympische Erfolge für Rußland, Kasparow und Iljumschinow
13.10. Auf dem Weg, wirklich zu werden
Das aggressive Spiel des Veselin Topalov
20.10. Aljechins Endspiel
Über Schwierigkeiten im Umgang mit der Geschichte (I)
27.10. Der arme Spielmann
Über Schwierigkeiten im Umgang mit der Geschichte (II)
3.11. Gutmayer und die Folgen
Über Schwierigkeiten im Umgang mit der Geschichte (III)
10.11. Von Wien bis Tilburg
Traditionsturniere mit Überraschungen
17.11. Ein heimlicher Star
Tunç Hamarat hat die Chance, Weltmeister zu werden
24.11. Toljas nächster Frühling
Anatoli Karpow gewinnt die Schnellschach-EM
1.12. Bobby schläft noch…
Kleine Ermunterung zu einem Budapester Gambit
8.12. Die schrecklichen Kinder
Jugend- und Junioren-WM in Menorca und Medellin
15.12. Unfromme Wünsche
Gemeinsam durch den vorweihnachtlichen Konsumrausch
22.12. Showdown im Süden
Königstreffen kurz vor Weihnachten
29.12. Der Chef ist zurück
Kasparow gewinnt das Superturnier in Las Palmas

1997

5.1. Mechanische Skulpturen
Spaziergang durch die Kunst der Studie
12.1. Hey Joe, hey Jan
Jan Timman, 45, »and still going strong…«
19.1. Höllisch schwierig
Kleine Erinnerung an Capablanca und Bogoljubow
26.1. Die Gunst des Augenblicks
Über Momente, die das Herz schneller schlagen lassen
2.2. Der fröhliche David
Die riskanten Spiele des Mister Norwood

Der Gedächtnisakrobat

Kleine Erinnerung an George „The Brain“ Koltanowski (1903 – 2000)

Wir hätten es doch tun sollen: Einen großen Blumenstrauß für Leah kaufen, ihm ein paar alte Bücher aus Europa mitbringen, die er nie und nimmer an der Westküste bekommt, und am Nachmittag runterfahren ins Bay Area, wo das steinalte Ehepaar Koltanowski seit fast fünfzig Jahren lebte. Zu spät. Am 5. Februar ist George Koltanowski im 97. Lebensjahr in San Francisco gestorben. Sie kennen George Koltanowski nicht? Es Ihnen nicht zu verübeln. Seine letzte Turnierpartie spielte er 1952 gegen Henry Grob, obwohl selbst nie zur Weltelite zählend, gehörte der 1903 in Antwerpen geborene Amerikaner dennoch zu den Größten des Jahrhunderts. Seit seiner Kindheit beschäftigte sich Koltanowski mit dem Schachspiel. Seine internationale Karriere startete er in Meran 1924 (Remis gegen Tarrasch), danach spielte er Turnier auf Turnier in Europa. 1929 verlor er gegen Duchamp in Paris, seine größten Erfolge feierte er in den 30er Jahren: In Antwerpen schlug er Rubinstein und gewann die Turniere von Barcelona 1934 und 35, mehrfach wurde er belgischer Champion. Auf der Flucht vor den Nazis gelangte er über Guatemala nach New York.

1947 übersiedelte er an die Westküste, wo er unermüdlich Schachevents organisierte, publizierte – neben seiner Tätigkeit als Buchautor leitete er 50 Jahre lang die Kolumne im San Francisco Chronicle – und selbst Vorführungen gab, um das amerikanische Publikum zu begeistern. Seine Kunst war das Simultanspiel, nicht zu unrecht nannte ihn Humphrey Bogart, einer seiner ständigen Schachpartner, „The Brain“. 1937 spielte Koltanowski in Edinburgh gegen 34 Gegner blind simultan, er gewann 24 Partien, remisierte zehn, das Spiel dauerte fast 14 Stunden, im Dezember 1960 nahm er es als Blindspieler neun Stunden lang mit 56 Gegnern auf. Seine Spezialität war die blinde Springercharade: Ein Springer zieht über alle Felder eines Schachbrettes und betritt jedes Feld nur ein einziges Mal. Koltanowski war das natürlich nicht genug: Der Gedächtnisakrobat schob drei Bretter zusammen und vollzog die Springerwanderung auf 192 Feldern. Probieren Sie es einmal sehenden Auges auf einem einzigen Brett, um zu erkennen, wie schwierig die kleine Übung ist. 1988 wurde dem sympathischen Organisator und Künstler der Ehrentitel eines Großmeisters verliehen. Ein großes Glas auf ihn, während wir zwei seiner schönsten Partien nachspielen!

„The Brain“ spielt blind gegen Humphrey Bogart, San Francisco 5. März 1952.

Koltanowski – Burnett

Blindsimultan, Edinburgh 1937

1.e4 Sc6 Um den auf 34 (!) Brettern engagierten Blindsimultanspieler etwas aus dem Konzept zu bringen. **2.Sf3 e5 3.Lc4 Sf6** Nun ist doch ein hausbackenes Zweispringerspiel entstanden. **4.0-0** Komplikationen verspricht der „Stümperzug“ (Dr. Siegbert Tarrasch) 4.Sg5. **4... Lc5 5.d4!?** Ruhiger, aber ohne Biss wäre 5.d3 d6 6.c3 a6 Lb3 mit italienischen Pianissimo-Motiven. **5... exd4 6.e5 d5** Das beste. Nach 6... Se4?! 7.Te1 gerät Schwarz ins Trudeln. **7.exf6** Oder 7.Lb5 Se4 8.Sxd4 0-0! und Schwarz hat keine Probleme. **7... dxc4** Nun verläuft alles forciert. **8.Te1 + Le6 9.Sg5 Dd5 10.Sc3 Df5 11.Sce4 Lf8** Nach 11... 0-0-0!? muss Schwarz die Qualität opfern: 12.g4! De5 13.Sxe6 fxe6 14.Lg5 mit unklarer Kompensation. **12.Sxf7!** Die einzige versteckte Möglichkeit, den Angriff fortzusetzen. **12... Kxf7** 12... Lxf7?? 13.Sd6 + mit Damenverlust. **13.Sg5 + Kg6?!** Der König steht hier viel unsicherer als auf g8, daher besser: 13... Kg8! 14.g4! Dg6! (aber nicht 14... Dxf6? 15.Txe6 Dd8 16.Df3 Dd7 17.Te7!! und aus) 15.fxg7 Dxg7 (15... Lxg7? 16.Txe6) 16.Sxe6 Dd7 17.f3 Te8 und Schwarz hat gleichwertiges Spiel. **14.Sxe6 gxf6**

15.g4! Bärenstark! Die schwarze Dame soll von der fünften Reihe verscheucht werden. **15... Da5 16.Ld2 Db6?** Schwarz verliert den roten Faden. Nach 16... Lb4! 17.Lxb4 Dxb4 18.Df3 Da5 war das letzte Wort noch nicht gesprochen. **17.Df3** Droht 18.Sf4 + mit baldigem Matt. **17... Le7** 17... Ld6 18.Df5 + Kf7 19.Sg5 + wird matt in wenigen Zügen. **18.Df5 +** Gewinnen konnte man bereits banal mit 18.Sf4 + Kf7 19.Sd5. **18... Kf7 19.Dh5 + Kg8 20.Dh6** Die Mattdrohung. Schwarz wurde an die Wand gespielt. **20... Lf8 21.Dxf6** Der schwarze König kann seinem Schicksal nicht entkommen. **21... Se7 22.Lh6!** Der letzte präzise Zug. **22... Lxh6 23.Dxh6** Nun würde 23... Kf7 24.Dg7 + Ke8 25.Dxh8 + Kd7 26.Dxa8 Haus und Hof verlieren, daher 1-0

Rubinstein – Koltanowski

Antwerpen 1931

1.d4 Sf6 2.c4 g6 3.g3 Lg7 4.Lg2 0-0 5.Sc3 d6 6.e4 Eine etwas altertümliche Behandlung des Königsinders, der damals noch in den Kinderschuhen steckte, auf Seiten von Akiba Rubinstein. Modern ist 6.Sf3 Sc6 7.0-0 a6 8.d5 Sa5 9.Sd2 c5 10.Dc2. **6... e5 7.Sge2 c6 8.h3** 8.0-0 oder 8.d5 wären vielleicht nützlichere Züge. **8... h6** Gegen den großen Rubinstein lässt Kolti Vorsicht walten. 8... Sbd7 war angebracht. **9.Le3 Sbd7 10.Dd2 Kh7 11.b3 De7 12.Td1 Te8** Es beginnt eine Phase des Manövrierens. **13.0-0 Sf8 14.Kh2 Ld7 15.f4 exf4 16.Sxf4 Tad8 17.Tde1 Lc8 18.Df2 g5** Stört wirksam das weiße Spiel. **19.Sd3 Sg6 20.Lc1** Bringt den Läufer nach b2. Auch 20.b4 g4!? 21.h4 Sh5 hätte nur gleiches Spiel gebracht, denn 22.Dxf7? verbietet sich wegen 22... Sxg3! **20... Dc7 21.Lb2 Te7** Schwarz verstärkt folgerichtig den Druck auf der e-Linie. **22.c5?** Der Beginn eines falschen Plans, der taktisch widerlegt wird. 22.d5!? musste versucht werden. **22... dxc5 23.Sxc5?** Rubinstein rechnete nicht mit der Antwort des Gegners, sonst hätte er noch 23.e5!? Sd7 24.La3 b6 mit Komplikationen versucht.

23... Sg4 + !! „Nach langem Nachdenken und Zögern“, schreibt er in seiner Autobiographie, „sah ich das Licht“. **24.hxg4 Lxd4** So weit alles klar, was aber kommt nach Rubinsteins listiger Antwort? **25.Sb5! Lxf2 26.Sxc7 Lxe1 27.Lf6 Tdd7** Nach 27... Txc7?! 28.Lxd8 tritt die erste Pointe zutage: der schwarze Turm ist gefangen – 28... Lb4 29.Lxc7 Lxc5 30.Txf7 + Kg8 31.Tf1 sollte Weiß trotz technischer Probleme gewinnen. **28.Sxd7 Txd7** Die zweite Pointe: Der weiße Springer muss sich ins Hornissennest setzen. **29.Se8 La5 30.e5** Falls 30.Lb2 Ld8, und wenn 30.b4!?, so 30... Lxb4 31.La1 Le7 32.Txf7 + Kg8 33.Tg7 + Kf8 34.Txg6 Kxe8 35.Txh6 Td2 36.Th8 + Kd7 und Schwarz hat Oberwasser. **30... Td2 31.Sd6** Bis hierher hatte „the brain“ gerechnet. **31... Lxg4 32.Sxb7** Falls 32.Sxf7? Le6! 33.Sd6 Ld5 34.Tg1 Lb6 und die Partie ist zu ende. **32... Lc7 33.Kh1** Um der Fesselung zu entkommen. 33.Sd6 Le6 34.Kg1 Sxe5! bringt Schwarz zwei Mehrbauern. **33... Lxe5 34.Lxc6 Lh3** Endstation, denn 35.Lxe5 Lxf1 bzw. 35.Tf3 Lg2 + lässt Weiß keine Chance. Der größte Moment in Koltanowskis Schachkarriere. 0-1

Koltanowski – Walpole

Blindsimultan, Keswick 1937

Wie setzte Weiß am Zug überraschend matt?

ruf&ehn ■

Lösung vom 12. Februar 2000: 1... Lh3 + !! 2.Kxh3 2.Kf3 Dxd3 matt. 2... Df1 matt

9.2. Triumph der Jugend
Waleri Salov siegt in Wijk aan Zee

16.2. Ein unbekannter Kiebitz
Zu Edward Winters aberwitzigen Notizen

23.2. Unglaublicher Kasparow
Der PCA-Champ gewinnt das Superturnier in Linares

2.3. Besser als Stierkampf
Nachlese zur Fiesta in Linares

9.3. Zocken um Lakritzen
Ein seltsames Ende der österreichischen Meisterschaft

16.3. Ein Kind seiner Zeit
Kleine Erinnerung an Erich Eliskases (1913–1997)

23.3. Vom Karthographieren gefährlicher Meere
Der Autor und das Spiel (I): Vladimir Nabokov

30.3. Marlowe, Capa und ein echt harter Job
Der Autor und das Spiel (II): Raymond Chandler

6.4. Über subtile und weniger subtile Jagden
Der Autor und das Spiel (III): Ernst Jünger

13.4. Auf der Suche nach dem verlorenen Konig
Der Autor und das Spiel (IV): Fernando Arrabal

20.4. Über die unvollkommene Ordnung der Dinge
Der Autor und das Spiel (V): Friedrich Dürrenmatt

27.4. Über das Navigieren zwischen Skylla und Charybdis
Der Autor und das Spiel (VI): Stefan Zweig

4.5. Der Champion und das Monster
Der Revanchekampf Kasparow gegen Deep Blue startet in New York (I)

11.5. Menschlich, allzu menschlich
Gab Garri Kasparow eine Partie zu früh auf? (II)

18.5. Nach dem großen Rummel
Rätselraten um den Wettkampf Kasparow - Deep Blue (III)

25.5. Balsam für den Aficionado
Lieber in Pula als in New York

1.6. Duell der Generationen
Jugend und Erfahrung gleichauf beim Linzer Großmeisterturnier

8.6. Die Feuerwerke des Bent Larsen
Kleine Erinnerung an den Rock'n'Roll

15.6. Spaniens Himmel
In Madrid siegten Topalov und Schirow

22.6. Liebe auf den dritten Blick
Unbekannte Meisterwerke russischer Komponisten

29.6. Showdown in Nowgorod
Kasparow gewinnt knapp vor Kramnik

6.7. Über die schändliche Kurzweil
ruf & ehns gepflegter historischer Salon (I): Petrus Damiani ff.

13.7. Ein Spiel der Toleranz
ruf & ehns gepflegter historischer Salon (II): Alfons der Weise

20.7. Ein Student in Salamanca
ruf & ehns gepflegter historischer Salon (III): Luis de Lucena

27.7. Ein Wanderer zwischen den Welten
ruf & ehns gepflegter historischer Salon (IV): Philipp Stamma

3.8. Ein irischer Emigrant
ruf & ehns gepflegter historischer Salon (V): James Mason

10.8. Unser Mann im Jenseits
ruf & ehns gepflegter historischer Salon (VI): Sam Loyd

17.8. Ohne Glück und Verstand
ruf & ehns gepflegter historischer Salon (VII): David Janowski

24.8. Eine Wiener Meisterin
ruf & ehns gepflegter historischer Salon (VIII): Paula Kalmar-Wolf

31.8. Spiel bleibt Spiel
ruf & ehns gepflegter historischer Salon (IX. und letzter Teil): Andreas Dückstein

7.9. Im Verborgenen blüht...
Carasaxa-Open: Kleines Turnier mit großem Erfolg

14.9. Sechs Kurz-Schlüsse
Partien voll Hohn und Bitternis

21.9. Im Stil der Desperados
Messerscharfe Partien beim Open in Graz

28.9. Kasparow, Iljumschinow und Kortschnoi
Sensationelles in Buenos Aires, Kishinew und Albert

5.10. Laute Töne, leise Töne
Kleine Reise von Graz nach Slough und Tilburg

12.10. Mensch geigt, die Firma kneift
Kasparow, Kramnik und Svidler gewinnen Tilburg

19.10. Leningrad-Cowboys in USA
Der amerikanische Alltag wird von russischen Emigranten geprägt

26.10. Aus dem Leben der Eidechse
Das ideale Repertoire gegen Fleißige (I)

2.11. Die Stacheln des Igels
Das ideale Repertoire gegen Fleißige (II)

9.11. Die Dressur des Frosches
Das ideale Repertoire gegen Fleißige (III)

16.11. Im Banne des Nilpferds
Das ideale Repertoire gegen Fleißige (IV)

23.11. Das Geheimnis des Wombat
Das ideale Repertoire gegen Fleißige (V. und letzter Teil)

30.11. Simultane Paranoia
Garri Kasparow spielt Michael Douglas

7.12. Kronprinzen in Belgrad
Gipfeltreffen vor der Schach-WM

14.12. Weihnachten ist überall
Kleiner Wegweiser durch die schwierigste Variante des Jahres

21.12. Hundert kleine Negerlein
Die WM-Ausscheidungen in Groningen haben begonnen (I)

28.12. Vier kleine Negerlein
Ihre Namen sind Gelfand, Short, Adams und Anand (II)

1998

4.1. Die Million-$-Blitzpartie
Anand für das WM-Finale in Lausanne qualifiziert (III)

11.1. Auf Biegen und Brechen
Anatoli Karpow bleibt Weltmeister (IV)

18.1. Ein politischer Titel
Karpow hat seinen Herausforderer in eine Falle gelockt (V)

25.1. Trapezakt für Zwei
Kramnik und Gelfand spielen die Partie des Jahres

1.2. Königstreffen in Wijk aan Zee
Kasparow und Kramnik in der Rangliste weiter voran

8.2. Neue Fragen und alte Antworten
Anand und Kramnik gewinnen in Wijk aan Zee

15.2. Jenseits der Vernunft
Über Retroanalysen, Zugzwänge und die Kunst, selbst matt zu werden

22.2. Remis mit dem Leben
Thomas Glavinics bemerkenswertes Romandebut

1.3. Verkaterte Löwen
Geist siegt über die Materie

8.3. Im Club der Riesen
Superturnier Linares gestartet

Jazzfan, häretischer Theoretiker und Boogieman Rolf Martens.

Ästhetische Forschungen

Scandinavian Boogie (III): Rolf Martens

Er liebt Jazz. Jesper Hall, einer der wenigen Besucher, die in Rolf Martens Appartement in Malmö vorgelassen wurden, berichtet von Stapeln alter Platten: John Coltrane, Charlie Parker und Dizzy Gillespie. Kaltes Licht, übervolle Aschenbecher, an den Wänden Bücher und geheimnisvoll beschriftete Ordner seltsamen, höchst uneinheitlichen Inhalts: Zahlentheorie, Politik und natürlich Schach.

Rolf Martens lebt zurückgezogen inmitten seiner Sammlung. Der 1942 im norwegischen Rodberg geborene Mathematiker interessiert sich nur noch sporadisch für das praktische Spiel. „Meßbare Erfolge", wie der gruselige Begriff lautet, hat er seit mehr als 30 Jahren nicht vorzuweisen. 1967 war er schwedischer Champion, danach belegte er hinter Geller den zweiten Rang beim internationalen Turnier in Gothenburg und bot Ulf Andersson im Wettkampf Paroli. Doch Titel und gesellschaftliche Konventionen zählen wenig im Leben des Rolf Martens. Statt Karriere an der Universität zu machen, arbeitete er als Schweißer in einer Schiffswerft und engagierte sich in der Anti-Vietnambewegung; statt seine Schachbegabung in Turniererfolge umzusetzen, entschloß sich Martens, sich lieber mit der Theorie des Spiels zu beschäftigen. Und das radikal auf seine ganz individuelle Art und Weise.

Lange Zeit waren Martens exzentrische Theoreme purer Underground, lächerliche bis belächelte Marginalien, die bestenfalls in Blitzpartien Verwendung fanden. Die Wende ereignete sich 1980, als Toni Miles im schwedischen Skara gegen Anatoli Karpow mit Schwarz nach den denkwürdigen Eröffnungszügen 1.e4 a6 2.d4 b5 gewann. Spätestens nach dieser Partie bildete Martens Gehirn das Hauptquartier der neuen skandinavischen Schachtheorie. UHCA (UltraHypermodern Counter Attack) nennt sich Martens häretische Schule, von der seit den 80er Jahren entscheidende Impulse für die Eröffnungstheorie ausgingen. In ihrem Mittelpunkt stehen ästhetische Forschungen, deren dadaistisches Erkenntnisinteresse sich an der Lust an der Ausnahme entzündet: Ohne irgendwelche Voraussetzungen zu akzeptieren, werden die Prinzipien der klassischen Lehre radikal überprüft und geheiligte Kühe in alten Varianten lustvoll geschlachtet. Werfen wir einen kurzen Blick in seinen Giftschrank.

Nach **1.e4 e6 2.d4 d5 3.Sc3 Lb4 4.e5 Sh6!** beispielsweise

entsteht das erste von Rolf Martens Lieblingskindern: die „Pluto-Variante", eine völlig neue Harmonie in der Französischen Verteidigung. Die Idee besteht darin, weißes Dg4 zu verhindern und dem vorwitzigen Springer das gute Feld f5 zugänglich zu machen. Wichtig ist, dass 5.Lxh6?! gxh6 6.Dd2 c5 7.Sf3 Sc6 8.dxc5 d4 9.a3 La5 gar nicht so gut für Weiß ist. Am besten scheint 5.Sf3, wonach Schwarz mit 5... f6 sofort das Zentrum aufbricht und die Reise durch den Dschungel beginnt.

Nach **1.d4 Sf6 2.c4 c5 3.d5 e6 4.Sc3 exd5 5.cxd5 Ld6!?**

sind wir in einer „Schlangen-Benoni". Martens Idee ist, Lc7, d6 0-0, Sbd7, a6, Tb8 und b5 folgen zu lassen oder noch direkter Le5 und d6 zu spielen. Auf c7 ist der Läufer nach Martens nützlich, da er weißes e4-e5 und a4-a5 verhindert, dadurch entlastet er auch den Springer auf d7 der nach g6 gehen kann.

Eine andere Form der Benoni-Verteidigung entsteht nach **1.d4 e6 2.c4 c5 3.d5 exd5 4.cxd5 d6 5.Sc3 Se7**

die sogenannte „Skorpion-Benoni". Der Se7 strebt nach g6 und nimmt so Einfluss auf das wichtige Feld e5, die Bauernstruktur am Königsflügel wird nicht geschwächt, der schwarze Lf8 entwickelt sich über e7 nach f6.

Dutzende solcher Kakophonien hat Martens komponiert. Wir runzeln die Stirn und blicken skeptisch auf das Neue, die Stilideale eines Tarrasch und Steinitz im mentalen Gepäck. Ist's möglich, die ehrwürdigen Regeln über Bord zu werfen, ohne Schiffbruch zu erleiden? Ja, doch, zumindest manchmal, wie Schüsslers glänzender Erfolg gegen Großmeister Sosonko zeigt. Ein Abenteuer ist das Neue allemal, aber darauf kommt es im Schach ja an. Kamtschatka-Verteidigung – Südvariante!

Sosonko – Schüssler

Deutsche Bundesliga 1982

1.d4 Sf6 2.c4 c5 3.d5 a6 4.Sc3 b5 5.cxb5 5.Dc2 e6 6.e4 exd5 führt zum weitgehend unerforschten „Stalingrad-Gambit". **5... axb5 6.Sxb5 e6 7.Sc3 exd5 8.Sxd5**

Die „Kamtschatka-Verteidigung", eine weitere bedeutende Schöpfung des Rolf Martens! Sie verzweigt sich sofort in zwei Varianten: **8... Lb7!?** Die Südvariante. In der Nordvariante 8... Sxd5 9.Dxd5 Sc6 10.Sf3 Le7 11.e3 oder 11.Se5 ist alles unklar. **9.e4!?** Der Larsson-Angriff! Weiß gibt den Bauern sofort dankend zurück. **9... Sxe4 10.Lc4 Da5+ 11.Kf1** Konsequent. **11... Sc6 12.Lf4 0-0-0!** Hinaus an die frische Luft und nur keine Angst vor Verkühlungen! **13.Sf3** Zu früh freut sich Weiß nach 13.Lc7?! Dd2! Nicht aber 13... Sd2+ 14.Ke1!! und Weiß gewinnt. **13... Ld6 14.Dc1** Auch 14.Lxd6 Sxd6 15.Se7+ Kc7! 16.Sxc6 Lxc6 bringt Weiß keinerlei Vorteile. **14... Lxf4 15.Dxf4 The8 16.h4?!** Weiß verliert im Gestrüpp die Orientierung. Das gradlinige 16.Tc1 lässt den Blutdruck steigen. **16... Sb4 17.Sxb4** F7 ist nicht zu nehmen: 17.Dxf7 Sd6! 18.Se7+ Kc7 mit Figurenverlust. **17... Dxb4 18.b3** Wieder ist der Bf7 vergiftet: 18.Dxf7?? Dxb2 mit der Drohung Dxf2 matt und Dxa1. **18... d5! 19.Le2 Te6 20.Tc1** 20.Dxf7 würde diesmal 20... Tde8 21.Dxg7 Sxf2! provozieren. **20... Tde8 21.Tc2** 21.Dxf7? Sd6. **21... Tf6 22.Dg4+ Kb8 23.Dd7?** Zu überlegen war 23.Dxg7 c4 24.Ld1! **23... Lc6** Endstation. **24.Dg4**

24... c4! 25.Kg1 25.Dxg7? verbietet sich wegen 25... cxb3 26.Tb2 Dc5 und Weiß hat nur noch zwei Schachs. **25... Dc5 26.Lf1** Frecher war 26.bxc4 Dxf2+ 27.Kh2 Tg6 28.Tb1+ Kc7 29.Df4+ Sd6, allerdings bleibt Schwarz in Vorteil. **26... c3 27.Th3?** Einfach 27.Dxg7 d4 28.Ld3 bewahrt alle Chancen. **27... d4 28.Dxg7 Dd6 29.Ld3** Auch 29.Dxh7 d3 führt in den Abgrund. **29... Sc5 30.Lxh7** Nach 30.Lf1 Lxf3 31.Txf3 Txf3 32.gxf3 d3 ist Weiß ohne Chancen. **30... Lxf3 31.gxf3 d3 32.Lxd3** Oder 32.Txc3 d2 33.Lc2 Tg6+ Ende. **32... Sxd3 33.Tg3 Sf4** 33... Tg6! 34.Txg6 Te1+ 35.Kg2 Sf4. **34.Dg5 Sh3+!** Homerisches Gelächter! **35.Txh3 Tg6 36.Txc3 Te1+ 37.Kg2 Dd1 38.Tg3 Tg1+ 39.Kh3 Th1+ 40.Kg4 Txg5+ 41.Kxg5 Dd5+ 42.Kf6 Dd4+** Erntezeit, daher 0-1

Benitah – Maurer

Capelle la Grande 2000

Wie konnte Schwarz (am Zug) den verblüfften Gegner in spätestens drei Zügen mattsetzen?

ruf&ehn ■

Lösung vom 8. April 2000:

1.Df6 Dg8 2.d7+! Lxd7 3.Ld6! Dg7 4.Dxg7 und 5.Df8 matt.

15.3. Nimmermüder Anand
Der indische Großmeister siegt in Linares

22.3. Der Zauberer in Portoroz
Momente der Wahrheit (I): Michail Tal

29.3. Leidenschaft am Rande des Krieges
Momente der Wahrheit (II): Adolf Anderssen

5.4. Blind Man Walking
Momente der Wahrheit (III): Miguel Najdorf

12.4. Ein Mann aus Brooklyn
Momente der Wahrheit (IV): Robert James Fischer

19.4. Eine Meisterlektion
Momente der Wahrheit (V): Emanuel Lasker

26.4. Mitleid mit Goliath
Momente der Wahrheit (VI): David Bronstein

3.5. Unter Titanen
Momente der Wahrheit (VII. und letzter Teil): Karpow – Kasparow

10.5. Sizilianische Folter
Zwei klassische Beiträge zur Chaos-Theorie

17.5. Schnelle Brüter
Zeitraffer-Partien in Monte Carlo und Sofia

24.5. Schöne Kammer
Spielwelten und Weltspiele im Kunsthistorischen Museum Wien

31.5. Eine fiktive Landkarte
Reise rund um die ganze Welt auf 64 Feldern

7.6. Auf der Liste
Wettkampf Wladimir Kramnik gegen Alexej Schirow (I)

14.6. River deep – mountain high
Alexej Schirow ist der neue Herausforderer von Garri Kasparow (II)

21.6. Die Antiquiertheit des Menschen
Experimente zum Mensch-Maschine-Tandem in Léon

28.6. Im Jahr des Zauberers
Vizvanathan Anand gewinnt das Frankfurt Giants

5.7. Zweiter Frühling im Sommer
Jan Timman gewinnt das Taunus Masters in Frankfurt

12.7. Verkehrte Welt
Kramnik dominiert in Dortmund, Schirow mit der roten Laterne

19.7. Wir gegen das Böse
In der Hitze der Nacht (I): Schachprogramme im Test, Chess System Tal

26.7. Was soll's? Voran!
In der Hitze der Nacht (II): Schachprogramme im Test, Fritz 5

2.8. Schweig und dulde und spiel!
In der Hitze der Nacht (III): Schachprogramme im Test, Nimzo 98

9.8. Viktor schlug zu
Kortschnoi gewinnt Bad Homburg vor Peter Svidler

16.8. Das Ende der Enttäuschungen
Vishy Anand von Rebel klar besiegt

23.8. Fernweh
Reisen mit dem Finger auf der Landkarte

30.8. Old Guys – Young Guns
Mehr als zwei Generationen: Wassili Smyslow und Luke McShane

6.9. Schnell, exakt und tief
Deep Blue Junior absolvierte seinen ersten Auftritt via Internet in Wien

13.9. Vom liederlichen Spiel
Die Schachspieler von Wien (I): Über Gutswender, frühe Verbote und vergessene Unartigkeiten

20.9. Schmale Zeiten
Die Schachspieler von Wien (II): Johann Baptist Allgaier und seine Zeit

27.9. Vom Silbernen zum Café Rebhuhn
Die Schachspieler von Wien (III): Wilhelm Steinitz und Albert Rothschild

4.10. Goldene Schachzeiten
Die Schachspieler von Wien (IV): Im Central und im Wiener Schachklub

11.10. Politische Züge
Die Schachspieler von Wien (V. und letzter Teil): Rudolf Spielmann, Emigrant

18.10. Kalmückische Kraftakte
Die Olympiade des Kirsan Iljumschinow

25.10. Brevier der Schönheit
Friedrich Chlubnas neues Buch »Versunkene Schätze«

1.11. An einem Nachmittag in Polen
Schönheit im Geiste Akiba Rubinsteins

8.11. Masse, Stille und Macht
Igor Glek gewann das Wiener Open

15.11. Hail, hail Rock and Roll
Ultracooler Anand belehrt den Professor

22.11. Unsere Mitarbeiter des Monats
Jörg Hickl ist deutscher Meister, Peter Enders deutsches Vorbild

29.11. Vor allem jung
Die Schach-Weltmeisterschaft der Senioren in Grieskirchen

6.12. Auf der Suche nach der reinen Form
Das Bauhaus-Schach – schönstes Schachspiel des 20. Jahrhunderts

13.12. In Windeseile
Schach im Zeitalter maximaler Beschleunigung

20.12. Durch dick und dünn
Das Fest naht, und alle sind matt. Empfehlungen für Weihnachten

1999

3.1. Erste Züge, letzte Züge …
Reise durch die Welt – als Rätsel gedacht

10.1. Von Aschach bis Groningen
Ausflüge in die Turniersäle zum Jahreswechsel

17.1. Kennen Sie Döry?
Eine kleine Erinnerung an eine schachbegeisterte Wiener Familie

24.1. Begegnungen der Giganten
Elite-Turnier in Wijk aan Zee gestartet (I)

31.1. Aus einem anderen Stoff …
Wijk aan Zee: Kasparow spielt die Partie des Jahrzehnts (II)

7.2. Es kann nur einen geben …
Garri Kasparow gewinnt Wijk aan Zee (III)

14.2. Vom Baum der Schacherkenntnis
Kleine Erinnerung an Savielly Tartakower (1887–1956)

21.2. Spiel ohne Netz
David Bronstein zum 75. Geburtstag

28.2. Kurzschlüsse
Die Enzyklopädie der Desaster von Graham Burgess

6.3. Am Marktplatz der Eitelkeiten
Das Eliteturnier in Linares, 1. Lieferung

13.3. He got Game!
Triumph für Kasparow beim Eliteturnier in Linares, 2. Lieferung

20.3. Der Gedächtniskünstler
Garri Kasparow und Mnemosyne in Linares, letzte Lieferung

27.3. Getürkte Technik
Menschen in Maschinen (I): Johann Allgaier und William Lewis

3.4. Von Europa bis Havanna
Menschen in Maschinen (II): Jacques-François Mouret und Wilhelm Schlumberger

10.4. In der Neuen Welt
Menschen in Maschinen (III): Mlle. Freye und Mr. Stanley

„him hanfang war das wort..."

Kleine Verbeugung vor Ernst Jandl (1925 – 2000)

Ernst Jandl in Hochform *Foto: Reuters*

Es war ein entscheidender Abend, eine Lesung Ernst Jandls, besser gesagt eine Sprechung oder Singung, vor etwa tausend Jahren im Hörsaal 1 der Wiener Universität. Im Publikum befanden sich, weiß Gott warum, auch einige Schachspieler. Es war laut und lustig, grotesk und traurig, und für die meisten Schachspieler war es die erste Begegnung mit Konkreter Poesie. Im Laufe des Abends gelang es Jandl, das chronisch skeptische Publikum der Spieler zu begeistern und lustvoll von den Möglichkeiten der Sprache in der Gegenwart zu überzeugen.

Seit dieser Lesung war die Poesie Jandls allgegenwärtig im Schachclub. Unzählige Male hopste und kotzte „Ottos Mops" übers Schachbrett, mal geflüstert, mal gebrüllt, nächtelang war „der mund" offen, weiter offen, sehr weit offen und schließlich zu, rinkste und lechtste es, statt Schach und Schech zu geben. Dass Jandl selbst ganz gerne Schach gespielt hat und das Motiv in zwei Gedichten – „etüde in f" (1971) und „selbstportrait des schachspielers als trinkende uhr" (1980) – verarbeitet hat, war nicht so wichtig. In ihrer bescheidenen Weise liebten die Schachspieler die Laut- und Sprechgedichte Jandls, denn wie nichts sonst eigneten sie sich als Kommentar zu einer Blitzpartie, jener automatischen absurden Sprachmagie, mit der das Spiel verbal begleitet wird. In gewissem Sinn ist Jandl deshalb ein Volksdichter, der für viele, deren Interesse für Poesie in und durch die Schule zum Stillstand gekommen ist, Lyrik erstmals wieder verfügbar gemacht hat. Man sollte dieses kreative Interesse, das ernste Spielen nicht nur am Brett sondern mit der Sprache, das Jandl bei vielen ausgelöst hat, nicht geringschätzen. Ein Duchampsches Großes Glas deshalb auf den Großen Dichter und ein Partiekommentar, wie er sich häufig zugetragen hat, zur lebendigen Erinnerung!

K/ein Trost

Das Gedicht „so ein trost" entstand 1977. Auch wenn Ernst Jandl dabei wohl nicht an einen Schachspieler gedacht hat, so paßt es dennoch auf die Situation eines solchen. Man wird älter, die Kräfte schwinden, bis man zum Kiebitz wird.

so ein trost
wer es nicht mehr ganz so gut kann
wer es nicht mehr so ganz kann
wer es nicht mehr so gut kann
wer es nicht mehr ganz kann
wer es nicht mehr gut kann
wer es nicht mehr so kann
wer es nicht mehr kann
für den tun es andere
ja für den tun es andere
für den tun es ja andere
für den tun es andere ja
für den tun es ja andere ja
ja für den tun es ja andere ja
dutzendfach
hundertfach
tausendfach
millionenfach
ja
millionenfach
so ein trost

(Aus: ernst jandl: die bearbeitung der mütze. luchterhand verlag 1978)

Tal (ehn) – Hjartarson (ruf)

Reykjavik/Wien 1987 – 2000

1.e4 e5 (gemurmelt) „him hanfang war das wort hund das wort war bei gott..." **2.Sf3** (lauter) „him hanflang war das wort hund das wort war blei flott..." **2...Sc6 3.Lb5** (gebrüllt) „schim schanflang schar das wort schlund schasch wort schar schlei schlott!" **3...a6 4.La4 Sf6 5.0-0 Le7 6.Te1 b5 7.Lb3 0-0 8.c3 d6 9.h3 Sa5** „flottsch" **10.Lc2 c5 11.d4 Dc7 12.Sbd2 Ld7 13.Sf1 cxd4 14.cxd4 Tac8 15.Se3 Sc6 16.d5** „l'amour, die tür, the chair, der bauch..." **16...Sb4** „the chair, die tür, l'amour, der bauch..." **17.Lb1 a5 18.a3 Sa6 19.b4!** „küßdiehandke..." (Möglich wegen eines kleinen Tricks: 19... axb4 20.axb4 Sxb4 21.Ld2 und der Springer ist weg.) **19... g6** „du sein gut sprechen, du haben denkenkraft, du wortengewalten..." **20.Ld2** „ich sein ein groß kunstler..." **20... axb4 21.axb4 Db7 22.Ld3 Sc7**

23.Sc2! „anna an franz: anbrannt." **23... Sh5** „franz an anna: fasttag." **24.Le3** „anna an franz: hals kalt." **24... Ta8** „franz an anna: warts ab." **25.Dd2** anna franz, ana fratz **25... Txa1** „schmalsten datteln, bugaljew, akiba..."

26.Sxa1! „nobelpreisen, nobelpreisen, ich sein ein nobelpreisen..." **26... f5** „sein viel viel nicht kunstler, sein kunstschmutzen..." **27.Lh6 Sg7** „sein kunstschmutzen..." **28.Sb3 f4** „schutzen, schutzen, schmutzenbacher..." **29.Sa5** „ich kunstschutzen, salzenburger fetzenspiele!" **29... Db6 30.Tc1** „es wird gleich enden, es endet gleich..." **30... Ta8** „es wird gleich beginnen, es beginnt gleich..." **31.Dc2 Sce8 32.Db3 Lf6** „demosthenes, mostosthene, most..." **33.Sc6 Sh5 34.Db2** „droht berge; droht täler" (Das sofortige Opfer 34.Sfxe5!? Lxe5 35.Sxe5 dxe5 36.d6+ Kh8 37.Dd5 Dxd6 38.Dxa8 Dxd3 ist unklar.) **34... Lg7 35.Lxg7** „plitsch..." **35... Kxg7?** „platsch..." (Ein Fehler. Dame und König sehen einander indirekt an. Besser 35... Shxg7, obwohl Weiß nach 36.De2 Sc7 37.Sh2 nebst Sg4 im Vorteil bleibt).

36.Tc5!! „feeling..." **36... Da6** „rohling..." **37.Txb5** „darling..." **37...Sc7** „fühling..." **38.Tb8!** „glick, glick..." **38... Dxd3**

39.Scxe5! „ein kasperlkopf – der tag taucht auf, ein keulenhieb – die nacht schlägt drauf..." **39... Dd1+** „fang eine liebe amsel ein, nimm eine schere zart und fein, schneid ab der amsel beide bein..." **40.Kh2** „...amsel darf immer fliegend sein..." **40...Ta1** (herzzerreißend:) „schim schanschlang, schim schanschlang...".

41.Sg4+! „habemus papam..." **41... Kf7 42.Sh6+** „habemus mamam..." **42... Ke7 43.Sg8+** „habemus bubim..." (1-0, denn 43... Kf7 44.Sg5 wird ein wunderschönes Matt, an dem alle weiße Figuren teilnehmen.)

Grujic – Perunovic

Kragujevac 2000

Ein schwieriges Rätsel, das Ernst Jandl wohl gefallen hätte. Was fiel Weiß (am Zug) in dieser Stellung ein?

ruf&ehn ■

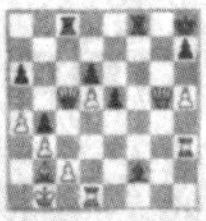

Lösung vom 10. Juni 2000: Ja. **1.Lxe5+!! dxe5 2.Dxe5+ Kg8 3.Tg1+! Lxg1 4.Tg3+ Kf7 5.Tg7** matt.

17.4. Wild Thing
Judit Polgar zeigt Vishy Anand was Punk ist

24.4. Der Champ fehlt
Dos Hermanas: Adams gewinnt, Anand enttäuscht, Karpow durchsichtig

1.5. Coming Home
Besuch in Nagpur, Maharashtra, Indien und sonst wo

8.5. Titan und Odysseus
Kleine Zeitreise nach London vor 100 Jahren

15.5. Der Spaß hat ein Ende
Judit 1.0 verliert haushoch gegen Fritz 5.32

22.5. Ein kleines Zeichen der Toleranz
Eliteturnier in Bosnien-Herzegowina, drei Jahre nach dem Krieg (I)

29.5. Reise nach Jerusalem in Sarajewo
Morosewitsch fällt zurück, Kasparow und Barejew fallen nach vorne (II)

5.6. Mehr als gleich
Garri Kasparows Zeugnis hat fünf Einser (III)

12.6. Die Archäologien des allwissenden Mr. Winter
»Kings, Commoners and Knaves« von Edward Winter, ein Meisterwerk der Präzision

19.6. Automatenhirten
Advanced Chess: Anand schlägt Karpow mit Computerunterstützung

26.6. Maschinen unter sich
Computerprogramm Shredder gewinnt, Österreichs Nimzo in der Spitzengruppe

3.7. Die sizilianische Tortur
Eine Eröffnung für Schwarz zwischen Eigensinn und Aggression

10.7. Giganten, Meister und Maschinen
Sommerlicher Ausflug nach Frankfurt am Main

17.7. Nächte der Mühsal und Glückseligkeit
Der Problemkomponist Vladimir Nabokov wäre heuer 100 Jahre alt geworden

24.7. Vom Leiden, vom Freuen...
Ungarische Wechselbäder in Prag und Dortmund

31.7. Handtuch, Schlapfen, Sonnenschirm
Gutgemeinte Ratschläge des glorreichen ehn an den hitzeverwirrten ruf

7.8. Buena Vista Chess Club
Kleiner Ausflug auf die Schachinsel Kuba

14.8. Eine seltsame Parallelaktion
In Las Vegas und Kasan haben Weltmeisterschaften ohne Titelverteidiger begonnen (I)

21.8. Der Sturz der Titanen
Alexej Schirow, Wladimir Kramnik und Judit Polgar scheitern im Viertelfinale (II)

28.8. Der Aufstand der Touristen
Wladimir Akopjan und Alexander Chalifman stehen im Finale der WM in Las Vegas (III)

4.9. Endspiele für Götter
Alexander Chalifman ist der neue Schachweltmeister (IV)

11.9. Mehr als Fischers Opfer
Mark Taimanow hat seine Autobiographie geschrieben

18.9. Ein kleiner Mann – ganz groß
Erinnerung an den Künstler Leopold Mitrofanow (1932–1993)

25.9. Unlängst in Reykjavik
Steffansson, Gretarsson, Varsson, Hardarson, Gardarsson...

2.10. Bobby Fischer der Zukunft
Sie sollten sich den Namen Teimur Radjabow merken

9.10. Die Wonnen des Zufalls
Fischer und Kasparow propagieren ein neues Spiel

16.10. Die Mattmaschinen des Ingenieurs Blathy
Kleine Erinnerung an die »Vielzügigen Schachaufgaben«

23.10. »Ein Ding, das man kennen muss...«
Pünktlich zum Millennium. Die letzten tausend Jahre (I), heute: 11. Jahrhundert.

31.10. Von der Liebe und vom Tod
Pünktlich zum Millennium. Die letzten tausend Jahre (II), heute: 12. Jahrhundert.

6.11. »Um die Freuden gebührend zu genießen ...«
Pünktlich zum Millennium. Die letzten tausend Jahre (III), heute: 13. Jahrhundert.

13.11. Die neue Ordnung der Städte und Stände
Pünktlich zum Millennium. Die letzten tausend Jahre (IV), heute: 14. Jahrhundert.

20.11. Vom Wesir zur Dame
Pünktlich zum Millennium. Die letzten tausend Jahre (V), heute: 15. Jahrhundert.

27.11. Die neue Freiheit
Pünktlich zum Millennium. Die letzten tausend Jahre (VI), heute: 16. Jahrhundert.

4.12. »Durch Weisheit und Verstand reiflich erwogen ...«
Pünktlich zum Millennium. Die letzten tausend Jahre (VII), heute: 17. Jahrhundert.

11.12. Die aufgeklärte Herrschaft der Vernunft
Pünktlich zum Millennium. Die letzten tausend Jahre (VIII), heute: 18. Jahrhundert.

18.12. Im Zeitalter des Fortschritts
Pünktlich zum Millennium. Die letzten tausend Jahre (IX), heute: 19. Jahrhundert.

24.12. Vom Ende des Prinzipiellen
Pünktlich zum Millennium. Die letzten tausend Jahre (X), heute: 20. Jahrhundert.

31.12. Optimist und Pessimist
ruf & ehn streiten über Glück und Unglück im Leben

2000

8.1. Vom Ende als Eingang zum Labyrinth
Das Abenteuer beginnt oft nach der Partie

15.1. Glück und Unglück in Budapest
FIDE-Champ Chalifman erntet altes Geld und eine hohe Niederlage gegen Leko

22.1. In den höchsten Kreisen...
Start beim Traditionsturnier in Wijk aan Zee

29.1. Kopf-an-Kopf-Rennen
Edelturnier Wijk aan Zee ist unterwegs

5.2. Das Phantastische als Normalfall
Garri Kasparow gewinnt das Eliteturnier von Wijk aan Zee

12.2. Am Anfang des Weges
Antoaneta Stefanova entwickelt sich zu einer starken Großmeisterin

19.2. Der Gedächtnisakrobat
Kleine Erinnerung an George »The Brain« Koltanowski (1903-2000)

26.2. Unterwegs im Cyberspace
Na endlich: Jeroen Piket schlägt Garri Kasparow im Internet

4.3. Im Reich des Drachens
Eine gute Partie für gelehrte Desperados

11.3. Jeden Tag Goliath
Stelldichein der Weltelite in Linares

18.3. Gleich und Gleicher
Dynamik und minimale Differenzen beim Spitzentreffen in Linares

Eine Sphinx namens Kasparow

Der Terminator zeigte sich in Linares unverletzlich

Da kann man offenbar sein wie man will, spielen wie man will. Etwa so mutig wie Polgar, so inspiriert wie Schirow oder so trocken wie Leko, so mächtig und erfahren wie ein Karpow oder so hungrig und jung wie Grischuk. Die Teilnehmer vom Turnier in Linares personifizieren jeder für sich eine der Kardinaltugenden des Schachspiels und dennoch reichte es für keinen der Genannten wenigstens zu einem positiven Score. Alle verloren mehr, als sie gewannen. Denn da gab es noch einen und der spielte fast schon in alter Gewohnheit die personifizierten Tugenden allesamt in Grund und Boden. Garri Kasparow gewann Linares ungefährdet mit drei Punkten Vorsprung, fünf Siege, fünf Unentschieden und keine einzige Niederlage.

Keiner fand eine adäquate Antwort auf die diesjährigen Fragen der Sphinx, selbst die höchsten Anstrengungen, wie sie Judit Polgar unternahm (siehe unten), reichten gerade zu einem Remis. Wie macht das der Mann aus Baku? Die simpelste Antwort ist: Er spielt ganz einfach besser, in jeder Partiephase, hat für jeden eine Medizin parat, die unvorstellbar bitter schmeckt, und vereint die universellen Tugenden in einer, seiner Person. Scheinbar kann es derzeit nur Vladimir Kramnik oder Viswanathan Anand gelingen, ein winziges Achillesferserl im gewaltigen Wissens- und Persönlichkeitspanzer Kasparows zu entdecken. In Linares schaffte das Kunststück niemand.

Unverletzlich in Linares: Garri Kasparow

Linares 2001 (Endstand):

1. Garri Kasparow (Rus, 2849) 7.5; 2. – 6. Judit Polgar (Ung, 2676), Anatoli Karpow (Rus, 2679), Peter Leko (Ung, 2745), Alexei Schirow (Ung, 2718), Alexander Grischuk (Rus, 2663) alle je 4.5 Punkte.

Kasparow – Karpow

Linares 2001

1.e4 c6 2.d4 d5 Und wieder Caro-Kann im nunmehr 173. Duell der beiden Schachgiganten. **3.e5** Zum ersten Mal versucht Kasparow die komplexe Vorstoß –Variante, die sein Gegner seit Jahrzehnten in- und auswendig kennt. **3... Lf5 4.Sc3 e6 5.g4 Lg6 6.Sge2 Se7 7.Sf4 c5 8.dxc5** Vom Figurengewinn 8.h4 cxd4 9.Sb5 Sec6 10.h5 Le4 11.f3 a6 12.Sd6+ Lxd6 13.exd6 g5 14.Sh3 h6 15.fxe4 dxe4 darf sich Weiß nicht allzuviel erhoffen. **8... Sd7** Öfter sieht man 8... Sec6. **9.h4!? Sxe5 10.Lg2 h5 11.De2 S7c6 12.Sxg6 Sxg6 13.Lg5!** Bewundernswerte Eröffnungsvorbereitung Kasparows – der richtige Zug im richtigen Moment. Alles andere, wie 13.gxh5?! Sxh4 14.Lxd5 Sd4 oder 13.Sxd5?! Lxc5 hilft nur Weiß. **13... Le7** Nach 13... Da5 14.gxh5 Sge5 15.0-0-0 Lxc5 16.h6! hat Weiß Angriff. **14.gxh5 Sf8?!** Zu zaghaft. **15.Sb5 Sd7** Ein Springer auf Umwegen. Aber 15... f6 16.Lf4 Da5+ 17.Ld2 Dd8 18.h6 g6 19.Lxd5! bzw. 15... Da5+ 16.Ld2 Dd8 17.Lxd5 exd5 18.Sd6+ sind nachteilig für Schwarz. **16.h6!** Kasparows Initiative wird immer bedrohlicher. **16... Sxc5!** Die beste Gegenchance. 16... gxh6 17.Sd6+ Kf8 18.Dh5 oder 16... g6 17.Lxe7 Dxe7 18.0-0-0 Kf8 19.c4! zerstören das schwarze Spiel. **17.Lf4** Noch stärker als 17.hxg7 Tg8 18.Lf4 Tc8 19.0-0-0. **17... Kf8 18.hxg7+ Kxg7 19.0-0-0**

19... Kf8? Bis hierher konnte Anatoli Karpow dem grausamen Gegner Paroli bieten, doch jetzt lässt ihn die Schachgöttin im Stich. Mit 19... Da5! 20.a3 Tag8! Nebst Kf8 war noch alles offen. **20.Kb1 a6 21.Sc7! Tc8 22.Lxd5!** Hebt die schwarze Stellung aus den Angeln. **22... exd5** 22... Txc7? 23.Lxc6. **23.Txd5 Dxc7** Zögert das Ende noch hinaus. Sofort verlieren 23... Txc7 24.Txd8+ Lxd8 25.Ld6+ bzw. 23... Sd7 24.Th5! Txh5 25.Dxh5 Lf6 26.Ld6+ Se7 27.Sd5. **24.Lxc7 Txc7 25.Tf5 Td7 26.c3** Präzises Spiel. Voreilig war 26.Dc4? Sd8 27.Txc5 Txh4! **26... f6?** Danach ist sofort Schluss. Widerspenstiger war noch 26... Th6. **27.Tg1 Sd8 28.Dg4 Ke8 29.Th5 Tf8 30.Txc5** Mit diesem einfachen Kombinationsmotiv geht das große Duell zu ende. **30... Lxc5 31.Dh5+ 1-0**

Polgar – Kasparow

Linares 2001

1.e4 c5 2.Sf3 d6 3.d4 cxd4 4.Sxd4 Sf6 5.Sc3 a6 6.Le3 e6 7.f3 Ultrascharf. **7... b5 8.Dd2** Beliebt ist auch sofort 8.g4, was 8... h6 erzwingt. **8... Sbd7 9.0-0-0 Lb7 10.g4 Sb6 11.Df2** Es droht 12.Sxe6. **11... Sfd7 12.Ld3 Tc8** Bereitet das gefürchtete Kasparowsche Qualitätsopfer auf c3 vor. **13.Sce2 Le7 14.h4 0-0** Ein Zug, der viel Wissen und Mut voraussetzt. **15.Kb1 Sa4 16.g5 Sdc5** Gegenseitige Königsangriffe werden vorbereitet. 16... d5 hebt sich der Ex-Champion noch auf, weil 17.exd5 Lxd5 18.Sf4 Sdc5 19.Sb3 Sxd3 20.Txd3 für Weiß vorteilhaft ist. **17.Sg3 Dc7 18.Sb3 d5!** Es ist soweit! **19.e5!?** Hieb und Gegenhieb – ein Bauernopfer für den Angriff. **19... Dxe5 20.Ld4 Dc7 21.f4** Der weiße Angriff rollt. **21... Se4** Gegenangriff. **22.Lxe4?!** Besser vielleicht 22.De3 Ld6 23.Sh5. **22... dxe4 23.The1** Und nicht 23.Sh5? wegen 23... e3. **23... Ld6!** Kasparows untrügliches Gespür sagt ihm, dass 23... f5?! wegen 24.Le5 Db6 25.Ld4 Dc6 26.Sh5 gefährlich werden könnte. **24.Sh5** Verfrüht wäre 24.Lxg7? Kxg7 25.Dd4+ Kg8 26.Dxd6 Dxc2+ 27.Ka1 Dxb2 matt. **24... e5!** Schwere Probleme für die jüngste Polgar. **25.c3!** Der Beginn irrationaler Verwicklungen. **25... f6** Klar, dass der Läufer vergiftet ist: 25... exd4? 26.Dxd4 f6 27.Dxd6, aber was war nach 25... b4! 26.fxe5 Lxe5 (26... bxc3? 27.exd6 c2+ 28.Ka1 cxd1D+ 29.Txd1) 27.cxb4 Tfd8? **26.gxf6** Wieder liegt 26.Sxg7? in der Luft, aber es bringt nichts: 26... Dxg7 27.gxf6 Dxf6 28.Dg3+ Dg6. **26... exd4 27.Sxd4!** Nach 27.Dxd4? g6! bleibt Schwarz eine Mehrfigur. **27... g6?** Der einzige Augenblick der Partie, wo Kasparow nicht optimal spielt. Mit 27... La3! 28.Tg1 g6 29.f5 Lxb2 30.fxg6 Sxc3+ oder 27... Sc5 28.Tg1 g6 29.f5 Kh8 30.fxg6 hxg6 31.De3 Dh7 konnte er entscheidenden Vorteil herausholen.

28.f5!! Eine geniale Ressource, die selbst ein Kasparow übersehen kann. Judit Polgar rückt dem schwarzen König noch einmal energisch zu Leibe. 28.Se6?! hätte 28... Lc5! zur Folge gehabt. **28... gxh5** Völlig unklar ist 28... Sxc3+ 29.bxc3 Dxc3 30.fxg6 hxg6 31.Tg1. **29.Se6 Sxc3+!** Der Gegenschock – bevor Schwarz dem Königsangriff erliegt, legt er selbst den gegnerischen König frei. **30.bxc3 Dxc3 31.Txd6 Db4+** Es ist erreicht: ewiges Schach. **32.Ka1 Dc3+ 33.Kb1 Db4+ 34.Ka1 Dc3+ remis.** Und nun sind Sie wieder am Zug!

Ganz leicht 103

Weiß zieht und setzt in zwei Zügen matt.

Ganz schön 104

Weiß zieht und setzt in drei Zügen matt.

Ganz schön schwer 105

Wie gewinnt Weiß einen schwarzen Turm oder setzt in drei Zügen matt?

Lösungen:

102 (Vorwoche)
1.Tf7!! Kxf7 2.Dxb7+ Kf8 3.Tf1+ Sf4 4.Txf4 matt.

103
1.Txh6+! Kxh6 2.Dg8 matt.

104
1.Lb8!! De5 2.Dxe5 Schwarz beliebig 3.Dc7 matt.

25.3. Kollektiver Individualismus
Merkur Graz dominiert die Österreichische Meisterschaft
1.4. Aus Stockholm ohne Nerven
Scandinavian Boogie (I): Pia Cramling
8.4. Der Mann, der Tiger heißt
Scandinavian Boogie (II): Tiger Hillarp Persson
15.4. Ästhetische Forschungen
Scandinavian Boogie (III): Rolf Martens
22.4. Als gäb's kein Morgen...
Scandinavian Boogie (IV): Heikki Westerinen
29.4. Im Himmel der Schafe
Scandinavian Boogie (V): Finale auf den Faröer
6.5. Judit ist zurück
Die stärkste aller Polgars gewinnt in Indonesien
13.5. Tage der Anarchie, Tage der Hoffnung
Kleine Erinnerung an das erste Wiener Schachturnier nach dem Zweiten Weltkrieg
20.5. Lohn der Angst
Kombinatorische Blitzlichter der Saison
27.5. Eine dynamische Melange
Sarajewo 2000 präsentiert das Schach der Gegenwart
3.6. Auf den letzten Metern...
Garri Kasparow gewinnt Sarajewo 2000
10.6. Spielen wir, Candide!
Die Meister feierten in Sarajewo, die Funktionäre nächtigten in London
17.6. »him hanfang war das wort...«
Kleine Verbeugung vor Ernst Jandl (1925–2000)
24.6. Genug für ein ganzes Leben...
Henri Rincks »1414 Fins de partie« wurde 50 Jahre alt
1.7. Na endlich!
Anand hängt Kasparow ab und verändert die Welt
8.7. »Zidane ist ok...«
Im ewigen Streit um Gambit gegen Catenaccio
15.7. Zirkus der Giganten
Eiweiß gegen Silizium
Sommerakademie, Teil 1: Basis, die Regeln des Spiels, die Figuren und ihre Gangart
22.7. Riesen in Dortmund
Kramnik auf Eiweiß schlägt Junior auf Silizium
Sommerakademie, Teil 2: Ingredienzien, die Regeln des Spiels
29.7. Das Philadelphia-Experiment
Joel Benjamin gewinnt das härteste Open der Welt
Sommerakademie, Teil 3: Flambieren, das plötzliche unerwartete Matt
5.8. Lehrjahre eines Schachgenies
Luke McShane ist Englands jüngster Großmeister
Sommerakademie, Teil 4: Tranchieren, das Ablenken und das Aufbrechen von Ketten
12.8. Sizilianische Killer
Peter Svidler triumphiert in Biel
Sommerakademie, Teil 5: Würzen, subtile Zwischenzüge, Abzugs- und Doppelschach
19.8. Der Dominator
Nikolaus Stanec gewinnt die österreichische Meisterschaft
Sommerakademie, Teil 6: Abschmecken, am Ende das Endspiel
26.8. Relaxed in Amsterdam
Drei Sieger beim Lost-Boys-Open
Sommerakademie, Teil 7: Erhitzen, am Anfang die Eröffnung der Partie
2.9. Digitaler Showdown
Österreichs Nimzo versenkt SOS
Sommerakademie, Teil 8: Binden, die Taktik des Fesselns, des Be- und Überlastens
9.9. Neues aus Schwarzach
Dinko Brumen Überraschungssieger im Pongau
Sommerakademie, Teil 9: Ausbein(d)eln, martialische Formen der Zerstörung
16.9. Aus den Schach-Charts
John Emms sammelte die erstaunlichsten Züge der Schachgeschichte
Sommerakademie, Teil 10: Schmoren, das strategische Spiel auf kleiner Flamme
23.9. Go East, Young Man!
FIDE-Weltcup-Premiere im chinesischen Shenyang
Sommerakademie, Teil 11: Pochieren, die hohe Kunst der Strategie
30.9. Eröffnungen und Orchideen
In memoriam Karl Robatsch (1929-2000)
Sommerakademie, Teil 12: Rezepte, aber keine Garantie, eine Partie zu gewinnen
7.10. Vor dem Duell
WM-London (I): Garri Kasparow und Wladimir Kramnik startklar
14.10. Technik und Schmerz
WM-London (II): Kasparow gerät in Rückstand
21.10. Planetarium der Gedanken
WM-London (III): Kramnik, Kasparow und die Schönheit des Unvollkommenen
28.10. Ringen und Zwingen
WM-London (IV): Subtile Langeweile zur Halbzeit
4.11. Herzklopfen...
WM-London (V): Ein Alptraum für Kasparow
11.11. Vatermord, Diva, Doppelgänger!
WM-London (VI): Kleines Resümee der Ereignisse zur Auswahl
18.11. Der Traum vom Raum
Kleine Erinnerung an die Hypermoderne (I): Richard Réti (1889–1929)
25.11. Duchamps Gott
Kleine Erinnerung an die Hypermoderne (II): Aaron Nimzowitsch (1886–1935)
2.12. Eine Ohrfeige für den guten Geschmack
Kleine Erinnerung an die Hypermoderne (III): Gyula Breyer (1894–1921)
9.12. Notausgang aus Borges Bibliothek
Vienna Shuffle: Partien jenseits aller Eröffnungstheorie
16.12. Oh Schweinehund...
Schwarzweiße Mitbringsel. Im Kaufrausch. Jetzt.
23.12. Der Weg zum Ursprung
Anand und Schirow auf der Reise von New Delhi nach Teheran
30.12. Indiens Erleuchteter
Mit FIDE-Weltmeister Anand steigt die Chance auf Versöhnung

2001

5.1. Ein freier Geist...
In Potsdam erinnert eine internationale Konferenz an Emanuel Lasker (1868–1941)
13.1. Blitzschnelle Brüter
Wladimir Kramnik schlägt Peter Leko im Schnellschach
20.1. Mit Wut im Bauch
Anand, Kramnik und Kasparow beim Eliteturnier in Wijk aan Zee
27.1. Kopf an Kopf
Drahtseilakte von Schirow und Kasparow in Wijk aan Zee
3.2. »Not yet...«
Herr K. stellt die Ordnung der Dinge wieder her

28. April 2001

Aufstieg und Fortschritt...

Nach der Arbeit (1): Zur Geschichte des Wiener Arbeiter-Schachs

Die Gründungsversammlung des Wiener Arbeiterschach-Klubs im Dezember 1909 (Mitte sitzend: Obmann Leopold Zappe).

Was tut der klassenbewusste Arbeiter nach der Arbeit? Er liest, bildet sich, er trinkt vor allem nicht und spielt nicht – außer Schach. Schach fordert und schult den Geist, braucht keine großen Ressourcen und kann unabhängig von Sprache und Rückgriff auf einen bürgerlichen Bildungskanon betrieben werden. Als rationales Spiel passte sich das Schachspiel zudem in die wissenschaftliche Weltauffassung des Sozialismus ein. Arbeiter hatten jedoch, allein schon wegen der hohen Mitgliedsbeiträge, zu Beginn des 20. Jahrhunderts zu den exklusiven Schachgesellschaften Wiens keinen Zutritt. Deshalb wurde den bürgerlichen Vereinen wie in anderen Bereichen der Freizeit und Kultur auch im Schach ein spezifischer Arbeiter-Schachklub entgegengestellt. Der erste wurde im Dezember 1909 von jungen Mitarbeitern der Vorwärts-Druckerei gegründet. Schach etablierte sich in der Folge rasch als Teil der Arbeiterkulturbewegung. Die Gründungsväter des Arbeiter-Schachs – engagierte Volksbildner wie Jan Kotrc (1862–1943), Oscar Zimmermann (1879–1962) oder Leopold Zappe (1888–1964) – sind heute allerdings fast vergessen.

Zunächst war es der aus Böhmen stammende Jan Kotrc, ein brillanter Organisator und Vortragender, der das Spiel bei den Arbeitern Wiens popularisierte. Die Eroberung des Schachbretts durch die Arbeiterklasse war dabei ein politisches Projekt, ein Einbruch in die Bastionen der bürgerlichen Welt. Der Ton in einer Erinnerung an die Gründung des ersten Arbeiter-Schachklubs ist nicht ohne Pathos: „In jener Zeit," heißt es in der Arbeiter-zeitung 1922, „da die Arbeiterschaft um den bescheidensten Fortschritt auf sozialpolitischem Gebiete die erbittertsten Kämpfe auszufechten hatte, war Schach ein Vorrecht der Besitzenden. Wir wollten unseren Genossen Gelegenheit bieten, die unerschöpflichen Schönheiten des Schachs kennenzulernen, wir wollten sie sehen und verstehen lehren, dass Alkohol, Glücksspiel und Schundfilm schale Genüsse sind, die sie einschlummern, betölpeln und untauglich machen zur kulturellen Sendung, die ihrer harrt in der Erstreitung des Sozialismus."

Ob der Beitrag der Schachspieler zur „Erstreitung des Sozialismus" nun gewaltig war oder nicht: Der Arbeiterschachklub war überaus erfolgreich. Bereits 1914 war der Klub auf 300 Mitglieder angewachsen, zu Beginn der 20er Jahre waren die Arbeiter-Schachklubs einer der dominierenden Faktoren im österreichischen Schachleben. Obwohl die Idee des Breiten- und Massensports im Vordergrund stand und das (bürgerliche) Profi- und Starprinzip abgelehnt wurde, gab es dennoch auch in der Frühphase des Arbeiter-Schachs hervorragende Spieler und Partien.

Kotrc – Prohazka

Wien 1910

1.Sc3 Jan Kotrc propagierte als einer der ersten diesen raren Eröffnungszug. **1... d5 2.e4 d4** Schwarz wählt einen geschlossenen Gegenaufbau. **3.Sce2 e5 4.d3 c5** Leichtfüßiger ist 4... Sc6 und nach 5.f4 f5! **5.f4 Sc6 6.Sf3 Dc7 7.g3** Weiß hat einen klaren Plan, bei Schwarz sind die Wege der Entwicklung nebulös. **7... Ld6 8.Lg2 Lg4 9.0-0 Sf6 10.h3 Lxf3 11.Txf3 0-0-0** Nach 11... 0-0 würde Schwarz den Angriff auf sich lenken. **12.c4** Blockiert den Damenflügel, um am Königsflügel freie Hand zu haben. **12... exf4?** Arbeitet Weiß in die Hände. Besser war die Aufrechterhaltung des Schwebezustands. **13.gxf4 Le7 14.a3 h6 15.b4!** Ein giftiges Bauernopfer, das Schwarz kaum annehmen darf. **15... Tdg8** Wählt lieber den Gegenangriff, als sich auf die Mühsal von 15... cxb4 16.e5 Sh5 17.axb4 Lxb4 18.Tf2 einzulassen. **16.b5 Sb8 17.e5 Sfd7 18.Da4** Mit großem Raumvorteil im Rücken beginnt Weiß den Angriff auf den König. **18... b6 19.Tf2 g5 20.Sg3!** F5 winkt! Plötzlich tauchen Kombinationsmotive auf. **20... gxf4 21.Sf5 Sxe5 22.Lxf4 Lf6** Es ist schon schwer. Nach 22... f6 23.Sxe7 + Dxe7 24.Lxe5 fxe5 25.Taf1 besitzt Weiß die f-Linie. **23.Te1 Sbd7 24.Da6 + Kb8 25.Kh1!** Ein tiefer Zug, der den König aus dem Schussfeld nimmt, um die folgende Abwicklung vorzubereiten. **25... Dc8 26.Tfe2 Dxa6**

27.Txe5!! Zerschlägt den gordischen Knoten. Die Drohung des Abzugsmatts ist mehr wert als die Dame. **27... Sxe5 28.Txe5! Lxe5** Auch 28... Txg2 29.Te8 + Kb7 30.bxa6 + Kxa6 31.Txh8 Tf2 32.Txh6 hilft nicht mehr. **29.Lxe5 + Kc8 30.bxa6** Und aus, da Schwarz noch eine Qualität einbüßt. 1-0

Einer der stärksten Spieler des Wiener Arbeiter-Schachs der Zwischenkriegszeit war Anton Schara (ca. 1886–1953), der Erfinder des Schara-Hennig-Gambits.

Schara – König

Wien 1918

1.d4 d5 2.c4 Sf6 Gestattet Weiß einen Tempogewinn. **3.cxd5 Sxd5 4.e4** Stärker zunächst 4.Sf3. **4... Sf6 5.Sc3 e6?!** Denn nun hätte sich Schwarz statt des eigenen Spiels einschränkenden Textzuges mit 5... e5! 6.dxe5 Dxd1 + 7.Kxd1 Sg4 sofort befreien können. **6.Sf3 Le7** Bleibt seiner passiven Linie treu. 6... c5 war energischer. **7.Ld3 0-0?!** Rochiert mitten in den Angriff hinein. Vorzuziehen war immer noch 7... Sbd7 nebst c5. **8.Lg5 Sbd7 9.Dc2 g6?** Natürlich hing e4-e5 in der Luft, doch besser als diese bedenkliche Schwächung des Königsflügels war 9... h6. **10.0-0-0 Te8 11.h4!** Die Fanfare zum Angriff. **11... c5** Zu spät. Schwarz musste sich mit 11... Sf8 einigeln und im Bunker auf bessere Zeiten warten. **12.e5 Sd5 13.Sxd5 exd5**

14.e6! Der erste Streich! Die Königsstellung wird aus den Angeln gehoben. **14... fxe6 15.Lxg6!** Der zweite Streich. **15... Sf6** Der Läufer ist ungenießbar: 15... hxg6 16.Dxg6 + Kh8 17.Dh5 + Kg8 18.Lh6 Lf6 19.Dg6 + Kh8 und 20.Sg5. **16.Lxh7 + !** Und der dritte folgt sogleich! Töricht wäre es, den rollenden Angriff für den Qualitätsgewinn 16.Lxe8?! zu unterbrechen. **16... Sxh7 17.Dg6 + Kh8 18.Se5** Mit massiver Drohung auf f7. **18... Tf8 19.Sf7 + Txf7 20.Dxf7 Lxg5 +** Was tun? Auf 20... Lf6 folgt 21.Td3 nebst Tf3. **21.hxg5 Dxg5 + 22.f4 Dg7** Auf 22... Dg8 folgt dieselbe Schlusskombination. **23.Txh7 + !** Das grandiose Finale! **23... Dxh7** 23... Kxh7 24.Th1 matt. **24.Df8 + Dg8 25.Th1** matt. 1-0

Und nun sind Sie wieder am Zug!

Ganz leicht 124

Schwarz zieht und setzt in zwei Zügen matt.

Ganz schön 125

Weiß zieht und setzt spätestens in vier Zügen matt.

Ganz schön schwer 126

Schwarz zieht und gewinnt die Dame oder setzt in sechs Zügen matt.

ruf&ehn

Lösungen:

123 (Vorwoche)
1.Dxf6 + !! Kxf6 2.Tg6 + ! fxg6 Oder 2... Ke7 3.f6 + Kf8/e8 4.Tg8 matt. **3.Txg6 + Ke7 4.f6 + Ke8/f8 5.Tg8** matt.

124
1... Th3 + ! 2.Kxh3 Dg3 matt.

125
1.Dxg7 + !! Txg7 2.Td8 + De8 3.Txe8 + Tg8 4.Le5 matt.

10.2. Seekrank auf festem Lande
Kleine Erinnerung an Kurt Richter (1900–1969)

17.2. Über Großväter und Enkel
Viktor Kortschnoi und Ruslan Ponomariov messen die Kräfte

24.2. Am Berg im Tal am Brett
Bescheidener Vorschlag zum Ausflug nach Lienz

3.3. Schönheit der Remisen
Equilibristik im spanischen Linares

10.3. Eine Sphinx namens Kasparow
Der Terminator zeigte sich in Linares unverletzlich

17.3. Könige aus Stahl
ehn überzeugt ruf von der Relativität der Ordnung

24.3. Ein neuer Gast
Historischer Triumph des chinesischen Teams gegen die USA

31.3. Tempo, Tempo, Tempo
Großmeister im Geschwindigkeitsrausch in Cannes

7.4. Im Reich der Taktik
ruf&ehn testen Trainings-Programme auf CD-ROM

14.4. Pauly oder die Liebe zur Symmetrie
Erinnerung an den Problemkomponisten und Astronomen Wolfgang Pauly (1876–1934)

21.4. Lang lebe Sweschnikow!
Kleine Erinnerung an eine sizilianische Variante

28.4. Aufstieg und Fortschritt...
Nach der Arbeit (1): Zur Geschichte des Wiener Arbeiter-Schachs

5.5. In der Vorstadt...
Nach der Arbeit (2): Zur Geschichte des Wiener Arbeiter-Schachs

12.5. Auflösung und Epilog...
Nach der Arbeit (3): Zur Geschichte des Wiener Arbeiter-Schachs

19.5. Der Emir und die Technik
Deep Fritz qualifiziert sich für den Wettkampf mit Kramnik in Bahrain

26.5. Starke Frauen in Warschau
Almira Skriptschenko-Lautier ist neue Europameisterin

2.6. Poesie am Rande des Verstummens
Kleine Erinnerung an Werner Speckmann (1913-2001)

9.6. Der späte Fall der Berliner Mauer
Historische Partie von Kasparow gegen Kramnik in Kasachstan

16.6. Bad Guy
Das schreckliche Leben und Wirken des Norman Tweed Whitaker

23.6. Cyborg Anand
Der FIDE-Weltmeister gewinnt das Turnier in León mit Computerhilfe

30.6. Am Rande des Krieges
Der Europameister 2001 wurde in Mazedonien ermittelt

7.7. Anarchie und Leidenschaft
Beim Festival in Mainz wurde alles gespielt – außer reguläres Schach

14.7. Krush – Die Wüste lebt!
Kleine Ermunterung zum Besuch bei Susan Polgar in Queens

21.7. Zwei königliche Bände
Die unbekannte Bibliothek, Rares und Rarissima (1): Die Rätsel der Edith Baird

28.7. Die Lehren des Kartographen
Die unbekannte Bibliothek, Rares und Rarissima (2): Kindermanns »Vollständige Anweisung«

4.8. Ernte der Nacht
Die unbekannte Bibliothek, Rares und Rarissima (3): Nabokovs »Poems and Problems«

11.8. Opposition und Schwesterfelder
Die unbekannte Bibliothek, Rares und Rarissima (4): Endspiele von Duchamp und Halberstadt

18.8. Die Meriten des Spiels
Die unbekannte Bibliothek, Rares und Rarissima (5): Otto Soykas »Der Schachspieler Jörre«

25.8. Kaltes Elysium
Die unbekannte Bibliothek, Rares und Rarissima (6): Willard Fiskes »Chess in Iceland«

1.9. Trotz alledem!
Die unbekannte Bibliothek, Rares und Rarissima (7): »Moskau 1942« von Boleslawski/Smyslow

8.9. Epos der Präzision
Die unbekannte Bibliothek, Rares und Rarissima (8): »New York 1889« von Wilhelm Steinitz

15.9. Der Hexer von Stuttgart
Die unbekannte Bibliothek, Rares und Rarissima (9): Die Tatorte des Josef Haas

22.9. Vom richt'gen Leben...
Die unbekannte Bibliothek, Rares und Rarissima (10): Rainer Schlenkers »Randspringer«

29.9. Der Bauch des Weltmeisters
Ein etwas rundlicher Anatoli Karpow gewinnt in Buenos Aires

6.10. Meister und Lehrmeister
Kleine Erinnerung an Alexei Stepanowitsch Suetin (1926–2001)

13.10. Genie der Klarheit und des Willens
Alexander Münninghoffs Euwe-Biographie ist endlich übersetzt

20.10. Sizilianisch in allen Varianten
Joe Gallagher gewinnt das Turnier in Scarborough

27.10. Der Wunsch, Indianer zu werden
Kasparow gewinnt in Prag simultan gegen das tschechische Nationalteam

3.11. Ein Drama in vier Akten
Loek van Wely und Judit Polgar spielen die Partie des Jahres

10.11. Eins, zwei, drei...
Progressiv-Schach erfüllt Ihre heimlichen Träume

17.11. I Can See For Miles...
Kleine Erinnerung an Tony Miles (1955–2001)

24.11. Noch eine Partie?
Ermunterung zu einer winterlichen Reise nach Marokko

1.12. Entlang der schönen Züge
Von Irrtümern und Fehlern: Kleines Lob der Unzulänglichkeit menschlichen Strebens

8.12. Lucky Punch
Das große Knockout bei der FIDE-Weltmeisterschaft

15.12. Ew'ger Ruhm und harte Währung
FIDE-Weltmeisterschaft und Botwinnik-Memorial in Moskau

22.12. Seltsamer Vogel Jugend
Die erste Etappe der FIDE-Weltmeisterschaft in Moskau ging zu Ende

29.12. Lange kurze Nacht
Zu früh – zu spät: Partien und Rätsel zum Jahreswechsel

2002

5.1. Kontrast in der Region
Fünf Sieger beim 10. Aschacher Donau-Festival zur Jahreswende

12.1. Harikrishna in Hastings
Postanandsche indische Dominanz in England

19.1. Um die Wurst
Zwei Ukrainer stehen im Finale der FIDE-Weltmeisterschaft in Moskau

26.1. Nerven, Nerven, Nerven
Iwantschuk scheitert, Ponomariov ist neuer Weltmeister

2.2. Habemus Bubim
Moskau ist zu Ende, zum Glück gibt es Wijk aan Zee

S/Madness

Eine Partie von Alice und Arno Schmidt

Nein, nicht *wie* ein Monument liegt es vor uns, es *ist* ein Monument. „Zettels Traum" von Arno Schmidt soll gelesen werden, muss aber nicht, es genügt – Wesen eines Monuments –, dass es da ist und da sein wird.

Seitdem das aus 1334 großformatigen Seiten und unzähligen Zetteln erbaute Textlabyrinth 1970 als Faksimile erschienen ist, zieht es wie nur wenige Kunstwerke des 20. Jahrhunderts unvorsichtige Besucher in seinen Bann und vermag sie lebenslänglich darin zu verstricken. Hermetisch ist es nur insofern, als man, hat man es einmal betreten, aus der (sommernachts-)traumhaften Spiegelwelt keinen Ausgang mehr findet.

Schmidts Poetik ähnelt dabei einer mehrdimensionalen Schachpartie.

„Zettels Traum" läuft in mehreren Spalten, die linear gelesen Verläufe und Erzählstränge ergeben, einander jedoch auch wechselseitig kommentieren, ergänzen, berühren und bedrohen, vielleicht mit ein Grund, warum viele Schachspieler den Text besonders schätzen. Gespielt wird eine Partie zwischen Wirklichkeit und Roman, in der Schmidt von der Eröffnung bis zum Endspiel auf narrative und grammatische Konventionen pfeift, schwankend zwischen Poe und Po, Freud und Fränzl und einer Liebes-, Sprach- und Weltgeschichte, wie man sie sich schöner und verzweifelter kaum vorstellen kann: „S/Madness", heißt es auf der Zettelseite 1196.

Dass der Autor und Ehefrau Alice auch passable Schachspieler waren, beweist die folgende schmetterlingsleichte Partie aus dem kalten Februar 1949. Ihr Fund ist – bitte aufstehen, wir verbeugen uns gerade – einem Hinweis von Hans-Christian Eberl, der hartnäckigen Recherche von Richard W. Wagner und dem Arno Schmidt Archiv Bargfeld zu verdanken. Den Kommentar übernehmen naturgemäß in der Hauptsache einige Zettel inkl. Seitenangabe aus dem diesbezüglichen Traum.

Alice Schmidt – Arno Schmidt

15. 02. 1949

1.e4 e5 2.f4 „Bei sòlchen Vorbereitungen, keine Garantie mehr, für nichts" (1040). **2... exf4 3.Sf3 g5 4.Lc4 Lg7** „Über=mood & too=Nichtgut, die gingen durch die Symphe" (217). **5.0-0 h5!? 6.Sxg5?!** „Doch an den Seiten, da zischt's & pißt's in 1000 Kleinigkeiten" (135). **6... Dxg5 7.d3 Ld4+** „Frage? Waren S nich auch ‚Vereinfachungen', deren sich die beidn Typm=dorrt bedientn?" (560). **8.Kh1 Le3 9.Lxe3** „SCHNAPP!; = Münd'l zu!" (719). **9...fxe3 10.Lxf7+ Kd8 11.Df3 d6** „Er zuckde die Achsln: Aso Ich hab nichts erblickt" (921). **12.Sc3 Lg4 13.Dg3 h4 14.De1 c6** „Teilnahmsfoll" (285). Kräftiger 14... h3 15.g3 Sf6. **15.h3 Sf6!?** „An dieser Stelle schrie der Busch ‚Donner=Wetter': Hffff!" (258). **16.hxg4** „Da flog die weg, und wurde unsichtbar" (711) **16... Sxg4 17.Tf5 Dg7 18.Se2 h3?!** „CharakterVerbiegung" (1049). Besser 18... Sf2+ 19.Kh2 h3. **19.g3 Sd7 20.Sf4** „Da kommt ‚PUSSYMOCK!' – Kein Fllick=&=NotBehelf" (1041). **20... Kc8?!** „Fuhr er schwermüthich fort" (1041). **21.Le6 Kc7** „Und saß, wie ein Könich, im Winterhaus" (1285). **22.Tf7!** „à=tempo=Taschntuch" (1089). **22... Dxf7 23.Lxf7**

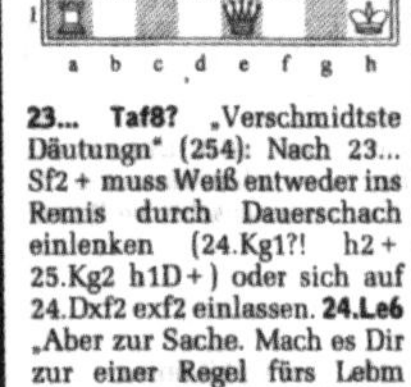

23... Taf8? „Verschmidtste Däutungen" (254): Nach 23... Sf2+ muss Weiß entweder ins Remis durch Dauerschach einlenken (24.Kg1?! h2+ 25.Kg2 h1D+) oder sich auf 24.Dxf2 exf2 einlassen. **24.Le6** „Aber zur Sache. Mach es Dir zur einer Regel fürs Lebm Francisca: Dir grundsätzlich, jeglichen Pilz, vor dem Genuß: ganz genau anzusehen! Prüfen und bestimmen ist hier alles: beriechn; befühlen; gegebenenfalls kosten=schmekken." (260). Nach 24.Se6+ Kc8 25.Da5! käme Schwarz nicht mehr auf die Beine. **24... Sde5** „Die Lupht war von ei'm blauen Schtaub erphyllt" (393). **25.De2 Sf2+ 26.Kh2 Tf6 27.Tf1?!** „Was zúkksDu so Wilma?! Ist es so oder nicht?" (98). Einfach 27.d4 und Schwarz kann aufgeben. **27... Txe6!** „Woran erkennt man denEchtn Künstler? ... daß er sich, außerhalb der Arbeits-Zeit, für'n Betrüger hält." (711) Schwindelchanceidee: Sg4+. **28.Sxe6+ Kd7 29.Sg5** „Schêm=Dich!" (449). Leicht gewann 29.Txf2! **29... Seg4+ 30.Kg1 h2+ 31.Kg2 h1D+ 32.Txh1 Txh1 33.Kf3 Th5!** „Das greift doch Eins=inS=Andere" (720). Erobert den Springer – trotz ungleichen Materials ausgeglichenes Spiel. **34.Sf7 Ke7 35.Sxd6 Kxd6 36.d4 b5 37.e5+!?** „V'zeihung. – Aba'ch konnt Mein'n Ausfall einfach nich=mehr abbremsn" (548).. **37... Kd5?!** „Suffschlabberpint" (273) **38.c3 a5 39.b3** „WillSDu Einzelheiten hören?" (503): Nach 39.Dc2! mit der Drohung 40.Db3 matt muss Schwarz mit 39... Sxe5+ 40.dxe5 Txe5 Material geben. **39... Tf5+ 40.Kg2 Ke4!** „Reingelâtscht!: Gerechtigkeit" (454). **41.Dc2+?** „Wir redn nachher-nochma über Sie, jà?" (998). Nur noch 41.e6 hielt das Gleichgewicht. **41... Sd3** „HülfStellung; ss wohl Mein Schicksal!" (719). Es droht Tf2+. **42.Kh3 Sgf2+** „Lausich genug." (1009) Besser 42... Tf2 mit Mattfalle. **43.Kg2 Tf3?!** „SonnFinsternis um Mittag" (887). 43... Sd1! mit der Drohung Tf2 nebst e3-e2 war stärker. **44.e6!** „Naddànn! bemerkte sie anzüglich." (573) **44... Tf6?** „Der arme selbst=sichere Däpp! Ausgerechnet dies" (1065). Der Bauer konnte mit 44... Sg4 45.e7 Sf6 gestoppt werden. **45.a3??** „GLTSCH!! –;jetz hätt Ich beinah im süßen Schlick gelegen!" (589) Besser: 45.De2! Se1+ (45... Txe6?? 46.Df3 matt) 46.Dxe1 Txe6 47.Db1+ Sd3 48.Dd1 mit weißem Gewinn. **45... Txe6 46.b4 a4 47.De2 Tf6 48.Dh5 Se1+ 49.Kh2** „... = pleite; aber doch, (und mit absoluter Gewißheit!), in einer demnächstijn Situation, daß Ich auf der Stelle Mein' Schattn verkàufn würde" (1119).

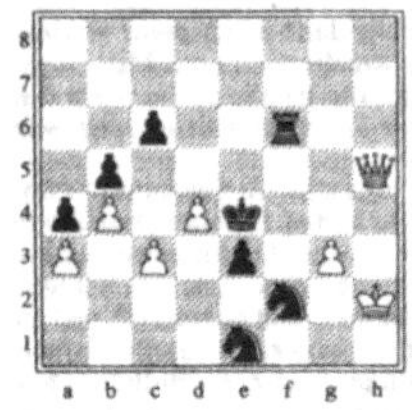

49... Th6! 0-1 „N gànz=dicker Hund! Dá=rauf iss Keine gekomm" (711). Nach 50.Dxh6 Sg4+ nebst Sxh6 verbleibt Schwarz mit zwei Mehrspringern.

Ganz leicht 364

Weiß zieht und setzt in zwei Zügen matt.

Ganz schön 365

Schwarz zieht und setzt in drei Zügen matt.

Ganz schön schwer 366

Weiß zieht und setzt in zwei Zügen matt. *ruf&ehn*

Lösungen:

363 (Vorwoche): **1.Th6!! g5** Falls 1... Lf5, so 2.Tc4+! Kxd6 3.Tc6 matt. **2.Td5+! Lxd5 3.Sd7** matt oder **2... Txd5 3.Sf4** matt (William Meredith 1872).

364 **1.Sb6+! Kxe4 2.Lg2** matt.

365 **1... Sf3+!! 2.gxf3** Oder 2.Kh1 Txh2 matt. **2... Tg6+ 3.Kh1 #Lxf3** matt.

9.2. Neuer Wein in alten Schläuchen
Evgeni Barejew und Jan Timman überraschen beim Turnier in Wijk aan Zee

16.2. Ein gelehrter Universalist
Juri Awerbach zum 80. Geburtstag

23.2. Kreml Moskau – Wien Hernals
Kaidanow gewinnt vor Grischuk, Tibensky vor Hangweyrer

2.3. Lauern und Stochern
Linares startet mit – sagen wir – subtilem Spiel

9.3. Spaniens Blüten
Frühlingserwachen mit dynamischen Partien in Linares

16.3. Das Lied der Rache
Linares: Jeder schlägt jeden, nur Kasparow keiner

23.3. Verteufelt schwer
Die liederlichen Mönche (I): Die Rätselwelt des Michael Roxlau

30.3. Exzentrische Moderne
Die liederlichen Mönche (II): Die Gedankengewitter des Duncan Suttles

6.4. Großer kleiner Meister
Die liederlichen Mönche (III): Erinnerung an Esra Glass zu dessen 100. Geburtstag

13.4. Gabriel und Gabrielitta
Die liederlichen Mönchinnen (IV): Odette Vollenweiders Rätselspiele

20.4. Der arme Cecil
Die liederlichen Mönche (V): Das Leben und die Spiele des Cecil de Vere

27.4. Der ehrliche Zauberer
Die liederlichen Mönche (VI): Ernest Pogosjants (1935–1990)

4.5. Toljas Prager Fruhling
Anand und Karpow im Finale der Eurotel World Chess Trophy

11.5. Ein Altmännersommer
Anand gewinnt Prag, die Sensation heißt Anatoli Karpow

18.5. Deutschland war ein Klacks dagegen
Wiedervereinigung der Verbände in Prag, gemeinsame Weltmeisterschaft 2003

25.5. Material Girl
Alexandra Kosteniuk wurde vor Kasparow und Ponomariow Spieler des Jahres

1.6. Von Aussatz und Freudensprung
Ströbeck im Harz: Ein Dorf spielt Schach

8.6. Der Vielspieler
Kleine Erinnerung an Henry Grob (1904–1974)

15.6. Der neue Mann aus Baku
Teimur Radjabow kam bis ins Finale des Moskauer Grand Prix

22.6. Unterwegs auf der Suche nach dem Neuen
Viktor Kortschnois faszinierende Partiensammlung und ein kleines Wunder

29.6. Kontakt der Welten
Alle reden vom Fußball: Wir auch

6.7. Erweiterte Gehirne
Anand gegen Kramnik mit Computerunterstützung in León

13.7. Grund zum Träumen
In Dortmund wird der Herausforderer von Wladimir Kramnik ermittelt

20.7. Schöne Träume
Peter Leko und Veselin Topalov im Finale des Dortmunder Kandidatenturniers

27.7. Es kann nur einen geben
Peter Leko ist Herausforderer von Wladimir Kramnik

3.8. Ernte der Beharrlichkeit
»Dreiklang«: Die Kompositionen von Chlubna, Johandl und Wenda

10.8. In der großen Hitze
Sommer-Open in St. Veit, Wien und Oberwart, Dopingkontrollen in Biel

17.8. Im kybernetischen Labyrinth
Junior vor Shredder bei der Computer-WM in Maastricht, Brutus überrascht

24.8. Leben als Blitzpartie
Beim Chess Classic Mainz ging es rasch und heftig zur Sache

31.8. Sich einen Karl machen
»Karl« – Ein Magazin für einen Blick über den Brettrand

7.9. Mehr als nur Endspiele
Ist Dvoreckij das beste Lehrbuch des Schachspiels gelungen?

14.9. Von Kanauj nach Torquay
Neue Thesen zum Ursprung des Schachspiels in Indien

21.9. Moskau – St. Pölten – Schwarzach
Desaster für Kasparow, Norm für Stanec, Perle von Blasl

28.9. Vergesst Moskau, vergesst New York
Sergej Karjakin aus Kramatorsk ist der jüngste Großmeister der Geschichte

5.10. Ein Schwindel, den jeder verzeiht
Portrait des Künstlers als junger Fernschachspieler: Paul Keres in Pärnu

12.10. Von Magie und Liebe
Kleine Erinnerung an Ricardo Calvo (1943–2002)

19.10. Zahlenfresser gegen Perlentaucher
Mensch-Maschine-Duell in Bahrain: Kramnik (un)cool, Fritz flink

28.10. Opfer am Altar der Schönheit
Nachlese Mensch-Maschine in Bahrain: Kramnik bleibt ein Mensch

1.11. Zurück an den Ursprung
FIDE-Weltcup: Starke Inder, starke Chinesinnen

9.11. S/Madness
Eine Partie von Alice und Arno Schmidt

16.11. Politische Partien
Schachspielende Politiker: Metapher, Medium oder doch nur Dekor?

23.11. Ein mächtiges Comeback
Henrique Mecking auf Besuch in Bled und in Wien

30.11. Gespräch im November
Henrique Mecking erzählt und kommentiert

7.12. Vor den Regalen
Sieben Empfehlungen, um den Dezember zu überstehen

14.12. Blick zurück nach vorn
Viktor Kortschnoi gewinnt das Open in Curaçao

21.12. Komet mit friedlichem Ende
Kleine Erinnerung an Carlos Torre (1904–1978)

28.12. Toljas winterlicher Frühling
Sensationssieg von Karpow gegen Kasparow in New York

2003

4.1. Erinnerung, sprich!
Jause bei Mnemosyne: Die beste Partie des Vorjahres

11.1. In der Welt der Listen
Aktuelles aus Philadelphia bis Aschach und Elo

18.1. Gnadenlos
Kinder am Rande des Nervenzusammenbruchs

25.1. Helden ohne Wetter
Das Corus-Eliteturnier in Wijk aan Zee hat begonnen

1.2. Von Menschen und Maschinen
Anand in Wijk aan Zee, Kasparow in New York

8.2. Der richtige falsche Weg
Garri Kasparows Versuche der Maschine Herr zu werden

15.2. Milde Maschinen, gnädige Rechner
Zeitreise Tokio – New York und ein Meisterstück von Karjakin

Irrwege, Ausblicke

Durch Duchamps Opernglas geblickt (I): Mechanik für Fortgeschrittene

ruf & ehn

Gegeben sei, 1. ein Schachbrett, 2. zwei Könige, zwei Türme und vier Bauern. Und daraus entsteht in den Händen des kundigen Architekten ein kinetisches Labyrinth, das groß und elegant genug ist, um seit 60 Jahren allen Forschungsreisen und Expeditionen zu widerstehen.

Der Architekt heißt Marcel Duchamp. Im Spätherbst 1943 konzipierte Duchamp für den New Yorker Galeristen Julian Levy die Einladungskarte für die Ausstellung „Through the Big End of the Opera Glass", gezeigt wurden Werke von Joseph Cornell, Yves Tanguy und Marcel Duchamp. Auf der Rückseite der Karte druckte Duchamp das folgende Schachrätsel:

„Weiß zieht und gewinnt", schreibt Duchamp darunter, signierte, und herausgekommen ist, was man in Anlehnung an Quentin Tarantino eine „Duchamp-Situation" nennen könnte. Denn unentdeckt blieb bislang die Lösung und mehr noch: Unbeantwortet blieb die Frage, ob es überhaupt eine Lösung gibt, stammt doch von Duchamp auch der auf Kunst, Philosophie und auf viele Lebenssituationen flexibel anwendbare Satz: „Es gibt keine Lösung, weil es kein Problem gibt."

Also nehmen wir uns der Sache an, der Einstieg ins Labyrinth sieht nicht so schwierig aus. Nach ein, zwei Stunden Betrachtung scheinen drei Wege zur Auswahl zu stehen: Der direkte zuerst: Wir wandeln mit dem König zu unserem Bauern, beiderseits Turmopfer und Weiß gewinnt mit einem Tempo Vorsprung, ziemlich simpel, oder? Also:

Plan A: Wandeln und verwandeln.
1.Ke4 h4! Das Beste. Schwarz forciert sofort den h-Bauern, der uns noch viele Sorgen bereiten wird. **2.Kd5 h3 3.Kc6 h2 4.Th7 f5** Der zweite Wettlauf beginnt nun zwischen dem schwarzen f-Bauern und dem weißen b5-Bauern. **5.Kc7 Txb7+ 6.Kxb7 f4 7.b6 h1D 8.Txh1 Kxh1 9.Kc6 f3 10.b7 f2 11.b8D f1D** Wie man die Sache auch dreht und wendet, uns fehlen mindestens zwei Tempi. Ergebnis: Frustraner Erfolg. Also:

Marcel Duchamp im Jahre 1955.

Plan B (subtile Jagden): Wir gewinnen – ein Tempo.
1.Tg7+ Zwingt den König auf ein Feld, wo er seine Bauern verstellt. **1... Kf2** Viel besser als 1... Kh3?, womit sich der schwarze König selbst eine Zeit lang aussperren würde: 2.Kf5 h4 3.Ke6! f5 4.Kd6 Kh2 5.Kc7 Th8 6.b8D Txb8 7.Kxb8 f4 8.b6 f3 9.b7 f2 10.Tf7 Kg1 11.Kc8 f1D 12.Txf1+ Kxf1 13.b8D Kg2 14.Df4 h3 15.Dg4+ Kh2 16.Kd7 und plötzlich haben wir die beiden Sieg bringenden Mehrtempi. **2.Ke4 h4 3.Kd5 h3** Wieder diese verflixte h-Bauer! **4.Kc6 h2 5.Th7 Kg1 6.Kc7 Txb7+ 7.Kxb7**

7... f5! Wenn 7...h1D+?, so 8.Txh1 Kxh1 9.Kc6! und Weiß holt den letzten Bauern ab. **8.b6 f4 9.Kc7 f3 10.b7 h1D!** Genau im richtigen Moment! Falls unbedacht 10... f2?, gewinnt 11.Tg7+ Kf1 12.b8D h1D 13.Db1+ elementar. **11.Txh1+ Kxh1 12.b8D f2** und diesmal fehlt nur ein einziges Tempo! Entstanden ist eine Lehrbuch-Remise, denn Schwarz kann den f-Bauern aufgeben und seinen König auf h1 verstecken. Weiß darf ihn wegen Patt nicht nehmen. Wäre es ein g- oder e-Bauer, würde Weiß gewinnen. Auch nach 1.b6 ergeben sich mit Zugumstellung ähnliche Positionen. Die Sache ist also doch ein wenig diffiziler. Ergebnis: Wieder nichts, Remis. Also:

Plan C (radikal bis brutal): Schlagen und Fressen.
Also muss etwas anderes her, radikale Gedanken, wir fressen dem Schwarzen einfach alle Bauern weg: **1.Kf5 h4 2.Kg4**

2... f5+! Eine tolle Ressource! Hätte Schwarz zu 2... h3 gegriffen, hätte er noch etliche bange Momente zu überstehen: 3.Tc2+ Kf1! 4.Kxh3 Txb7 5.Tb2 Tb6! 6.Kg3 Ke1 7.Kf3 Kd1 8.Ke3 Kc1 9.Tb4 f5! 10.Kd4 Kd2! 11.Kc5 Tb8 12.Tf4 Tf8 13.b6 Ke3 14.Tb4 f4 und erreicht schließlich doch den rettenden Hafen. **3.Kxh4** Oder 3.Kxf5 h3 4.Tg7+ Kf3 5.Th7 Kg2 6.Ke6 h2 7.Kd6 Txb7! mit sofortigem Remis. **3... f4 4.Kg4** Nach 4.Tc2+ Kf3 ist nichts mehr zu machen. **4... f3** und wieder hat es Schwarz geschafft. Also unlösbar, wie manche vermuten?

Tragikomische Pataphysik und weiße Magie? Oder sehen Sie einen anderen Weg? Fortsetzung nächste Woche!

Ganz leicht 508

Weiß zieht und setzt in zwei Zügen matt.

Ganz schön 509

Schwarz zieht und setzt in drei Zügen matt.

Ganz schön schwer 510

Weiß zieht und setzt in drei Zügen matt.

507(Vorwoche):
1.De3! Droht 2.Sg7+ Kxd7 3.De8 matt. **1... Sf7 2.Dc1!!** Nicht 2.Sg7+ wegen 2... Kf8. **2... Txc1** Oder 2... Kxd7 3.Dc8+!! Kxc8 4.Sb6 matt. **3.Te7+! Sxe7 4.Sxf6** matt (Franz Kollmann 1887).

508
1.Txe3+! dxe3 2.Ld3 matt.

509
1... De1+!! 2.Txe1 Td2+ 3.Dxd2 Txd2 matt.

22.2. Exakte Fantasien
Beruf Welterfinder: die Universen und Rätsel des Alexander Kasanzew (1906–2003)

1.3. Im Laufe der Zeit
Svetozar Gligoric, Großmeister und Grandseigneur des Spiels, wurde achtzig Jahre alt

8.3. Knall und Fall
Das Treffen der Weltelite in Linares hat begonnen.

15.3. Tote Katzen, vergreiste Faultiere
Langeweile in der zweiten Halbzeit von Linares, zum Glück gibt es Reykjavik

22.3. Austria Graz machte das Rennen
Schlussrunde der österreichischen Meisterschaft und ein trauriger Nachtrag

29.3. Aus gegebenem Anlass
Beantwortung der Frage, warum man Alfons von Kastilien und Leon den Weisen nannte

5.4. Die Welt im Kopf
Blindschach fasziniert seit dem Mittelalter, manchmal sogar die Qualität der Partien

12.4. Alchimie des Beinstellens
Kleine Erinnerung an das Wiener Gambitturnier 1903

19.4. Der Zweite Mann
Anmerkung zu einen Unbekannten: Vitaly Halberstadt zu seinem hundertsten Geburtstag

26.4. Punk is back
Nigel Short gewinnt in Budapest

3.5. Schlauer Bauer
Der Tripelbauer bietet – manchmal auch Chancen

10.5. Gefährliche Liebschaft
Zwei neue Bücher zur Leningrader Variante sind erschienen

17.5. Im Land der Chanten und Mansen
Das internationale Karpow-Turnier fand jenseits des Urals statt

24.5. »Spielt jetzt!«
Lothar Schmid: Die Liebe zum Spiel – die Liebe zum Buch

31.5. Die feine englische Art
Das Match Oxford gegen Cambridge geht ins 122. Jahr

7.6. Klar wie Capablanca
Der Landwirt Granda Zuniga gewinnt mit subtilem Spiel in Kuba

14.6. Mit oder ohne Garri
Bestandsaufnahme beim 33. Bosna-Turnier in Sarajewo

21.6. Der Quotenmann
Der neue Europameister heißt Zurab Azmaiparaschwili

28.6. Erhabene Frechheiten
Über »das Recht einer reizenden Verwirrung« in Enghien und New York

5.7. König der Vorsorge
Kleine Erinnerung an Tigran Vartanovich Petrosjan (1929–1984)

12.7. Das Opfer des Besenstiels
Kunst-Spiele (I): Alexander Calders minimalistisches Set bei »The Art of Chess«

19.7. Imagine peace!
Kunst-Spiele (II): Yoko Onos »Play it by Trust« in London

26.7. Absolutheit der Fläche
Kunst-Spiele (III): Yayoi Kusamas obsessive Muster und Punkte

2.8. Ironie und Irritation
Kunst-Spiele (IV): Paul McCarthy, Damien Hirst und Jake & Dinos Chapman

9.8. Jenseits von Gut und Böse
Kunst-Spiele (V): Politische Allegorien von den Schwestern Danko bis Maurizio Cattelan

16.8. Der Tag des Außenseiters
Viorel Bologan gewinnt das Eliteturnier von Dortmund

23.8. Stolz auf Brutus
Österreichisches Computerprogramm siegt in Lippstadt mit Rekordvorsprung

30.8. Ein Fest im Festsaal
Weltmusik und dritte Großmeisternorm für Niki Stanec

6.9. Eine Postkarte aus London
Kleine Erinnerung an Ken Whyld (1929–2003), den Weltmeister der Schachhistoriker

13.9. Dress Code: Smart casual
Im noblen Simpson's-in-the-Strand gedachte man Howard Staunton

20.9. Linkslastige Theorie
Harald Keilhacks »Der Linksspringer«, ein Repertoire für Bibliophobe

27.9. Vernunft und Empfindsamkeit
Gemischtes Doppel und Tandem mit Geschichte in Yong Chuan

4.10. Kontemporärer Luxus
Massow-Memorial: Volker Anton gewinnt das stärkste Fernschach-Turnier aller Zeiten

11.10. Irrwege – Ausblicke
Durch Duchamps Opernglas geblickt (I): Mechanik für Fortgeschrittene

18.10. Irrblicke – Auswege
Durch Duchamps Opernglas geblickt (II): Pataphysik oder ein Großes Glas auf Speights?

25.10. Nimbus der Unschlagbarkeit
Die Welt-Elite verschließt sich zusehends im baufälligen Elfenbeinturm

31.10. In Schadows Club
Kleine Ermunterung zu einer Herbstreise in die Kunstbibliothek nach Berlin

8.11. Der private Capa
Olga Capablanca erzählt in Edward Winters neuem Buch

15.11. Acht volle Wochen
Vor fünfzig Jahren fand das Kandidatenturnier Neuhausen/Zürich statt

22.11. Diese Stadt ist eine Kränkung
Kasparow langweilt New York, van der Heijden zerstört Duchamp

29.11. Aus vollen Körben
Fünf Varianten im konsumistischen Krippenspiel

6.12. »Der Hund rennt raus!«
Computer-WM Graz: Shredder knapp vor Fritz, Donnigers Brutus im Spitzenfeld

13.12. Flucht in die Karibik
Santo Domingo Open: Der Strand, die Palme, das Schachbrett

20.12. Ein Atlantikschwimmer
Kleine Erinnerung an Hermann Bermadinger (1951–2003)

27.12. Ubusche Pattzer!
Patt zwischen rien ne va plus und Ästhetik der Plötzlichkeit

2004

3.1. Wildwechsel von Ideen
Emanuel Lasker: Ein Puzzle zum homo ludens und homo politicus

10.1. In lichten Höhen
Judit Polgar ist die erste Frau in den Top Ten der Weltrangliste

17.1. Laimatische Launen
Beim lettischen Gambit sollte man auf alte Göttinnen vertrauen

24.1. »Ich bin, so wie ich bin.«
Im Gespräch mit Fernschach-Weltmeister Tunç Hamarat

31.1. Pragmatik und Common Sense
Wijk aan Zee: Anand überholt Kramnik nach Turniersieg in der Weltrangliste

7.2. Showdown am Lago Maggiore
Kramnik schlägt Deutschland im Länderspiel, WM gegen Leko

Sittah gewinnt

Welche Partie wird in Lessings Nathan gespielt? Eine Hausübung.

In Gotthold Ephraim Lessings „Nathan der Weise" findet sich zu Beginn des zweiten Aktes eine der seltsamsten Schachpartien der Weltliteratur. Die kluge Sittah spielt mit Sultan Saladin, ihrem Bruder, eine Partie Schach. Sittah gewinnt, aber die Sache ist nicht ganz echt: Saladin gibt auf, weil er glaubt, matt zu sein, ist es aber nicht, wie wir später vom Derwisch Al-Hafi, dem kiebitzenden Schachmeister, erfahren.

Die Schachszene, mit der Lessing die intellektuelle Atmosphäre am Hofe Saladins charakterisiert, enthält zugleich eine Schachkomposition der besonderen Art: Tausendfach hat man ja vom Mittelalter bis zur Gegenwart Gedichte und Romane entlang von Schachpartien verfasst, diesmal ist es umgekehrt: Es gilt – und diese Aufgabe überantworten wir unseren LeserInnen – zu Lessings Text (siehe unten) eine plausible Zugfolge zu gestalten. Also: Lessing ist am Wort, Sie sind am Zug.

Die Regeln für die hermeneutische Hausübung sind:

1. Der Text darf nicht verändert werden. Saladin (Schwarz) beginnt.
2. Auszugehen ist von einer halbwegs realen Partiestellung. Auch wenn Lessings dramatisches Gedicht in Jerusalem zur Zeit der Kreuzzüge spielt, am Schachbrett wird bei Lessing nach den neuen Regeln gespielt.
3. Beide Spieler sind Amateure, sie machen Fehler. Sittah spielt allerdings besser, Saladin agiert lustlos, will die Sache zu einem „Ende bringen".
4. Möglichst wenige Figuren, um den armen Schauspielern bei der Arbeit zu helfen.
5. Das „Matt" von Sittah am Ende ist keines, muss aber auf den ersten Blick überzeugend wirken.

Als Textgrundlage gelten die schachrelevanten Passagen in der Strichfassung der aktuellen Burgtheater-Inszenierung, in eckigen Klammern haben wir als Beispiel zur Illustration die Zugfolge hinzugesetzt.

Sittah – Saladin

1779/2004

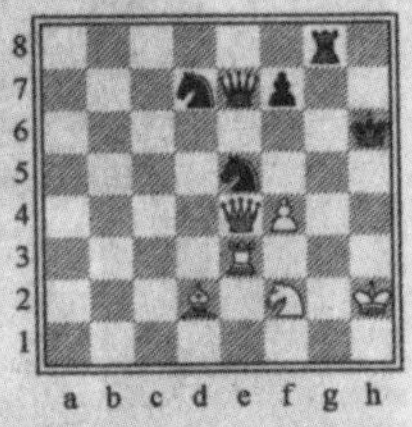

Sittah: Wo bist du, Saladin? Wie spielst du heut?
Saladin: Nicht gut? Ich dächte doch. [Versucht 1... Dd8?]
Sittah: Nimm diesen Zug zurück.
Saladin: Warum?
Sittah: Der Springer wird unbedeckt.
Saladin: Ist wahr. Nun so! [Versucht 1... Df6]
Sittah: So zieh ich in die Gabel. [Sittah zeigt auf ihren Springer, sie „droht" mit 2. Sg4 + ??, was Saladin überzeugt.]
Saladin: Wieder wahr. – Schach dann! [Versucht 1... Dh4 +]
Sittah: Was hilft dir das? Ich setze vor [zeigt 2. Th3] und du bist, wie du warst.
Saladin: Nimm den Springer nur. [Er spielt: **1... De6**]
Sittah: Ich will ihn nicht. Ich geh vorbei. [**2.f5**]
Saladin: Du schenkst mir nichts.
Sittah: Kann sein.
Saladin: Mach deine Rechnung nur nicht ohne den Wirt. Denn sieh! Das warst du nicht vermuten? [**2... Sc5**]
Sittah: Freilich nicht. Wie konnt' ich auch vermuten, daß du mit Fleiß, mit aller Gewalt verlieren willst. (...)
Saladin: Wir kommen ab vom Spiele. Mach ein Ende!
Sittah: Nun dann: [**3.Th3++**] Schach! Und doppelt Schach!
Saladin: [**3. ... Kg7**] Nimm nur die Königin. Ich war mit diesem Steine nie recht glücklich.
Sittah: Bloß mit dem Steine?
Saladin: Fort damit!
Sittah: Wozu sie nehmen? Schach! [**4.Lh6+**]
Saladin: Nur weiter. [**4. ... Kh7**]
Sittah: Schach! – [**5.f6+ Kh8**] und Schach! – [**6.Lf8+**]
Saladin: Und matt! [**??**] Du hast gewonnen (...)

„Ja!" Sittah (Sylvie Rohrer) gewinnt gegen Saladin (Wolfgang Michael) Foto: Wr. Burgtheater

Nun, das hat sie freilich nicht (Saladin könnte 6... Dxh3 + und dann 7... Sxe4 spielen, doch er hat andere Sorgen). Lessing war, wie wir wissen, selbst passionierter Schachspieler. Das folgende Rätsel hätte ihm wohl gefallen.

Hermann Lücke

Leipzig 1960

Weiß zieht und setzt in fünf Zügen matt.

Höchste Vorsicht ist angebracht, denn Schwarz steht auf patt: Der Tb1 ist ein Desperado, der sich alles erlauben kann. **1.Tf8!** Droht Abzugsmatt durch den Springer. **1... Tf1** Die einzige Chance: Der schwarze Turm muss sich an die Fersen des gegnerischen heften. **2.Th8!!** Eine unerwartete Wendung! Wie durch magische Kräfte zieht der weiße Turm den schwarzen nach sich – er folgt ihm auf die achte Reihe. **2... Tf8 3.Se7!** Die nächste Überraschung: Weiß opfert seinen Turm, um den Springer zu aktivieren. **3... Txh8 4.Sg8!!** Höhepunkt und Pointe des Geschehens – Schwarz ist in verderblichen Zugzwang geraten. Der Turm muss zugreifen. **4... Txg8 5.Txg8** matt.

Wie aktuell Lessings letztes Stück im Übrigen heute ist, braucht keine sonderliche Erwähnung: Wann werden wir ein Schachmatch mit gemeinsamer freundschaftlicher Analyse zwischen israelischen und palästinensischen Spielern in Jerusalem erleben?

ruf & ehn ■

Ganz leicht 655

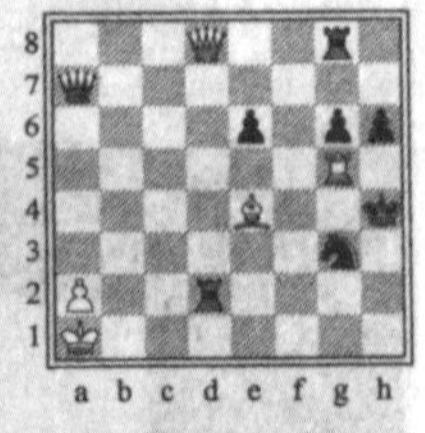

Weiß zieht und setzt in zwei Zügen matt.

Ganz schön 656

Schwarz zieht und setzt in drei Zügen matt.

Ganz schön schwer 657

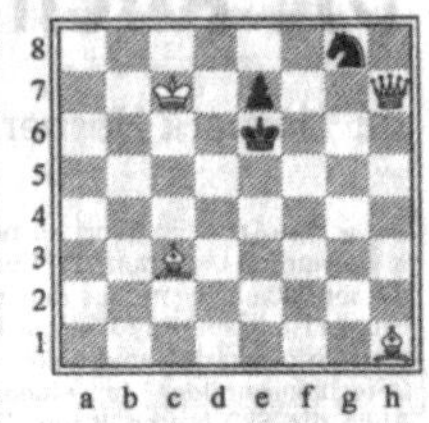

Weiß zieht und setzt in drei Zügen matt.

654 (Vorwoche):
1.Tf4!! Nicht 1.Tf3? Dd7!, auch nicht 1.Tf6? Dh5 2.Tgf5 Dxf5! **1... Dh5 2.Tgf5 Dd1 3.Tf3! beliebig 4.Sxf3/Sg4** matt (Walther Holzhausen 1908).

655
1.Th5+! Kxh5 Oder 1... Kg4 2.Th4 matt. **2.Lf3** matt.

656
1... Txg3+!! 2.hxg3 Dh1+! 3.Sxh1 Tg2 matt.

14.2. Pubertät der Varianten
Zeitgeist: Das Evans-Gambit erlebt eine erstaunliche Renaissance

21.2. Am Weg nach oben
Eva Moser ist internationaler Meister

28.2. Super Nezh schlägt die Erwählten
Lebensbedrohliche Langeweile in Linares, zum Glück gibt es Neschmetdinow

6.3. Glorreiche Sieben in Becketts Endspiel
Linares entwickelte sich zum Symposion über die Remisfrage

13.3. Verpasste Chancen
Museum: Abschied von einem Wiener Traditionscafé

20.3. Lob der Schablone
Ein Fall für Psychologen: Warum spielen Großmeister besser?

27.3. Björk, Eis, Finsternis
Reykjavik heißt die Antwort auf Linares

3.4. Neunzig verweht
Alte Meister (I): Enrico Paoli, 1908ff

10.4. Triumph der Jugend
Alte Meister (II): Erinnerung an Jacques Mieses (1885–1954)

17.4. Kleiner Lasker ganz groß
Alte Meister (III): Eduard Lasker (1885–1981)

24.4. Hundert verweht
Alte Meister (IV): Gudmundur Kristjansson und Rudolf Palme

30.4. Leidenschaftlich vernünftig
Arnold Schönbergs »Koalitions-Schach« (I): Die Regeln des Spiels

8.5. Nach eigenen Regeln
Arnold Schönbergs »Koalitions-Schach« (II): Die Praxis des Spiels

15.5. Über Wahlverwandtschaften
Arnold Schönbergs »Koalitions-Schach« (III): Die stille Musik

22.5. »Ich fürchte mich nicht!«
Alexander Morosewitsch auf der Suche nach Abenteuern

29.5. Von Capa zu Castro
Leinier Dominguez gewinnt das Capablanca Memorial in Kuba

5.6. Ein brillanter Magier
Souveräner Sieg von Alexej Schirow beim Bosna-Turnier in Sarajewo, endlich

12.6. Jenseits der Polgar
Die neue Weltmeisterin der Frauen heißt Antoaneta Stefanova

19.6. Im Zeichen des Marshalls
Kleine Erinnerung an das große Turnier von Cambridge Springs 1904

26.6. Die Stimmen von Tripolis
Gespenstische Wirklichkeit Libyen, reale Traumarbeit Wien – Moskau

3.7. Kleine Insel mit Geschichte
Trans-Europe-Chess (I): Besuch in Malta

10.7. Europa – Ein Vorort von Budapest
Trans-Europe-Chess (II): Besuch in Ungarn

17.7. Zwischen Bled und Ljubljana
Trans-Europe-Chess (III): Besuch in Slowenien

24.7. Rot – ich weiß – Rot
Trans-Europe-Chess (IV): Besuch in Lettland

31.7. Warschauer Blues
Trans-Europe-Chess (V): Besuch in Polen

7.8. Prager Sommer
Trans-Europe-Chess (VI): Besuch in Tschechien

14.8. An der Kurischen Nehrung
Trans-Europe-Chess (VII): Besuch in Litauen

21.8. In Kempelens Heimat
Trans-Europe-Chess (VIII): Besuch in der Slowakei

28.8. Von Keres zu Kass
Trans-Europe-Chess (IX): Besuch in Estland

4.9. Der Schaum der Tage
Trans-Europe-Chess (X): Besuch auf Zypern

11.9. Auf den hinteren Brettern
Großmeister Stefan Kindermann kommentiert eine verborgene Glanzpartie

18.9. Cool Runnings
Martin Neubauers kleine Fluchten in die Karibik

25.9. Sittah gewinnt
Welche Partie wird in Lessings »Nathan der Weise« gespielt? Eine Hausübung

2.10. »Aaaah! Great stuff!«
Großmeister Valeri Beim spielt, schreibt und lehrt in Wien

9.10. Am Berg der Wahrheit
WM in Brissago (I): Zur Halbzeit führt Peter Leko gegen Wladimir Kramnik knapp

16.10. Kammerspiel statt Klangwolke
WM in Brissago (II): Leko und Kramnik als moderne Gentlemen im Tessin

23.10. Auf Biegen und Brechen
WM in Brissago (III): Wladimir Kramnik bleibt Weltmeister

30.10. Prekäre Endspiele
ehn belehrt ruf und vertreibt ihm die Langeweile

6.11. Das große Fest
Schacholympiade in Calvia: Ukraine und China siegten

13.11. Reisen mit Anand und Odysseus
Korsische Partien mit einem Gastkommentar von Großmeister Homer

20.11. Durch Benkös Brille
Kind seiner Zeit, Kind keiner Zeit: Pal Benkös Lebensgeschichte

27.11. Auf dem Gabentisch
Kleine Varianten und ein Geschenk aus Moskau

4.12. Hotel Russland
Politische Meisterschaften in Moskau: Kasparow gewinnt

11.12. Politische Rückblicke
Schachgeschichte(n) von Harald Balló und Viktor Kortschnoi

18.12. Sprechen Sie Katalanisch?
Kleine Erinnerung an eine große Eröffnung

24.12. Der beste Carlsen der Welt
Ein Bub aus Lommedalen spielt die Partie des Jahres

31.12. Am Silvesterabend
Dr. ehn hilft ruf gegen die Vergesslichkeit

2005

8.1. Schaltbare Spiele
Computerarchäologie: Wer besteht den Turing-Test?

15.1. Dramen in Drammen
Vom Wunderkind, dem Alten, dem Favoriten und der Weltmeisterin

22.1. »Wichtig ist, was von dir bleibt ...«
Kleine Erinnerung an den Künstler Friedrich Chlubna (1946-2005)

29.1. Der fehlende Herakles
Sensationelle Partien beim Topturnier in Wijk aan Zee

5.2. Schlagt Vishy!
Peter Leko gewinnt das Elitetreffen in Wijk aan Zee

12.2. Kaum ein Ort irgendwo
Kleine Nachlese vom Besuch in Wijk aan Zee

19.2. Jenseits des Winters
Ermunterung zu einem Ausflug auf die Bermudas

26.2. Die anonyme Kunst der Flüchtigkeit
Blitzschach ist zu einer eigenen Disziplin geworden

„Ich atme, lehne, vergesse ..."

ehn hypnotisiert ruf und erklärt ihm die Welt der Zwischenspiele und Verstellungen

ruf: Ach ehn, ich habe Hunger. Aber es gibt so viele Partien, Turniere, Weltmeisterschaften gar, es ist ein richtiges Gewusel. So viel – wie soll ich sagen? – Jetzt. Ich weiß schon nicht mehr, was ich versäumen soll.
ehn: Leben ist Versäumen.
ruf: Ja, nur was?
ehn: Wie wär es mit – allem? Wir üben es gleich dieses Wochenende. (Mit leicht hypnotischem Blick:) Konzentriere dich. Vergiss das Gewusel. Lehne dich zurück. Atme. (ruf vergisst, lehnt und atmet.)
ruf (mit geschlossenen Augen): Ich atme, ich lehne, ich vergesse das Jetzt. ehn, ich glaub, es wirkt! Ich bin so seltsam ruhig. Aber, ehrlich gesagt, mir ist fad.
ehn (holt das Schachbrett hervor): Weißt du, was eine Verstellung ist?
ruf: Natürlich. Grundlage Wiener Lebens und Überlebens...
ehn: ... nein. Die Verstellung oder Linienunterbrechung ist ein Zwischenspiel, quasi schachliches Ektoplasma, ein Kunstgriff voll verblüffender Schönheit. Schau her:

Henri Rinck

Deutsche Schachzeitung 1906

ehn: Weiß zieht und gewinnt, lautet Rincks Forderung. Sprich zu mir!
ruf: Das ist kein „Kunstgriff voll verblüffender Schönheit". Das ist ein Druckfehler. Weiß hat nur zwei armselige Bauern, welche verlassen in der Landschaft stehen. Gehen sie vor, stoppt sie Schwarz einfach von hinten mit Turm und Läufer, erobert sie und gewinnt dann leicht die Partie.
ehn: So? Du denkst also an **1.a7 Lg2 2.d7 Td2**?
ruf: Genau. Und Ende.
ehn: Ende ist richtig, aber für Schwarz! Was sagst Du zu **3.Ld5!!**. Weiß unterbricht eine der beiden Wirkungslinien – nimmt der Läufer, folgt **4.d8D**, nimmt der Turm, folgt **4.a8D**.
ruf: Erstaunlich.
ehn: Und lehrreich, auch für den rauen Turnieralltag.

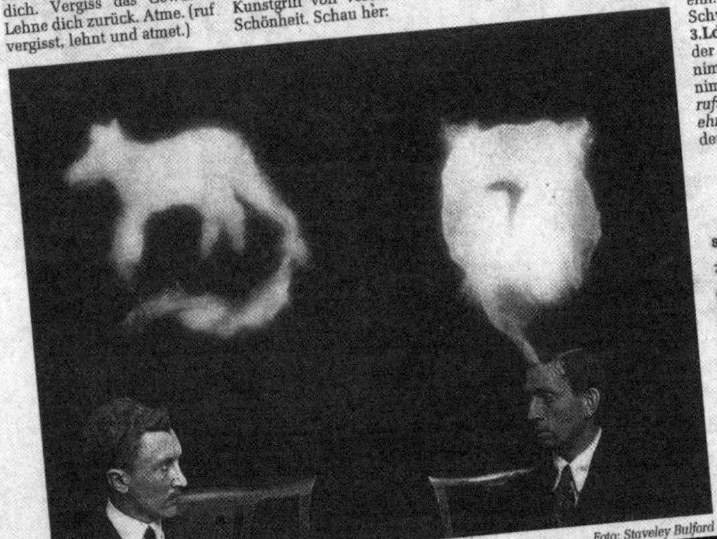

ruf (rechts) & ehn mit spiritistischen Emanationen. Foto: Staveley Bulford

Mahia – Quinteros

Buenos Aires 1980

ehn: Weiß ist am Zug.
ruf: Der Bauer g7 ist gefährlich, aber leider sind alle Zugänge in die schwarze Stellung blockiert. Man könnte vielleicht auf f7 zweimal opfern ...
ehn: Und sich dann auf e1 mattsetzen lassen. Gloriose Idee! Aber dem ersten Teil deiner Gedanken kann ich zustimmen, alles dreht sich um die Mobilisierung des Bg7. Mit dem wahrlich nicht alltäglichen **1.Lg6!!** unterbricht Weiß mehrere Linien und Diagonalen. Es droht 2.Dxh7 matt, sodass Schwarz den vorwitzigen Läufer nehmen muss. Aber auf 1... fxg6 folgt 2.Tf8 matt und auf 1.hxg6 2.Dh8 matt, daher bleibt nur **1... Dxg6**. Darauf folgt **2.Txg6!** mit der bösen Drohung 2.Dxh7 + ! Kxh7 3.g8D matt. Daher verteidigt sich Schwarz mit **2... Se7**, womit er aber seinen Te7 von der Verteidigung ausgeschlossen hat. Es folgt das große Finale auf der f-Linie: **3.Txf7!!** wieder mit der altbekannten Drohung Tf8 matt. **3... Kxf7** Oder 3... Sxg6 4.Tf8 + ! Sxf8 5.gxf8D matt. **4.g8D + !! Sxg8 5.Dxh7 + Lg7 6.Dxg7 + Ke8 7.Dxg8 + Ke7 8.Txe6** matt. Aber weiter, es wird ein bisschen komplizierter:

Kotronias – Kalesis

Karditsa 1994

ehn: Wieder ist Weiß am Zug.
ruf: Ich atme, vergesse, ich lehne. Aber ich seh' nur 1.Te8, das funktioniert aber nur, wenn der Läufer den Turm schlägt, dann ist's aus nach 2.Df8. Aber wenn die Dame nimmt, geht's nicht weiter.
ehn: Gar nicht schlecht dein Turmopfer, aber es muss vorbereitet werden, nämlich mit **1.Lh6!!** Schwarz muss den Läufer schlagen, denn 1... Df8 verliert trivial wegen 2.Dxd7 gxh6 3.Lxc6. Nach 1... **gxh6** kommt schon deine Idee **2.Te8 + !!** Jetzt geht 2... Lxe8 weiterhin wegen 3.Df8 matt nicht und **2... Dxe8** scheitert an **3.Df6** matt.
ruf: Ich atme, ich lehne, ich vergesse.
ehn (schnippt mit dem Finger): Komm, wir gehen essen.

Ganz leicht 982

Weiß zieht und setzt in zwei Zügen matt.

Ganz schön 983

Weiß zieht und setzt in drei Zügen matt.

Ganz schön schwer 984

Weiß zieht und setzt in vier Zügen matt.

Lösungen:

981 (Vorwoche):
1.Ld1! Lc1 Oder 1... La1/La3 2.Td2 Lb2 3.Se4 matt. **2.Lc2! Lb2** Oder 2... L/beliebig 3.Sd1 matt. **3.La4! L/beliebig 4.Tc2** matt (Franz Palatz 1935).

982:
1.Tc8! Kxg3 2.Dc7 matt.

983:
1.Txb7 + !! Kxb7 2.Lxd5 + Kb8 Oder 2... Kb6 3.c5 matt. **3.Ta8 matt.**

5.3. Linares, Linares
Mitfavoriten und Außenseiter beim Wimbledon des Schachs

12.3. Endspiel des Champs?
Linares: Garri Kasparow erklärt nach geteiltem Turniersieg seinen Rücktritt

19.3. Abschied und Aufschwung
Garri Kasparow sagt Adieu und beginnt ein neues Spiel

26.3. »Topalov – natürlich«
Mark Taimanow über die Schachwelt nach Kasparow

2.4. Ein Verschollener
Nach 33 Jahren kehrt Bobby Fischer nach Reykjavik zurück

9.4. Wir sind Weltmeister!
Wie ruf & ehn auf einer Parkbank im Wiener Augarten das Schachspiel retteten

16.4. Larsen live!
Sage und schreibe: Bent Larsen wurde 70 Jahre alt

23.4. »Ich wüsste, was zu tun wäre ...«
Im Gespräch mit Exweltmeister Anatoli Karpow (I)

30.4. »Genüsslich, langsam, täglich ...«
Im Gespräch mit Exweltmeister Anatoli Karpow (II)

7.5. Ein »liebenswürdiges Schreiben«
»Alles erinnern« (I): 125 Jahre Schachgesellschaft Offenbach

14.5. Warten auf Molotow
»Alles erinnern« (II): 14. Mai 1955 am Flughafen Vöslau

1.5. Zeitreise Weltreise
»Alles erinnern« (III): 1265 Jahre Abu Na'am

28.5. Qualität in Sofia
»Alles erinnern« (IV): Letzten Sonntag in Bulgarien

4.6. Arbeit und Leidenschaft
Nachlese Sofia: Das bescheidene Recht auf menschliche Fehler

11.6. Fischer for sale
Comeback der Schachlegende, Leko gleich Liverpool

18.6. An der Luft
Tschaturangas Schachsommer im Wiener Museumsquartier

25.6. Bei aller Freundschaft
ruf & ehn feiern 15 Jahre ruf & ehn: Ein Interview

2.7. Armer, armer Mickey
Donningers Hydra beendet die Mensch-Maschine-Konkurrenz

9.7. Sieg des Unterschätzten
Nisipeanu ist Europameister

16.7. Dada in Vaduz
Ausstellung »Faites vos jeux!« im Kunstmuseum Liechtenstein

23.7. Dortmund calling
Außenseiter Naiditsch gewinnt Sparkassen Chess Meeting

30.7. Ein schönes Gespenst
Katatonische Freuden (I): »Patt« ist eine Lösung

6.8. Interpassive Schönheit
Katatonische Freuden (II): »Patt« ist eine Kunstform

13.8. Weltmeister der Amateure
Wolfgang Unzicker wurde 80 und feiert am Schachbrett

20.8. »Weltmeister wäre ich nie geworden«
Wolfgang Unzicker wurde 80 und Mainz jubelt mit Neuschach

27.8. »L'échecs, c'est moi!«
Niki Stanec erweitert seine Sammlung, Schachkunst von Zenita Komad

3.9. Die Regeln des Spiels
Zenita Komads Schachoper in der Wiener Kunsthalle

10.9. Choreografien im Kopf
Arik Braun gewann das Turnier in der Wiener Kunsthalle

17.9. Ende der Legende
Neue Biografie über Johannes Hermann Zukertort (1842–1888)

24.9. Bis die Maus erglüht...
»Bullet-Schach« wird im Internet immer beliebter

1.10. In der Pampa...
WM in San Luis (I): Die FIDE-Weltmeisterschaft begann – endlich –

8.10. Wer stoppt Topalov?
WM in San Luis (II): Der neue Stil der Weltmeisterschaft

15.10. Sport und Stachanow
WM in San Luis (III): Duell in Amerika, »Schach und Mathematik« in Wien

22.10. Manager des Chaos
WM in San Luis (IV): Gilt die Formel Tal + Fritz = Topalov?

29.10. Lust am Denken
Eine Berliner Ausstellung erinnert an Emanuel Lasker (I)

5.11. »Sehen, Suchen, Lust...«
Eine Berliner Ausstellung erinnert an Emanuel Lasker (II)

12.11. Vernünftiger Nachmittag
Kleine Ermunterung zu einem Herbstausflug nach Portugal

19.11. »Und tschüss, Kastl!«
Die Rückkehr der Konsolen und »Schach und Mathematik« im math.space

26.11. Die letzte Runde
Russland – China: Entscheidungspartien haben ihre eigene Logik

3.12. Auf dem Gabentisch...
Sieben Varianten in der Weihnachtspartie

10.12. Die Kunst des Problems
Der Standard startet sein erstes Kompositionsturnier mit preisgekrönten Beispielen

17.12. Heiß und kalt in Sibirien
Das Land der Chanten und Mansen ist derzeit der Mittelpunkt der Welt

24.12. Christkind in Sibirien
Levon Aronian gewinnt das Finale von Chanti Mansisk

31.12. »Diggi, daggi, schurry, murry,...«
Meisterwerke aus dem Collège de Pataphysique: Mozart spielt Kempelen

2006

7.1. Ticket ins Chaos
Sergej Rublewski gewann die 58. Russische Meisterschaft

14.1. Valladãos Problem
Von der schönen Kunst, sich das Leben schwer zu machen

21.1. Jännerstürme in Wijk
In den Niederlanden startete das Corus Chess Festival

28.1. Stürme im Kopf
Furchlose Weltmeister und Wunderkinder in Wijk aan Zee

4.2. Erwartung und Scheitern
Weltmeister und Wunderkinder teilen und herrschen in Wijk aan Zee

11.2. Duchamp und die anderen
In New York erinnert eine Ausstellung an »The Imagery of Chess«

18.2. Von vorletzten Fehlern
Kleine Erinnerung an Savielly Tartakower (1887–1956)

25.2. Raus aus dem Buch!
Dr. ehn behandelt rufs Variantentrauma

4.3. Kleine Welt – Große Welt
Peter Leko führt zur Halbzeit von Linares in Morelia

11.3. Verkehrte Welt
Die Aufholjagd des Weltmeisters in Linares

So long, Bobby!

Kleiner Abschied von Robert James Fischer (1943–2008)

ruf & ehn

In der Vorwoche hat Bobby Fischer eine Partie verloren, die jeder verliert. In seiner letzten Lebensstation in Island ist der 11. Weltmeister der Schachgeschichte einer Nierenerkrankung erlegen.

Er hatte so viele Jahre wie das Schachbrett Felder hat. „Alles, was ich jemals wollte", sagte er einmal glaubhaft, „war, Schach zu spielen." Fischer war ein Mensch mit Fluchtgeschwindigkeit, sehr privat, sehr zurückgezogen. Sein Schicksal: Er spielte so gut, sein Talent und seine Energie am Schachbrett waren so unbändig, dass er dieses private Leben in aller Öffentlichkeit leben musste. Sein Siegeslauf in den 60er-Jahren, sein Gewinn der Weltmeisterschaft 1972 gegen Boris Spasski, die immer deutlicheren Züge der Verschrobenheit, des Hasses und der Paranoia haben eine mediale Aufmerksamkeit akkumuliert, die dieser Weltflucht diametral entgegengesetzt war.

Wir haben Fischer an einem Nachmittag im August 1994 in Budapest getroffen. Unser Eintrittsticket in die Fischer-Welt: Wir hatten zwei seltene Schachbücher, an denen er interessiert war. Ein Gespräch konnte man die Begegnung in der Hinterhofwohnung mit den verdunkelten Fenstern und den mit Tüchern abgedeckten Möbeln kaum nennen. Ein paar belanglose Worte über Schachcomputer, einige Momente des Schweigens, dann schon der begehrliche Blick auf die Tasche mit den Büchern.

Auf dem Höhepunkt des Ruhms: Eine amerikanische Künstlerin fertigt eine Fischer-Büste an. *Foto: Archiv L. Schmid*

Hinter dem biografischen Horizont, den unsäglichen Eskapaden Fischers verschwand in den letzten Jahren zusehends sein Werk. Dabei ist es wie sonst nur bei Mozart oder Shakespeare: Mit wem immer man spricht, ob mit Kasparow, Kortschnoj oder Spasski, Fischer gilt ohne Einschränkung als der größte Künstler seines Faches. Er selbst hat das natürlich auch so gesehen und nur Wilhelm Steinitz neben sich gelten lassen.

Was bleibt von ihm, wenn die äußere Geschichte der narzisstischen Kränkungen, seiner monströsen Wut und der wirren politischen Rochaden bedeutungslos geworden sein wird? Ganz eindeutig: *My 60 Memorable Games* des Autors Robert James Fischer, erschienen in der amerikanischen Erstausgabe 1969. Ein Buch ohne Eitelkeiten, von unerreichter Präzision, das nicht nur Siege, sondern auch Remis- und Verlustpartien enthält. Kurz: eines der besten Schachbücher der Geschichte. So long, Bobby!

Fischer–Mjagmasuren

Sousse 1967

1.e4 e6 2.d3 Nicht Französisch, sondern der Königsindische Angriff, den Fischer sehr schätzte. **2... d5 3.Sd2 Sf6 4.g3 c5 5.Lg2 Sc6 6.Sgf3 Le7 7.0–0 0–0 8.e5** Die prinzipielle Fortsetzung. Jahre zuvor versuchte Fischer 8.Te1 Dc7 9.De2 Td8 10.e5 Se8 11.c3. **8... Sd7 9.Te1 b5 10.Sf1 b4 11.h4!** Erste Vorboten des Königsangriffs. **11... a5** Beide halten an ihren Flankenangriffen fest. Es gibt kein Zurück mehr. **12.Lf4 a4 13.a3!** Um die Wucht des schwarzen Angriffs aufzufangen. **13... bxa3 14.bxa3 Sa5?!** Vertrauenerweckender sieht 14... La6 oder 14... Tb8 aus. **15.Se3 La6 16.Lh3 d4 17.Sf1!** Stärker als 17.Sg4, wodurch nur der Dame der Weg zum Königsflügel verstellt wird. **17... Sb6 18.Sg5 Sd5?** Der Wendepunkt. Schwarz versäumt die Chance, den Springer mit 18... h6 19.Se4 c4 zu vertreiben. **19.Ld2 Lxg5** Jetzt würde 19... h6? an 20.Sxe6! fxe6 21.Lxe6+ Kh8 22.Lxa5 Dxa5 23.Lxd5 scheitern. **20.Lxg5 Dd7 21.Dh5!** Mulmige Gefühle beim schwarzen König. **21... Tfc8 22.Sd2 Sc3** Um einen auf e4 auftauchenden Springer abzutauschen. **23.Lf6!** Mit der Drohung 24.Dg5 g6 25.Dh6. **23... De8** Nehmen kommt nicht in Frage: 23... gxf6? 24.exf6 Kh8 25.Sf3 Sd5 (falls 25... Tg8, so 26.Se5) 26.Sg5 Sxf6 27.Dh6 De7 28.Lf5 Tg8 29.Sxh7. **24.Se4 g6 25.Dg5 Sxe4 26.Txe4 c4 27.h5!** Ein kraftvoller Endspurt. **27... cxd3 28.Th4!** Vier Figuren gegen den schwarzen König. **28... Ta7** Denn 28... dxc2 scheitert an 29.hxg6 c1D+ (29... fxg6 30.Txh7!) 30.Txc1 Txc1+ 31.Kh2 fxg6 32.Txh7! **29.Lg2!** Der Läufer kommt über e4. **29... dxc2** Keine Rettung bringt 29... Df8 30.Le4 dxc2 31.hxg6 fxg6 32.Lxg6! hxg6 33.Th8+ Kf7 34.Th7+ Ke8 35.Txa7. **30.Dh6! Df8** Der Einzug des Bauern (30... c1D+ 31.Txc1 Txc1+ 32.Kh2) stört nicht weiter.

31.Dxh7+!! Ein Damenopfer als Krönung des Angriffs! Schwarz wird mattgesetzt: 31... Kxh7 32.hxg6+ Kxg6 (32... Kg8 33.Th8 matt) 33.Le4 matt, daher 1–0

R. Byrne – Fischer

New York 1963

1.d4 Sf6 2.c4 g6 3.g3 c6 4.Lg2 d5 Ein weiterer Liebling Fischers: die dynamische Grünfeld-Indische Verteidigung. **5.cxd5 cxd5 6.Sc3 Lg7 7.e3?!** Um den Königsspringer über e2 nach f4 zu bringen. Aktiver war 7.Sf3 0–0 8.Se5 Lf5 9.0–0 Se4. **7... 0–0 8.Sge2 Sc6 9.0–0 b6** Nützt die Schwäche der Diagonale a6-f1. **10.b3 La6 11.La3 Te8 12.Dd2** Logischer war 12.f4, um e7-e5 zu verhindern. **12... e5!** Damit ergreift Bobby bereits die Initiative. **13.dxe5 Sxe5 14.Tfd1?** Er sollte zu 14.Tad1 greifen, um den Punkt f2 gedeckt zu halten: 14... Dc8 15.Lb2 Df5. **14... Sd3 15.Dc2?** Auf 15.Sd4 folgt unangenehm 15... Se4 16.Sxe4 dxe4 17.Lb2 Tc8, doch nach dem Textzug schlägt schon der Blitz ein:

15... Sxf2!! Ein vernichtendes Opfer! Der weiße König kommt nicht mehr zur Ruhe. **16.Kxf2 Sg4+ 17.Kg1** Nach 17.Kf3 Txe3+! 18.Kxg4 Lc8+ 19.Kf4 Lh6 wird er einfach mattgesetzt. **17... Sxe3 18.Dd2 Sxg2!** Beseitigt die letzte Schutzfigur des weißen Königs. **19.Kxg2 d4!** Legt die Diagonale a8-h1 frei. **20.Sxd4 Lb7+ 21.Kf1** Aussichtslos wäre auch 21.Kg1 Lxd4+ 22.Dxd4 Te1+! 23.Kf2 Dxd4+ 24.Txd4 Txa1 bzw. 21.Kf2 Dd7 22.Tac1 Dh3 23.Sf3 Lh6 24.Dd3 Le3+ 25.Dxe3 Txe3 26.Kxe3 Te8+ 27.Kf2 Df5. **21... Dd7!!** Ein prächtiger kleiner Zug, der das K. o. für Weiß bedeutet: 22.Df2 (22.Sdb5 Dh3+ 23.Kg1 Lh6) 22... Dh3+ 23.Kg1 Te1+! 24.Txe1 Lxd4! 25.Dxd4 Dg2 matt. 0–1

Ganz leicht 1178

Weiß zieht und setzt in zwei Zügen matt.

Ganz schön 1179

Schwarz zieht und setzt in vier Zügen matt.

Ganz schön schwer 1180

Weiß zieht und setzt in vier Zügen matt.

Lösungen:

1177 (Vorwoche): 1.Lc3!! bxc3 2.Lb1!! c2+ 3.Kxc2 Kxe4 4.Sc3 matt (Herbert Engel 1969).

1178: 1.Tc8+! Dxc8 Oder 1... Kf7/Kd7 2.Df5 matt. 2.De7 matt (Fischer – Soos, Skopje 1967).

1179: 1... Dc4+!! 2.Kd2 Oder 2.Ke1 Dc1+ 3.Ke2 Dd1 matt. 2... Dc2+ 3.Ke1 Dc1+ 4.Ke2 Dd1 matt (Reshevsky – Fischer, New York 1963/64).

18.3. Zwischen den Welten
Morelia – Linares: Levon Aronian gewinnt auf zwei Kontinenten

25.3. Ein Mann aus dem Norden
Kleine Erinnerung an Ratmir Cholmow (1925–2006)

1.4. Laut und leise
Frauen im Schach zwischen Jennifer Shahade und Xu Yuhua

8.4. »Urplötzlich, Knall und Fall ...«
Drei Kurz-Schlüsse bei der Österreichischen Bundesliga

15.4. Aljechins Endspiel
Vor 60 Jahren starb Weltmeister Alexander Aljechin in Estoril

22.4. Habebimus Papam?
Osterfrieden mit Weltmeisterschaft Topalov – Kramnik fixiert

29.4. Gruppenbild mit Dame
Marilyn Yalom untersucht den Ursprung der Schachkönigin

6.5. Politische Spiele
Der Weltschachverband FIDE wählt seinen Präsidenten

13.5. Ein Fest der Studien
»Weltmeister« John Nunn feiert seinen 50. Geburtstag mit einem Turnier

20.5. Spiel der Vernunft und der Allegorien
Die Mozart-Ausstellung zeigt das Schachspiel »Die Lebenden und die Toten«

27.5. Topo warf den Turbo an
Grandioser Endspurt des Weltmeisters beim Eliteturnier in Sofia

3.6. Renaissance der Romantiker
Das M-Tel-Masters in Sofia bot einen Blick in die Zukunft und alles außer Catenaccio

10.6. Endlich: Ein Sieg gegen die Färöer!
Olympischer Gedanke für Österreichs B-Team in Turin, die Schachmusik spielt in Berlin

17.6. Olympische Gedanken
Armenien siegte in Turin, Chinas Herrenteam überraschte

24.6. Duell vor unserer Zeit
Utterbergs neue Monografie über den Wettkampf de la Bourdonnais gegen McDonnell

1.7. Preis der Schönheit
Großmeister Henrique Mecking ist zurück und kommentiert für den Standard

8.7. Wie man gewinnt
ruf ist ratlos, ehn lobt die Geduld und erläutert die Relativität der Werte

15.7. Mnemosynes liebstes Kind
Vor hundert Jahren starb der Gedächtniskünstler Harry Nelson Pillsbury (1872–1906)

22.7. Vom Lawinen- und Poloschach
Die Lust am Neuen: In der unkonventionellen Welt des David Pritchard (1)

29.7. Vom Taschenspringer zur Circe
Die Lust am Neuen: In der unkonventionellen Welt des David Pritchard (2)

5.8. Glück in Amalfi
ruf & ehn fahren auf Urlaub und lassen das Schachbrett daheim

12.8. Quirliger Sommer
Die Schachfestivals in Wien und Dortmund nützen den politischen Leerraum

19.8. Die Technik des Patriarchen
Der Stil der Weltmeister (1): Großmeister Valeri Beim über Michael Botwinnik

26.8. Energie und Präzision
Der Stil der Weltmeister (2): Großmeister Valeri Beim über Bobby Fischer

2.9. Intuition der Bewegung
Der Stil der Weltmeister (3): Großmeister Valeri Beim über Michael Tal

9.9. Verständnis des Konkreten
Der Stil der Weltmeister (4): Großmeister Valeri Beim über Wladimir Kramnik

16.9. Risiko des Kampfes
Der Stil der Weltmeister (5): Großmeister Valeri Beim über Veselin Topalov

23.9. Meister allgemeiner Klassen
Weltmeister: Topalov oder Kramnik – Staatsmeister: Eva Moser

30.9. Wut in der Steppe
WM in Elista (I): Furioser Auftakt Topalov gegen Kramnik

7.10. Der gestohlene Punkt
WM in Elista (II): Topalovs Team verspielt alle Sympathien

14.10. Finale Kämpfe
WM in Elista (III): Nervenstarker Kramnik kehrt zurück

21.10. Ein würdiger Weltmeister
WM in Elista (IV): Wladimir Kramnik erobert den Titel in der Verlängerung

28.10. »Ich atme, lehne, vergesse ...«
ehn hypnotisiert ruf und erklärt ihm die Welt der Zwischenspiele und Verstellungen

4.11. Topalovs Albtraum
Doppelsieg von Judit Polgar gegen den Ex-Weltmeister in Holland

11.11. Das verschollene Buch
José A. Garzón sucht den Ursprung des modernen Schachs und findet Francesch Vicent

18.11. Für Kinder mit Durchblick
»Schach!« – Stefan Kindermann gelingt die schwierigste Partie seiner Karriere

25.11. Auf dem Gabentisch ...
Sieben Hilfsvarianten im konsumistischen Weihnachtsgambit

2.12. Stille Schönheiten
Das Standard-Kompositionsturnier zum 1000. Rätsel – Teil 1

9.12. Souveräne Logik
Das Standard-Kompositionsturnier zum 1000. Rätsel – Teil 2

16.12. Kartografien gefährlicher Meere
Das Standard-Kompositionsturnier zum 1000. Rätsel – Teil 3

23.12. Jenseits der Schablonen
Kleine Erinnerung an David Bronstein (1924–2006)

30.12. Wir Optimisten!
ruf vertreibt ehn die schlechte Laune und feiert Silvester mit ihm

2007

5.1. Wider die Inflation der halben Punkte
Alexander Morosewitsch gewinnt Pamplona in glänzendem Stil

13.1. Enklaven des Wunderbaren
Christian Hesses gewaltige Reise durch die Welt des Schachspiels

20.1. Schnelle Brüter
Peter Leko behält die Nerven und gewinnt den Rapid Cup in Odessa

27.1. Das große Fressen
In Wijk aan Zee triumphiert die Altwiener O'Grasl-Variante

3.2. Schöner Vogel Jugend
In Wijk aan Zee begab sich die Schachelite der Welt in Klausur

10.2. Opfer der Sphinx
Kleine Erinnerung an die Weltmeisterschaft Lasker gegen Marshall 1907

17.2. Ein sanfter Held vergangener Tage
Kleine Verbeugung vor Boris Spassky zum 70. Geburtstag

24.2. Treue Kundschaft
Angstgegner auf dem Brett: Im Kampf mit dem Joghurtmann

3.3. Letzte Fehler
Vom seltenen Vorteil, ein Patzer zu sein

Oh du liab's Herrgottle!

Geheime Partien: Die Koalitionsverhandlungen werden diesmal am Schachbrett geführt

ruf & ehn

ruf: Wo, um Himmels Willen, warst du so lange, ehn? Ich warte schon seit ...

ehn: ... gemach. Ich war im Ausschuss.

ruf: Im Ausschuss?

ehn: Ja, im Koalitionsausschuss im Parlament. Investigativ.

ruf: Investigativ? Im Parlament?!

ehn: Also hör zu. Es ist noch geheim, aber die erste Runde der Sondierungsgespräche fand diesmal am Schachbrett statt.

ruf: Wieso denn am Schachbrett?

ehn: Professor Filzmaier und Dr. Karmasin haben darauf bestanden. Man kam überein, dass die Kandidaten sprachlich zu unbeholfen sind, um ohne Hilfsmitteln miteinander zu kommunizieren. Ingrid Thurnher und Heinz Fischer waren auch dafür. Ich habe vier Partien heimlich mitprotokolliert.

Nach der Wahl: vorbereitendes Bündnisschach der Parteien unter Zugzwang. *Foto: APA/ Hochmuth*

ruf: Wie sagt Eckhard Henscheid? Oh du liab's Herrgottle.

Häupl – Pröll d. Ältere

Wien 2008

1.Sf3 Häupl: *Grüß Gott.* **1... Sc6** Pröll: *Du sagst Grüß Gott?* Häupl: *Na ja, war nur Einegestedesgutenwillens.* Pröll: *Ah so.* **2.Sc3 Sf6 3.Sb5** Häupl: *Du, die Wähler wollen, dass was weitergeht.* **3...Sb4** Pröll: *Genau, dass was weitergeht!* **4.Sg5 Sg4** Häupl: *Gesundheitsreform.* Pröll: *Genau. Und Bildungsreform.* **5.Sd4 Sd5** Häupl: *Genau. Und Staatsreform.* **6.Se4 Se5 7.Sf3 Sf6** Pröll: *Und Reform!* **8.Sc3 Sc6** Häupl: *Neuer Stil!* Pröll: *Genau. Neuer Stil!* **9.Sb1** Häupl: *Damit was ...* **9...Sb8** Pröll: *... weitergeht am Land!* (Beide lachen) **10.Sg1** Häupl: *Wir stellen uns ...* **10...Sg8** Pröll: *... ganz neu auf!*

Pröll: *Und fertig.* Häupl: *Fesch. Na, ich frag dich: War das so schwer?*

Haider – Strache

Wien 2008

1.d3 Strache (leise): *Jetzt sag, wie geht des mit dem Schach?* (Haider erklärt ihm die Regeln.) **1...g5** Strache: *Und wo sind die Würfel?* Haider: *Keine Würfel.* **2.Lxg5 Lg7 3.Lxe7 Lxb2 4.Lxd8 Lxa1 5.Lxc7 Lc3+** Strache: *Spielen wir jetzt zusammen?* Haider: *Ja, Herr Strache, wir spielen gemeinsam. Sie ziehen, ich schlage.* **6.Sxc3 d5** Strache: *Lustig.* **7.Sxd5** Haider: *Sehr lustig.* **7...Lh3 8.Sxh3 Sa6 9.Db1 Sxc7 10.Sxc7+ Kf8 11.Dxb7 Sf6** Strache (nachdenklich): *Schach, des is ja, des is ja arabisch, oder?* Haider: *Indisch.* **12.Dxa8+ Ke7 13.Dxh8 a6 14.Sxa6 Se4 15.dxe4. 15.f5 16.Dxh7+ Ke8** Strache: *Des is ein Ausländerspiel, ein vermaledeites!* **17.exf5** Haider: *Und ist schon alles fort.*

Strache: *Fort? Ich werd's dir zeigen, du Türkenjörgl!* (Nimmt den König und schleudert ihn an Haiders Kopf.) *Gotscha!* Haider: *Au, au, so wird das nichts.* (Das Brett fällt um, die Figuren purzeln auf den Boden, Ingrid Thurnher eilt herbei: *Meine Herren!*).

V. d. Bellen – V. d. Bellen

Wien 2008

1.e4 VdB (gähnt): *Irgendwie selbstbezüglich das Ganze. So allein.* (Er wechselt bei jedem Zug die Seite.) **1...d5 2.e5** VdB: *Einmal links.* **2...d4** VdB: *Einmal rechts.* **3.c3 f6** VdB: *Na ja, ich weiß net.* **4.Df3 Kf7** VdB (lächelt): *Vielleicht werden wir ja eingebunden. Dynamisch* (gähnt). **5.Dxb7 Dd5 6.Kd1 Dxg2 7.Kc2 Dxf1 8.Dxc8 Dxg1** VdB: *Wann, wenn nicht jetzt? Na ja.* **9.Dxb8 Txb8 10.Txg1 Tb3 11.Tg6 Ta3 12.Th6 gxh6** VdB: *Grüne Alleinregierung, das wär's* (lacht). *'Tschuldigung, ein Scherz.* **13.bxa3 Kg7 14.Kb2 d3** VdB (gähnt, lächelt): *Ich mein, nicht mit mir, so nicht, Herr Van der Bellen. Ja?* **15.e6 a5 16.h4 a4 17.h5 c5** VdB: *Schon eine blöde Situation.* **18.f4 c4 19.f5**

VdB: *Wer ist am Zug? Und was ist jetzt?*

Kapital – Faymann

Wien 2008

1.e4 c6 Faymann: *Schönen guten Tag! Um was spielen wir?* Kapital: *Angesichts der Größe Ihres Landes – sagen wir 100 Milliarden?* Faymann: *Ganz schön, aber wenn's sein muss!* **2.d4 d5** Kapital: *Es muss, wir hatten in letzter Zeit einige Probleme im Casino.* Faymann: *Ja, ich weiß, als ich Wohnbaustadtrat in Wien war ...* **3.Sc3 dxe4** Faymann: *Ha, ich kenne euer Spiel, ganz genau.* Kapital: *Sie spielen ganz ausgezeichnet.* **4.Sxe4 Sd7** Ein Gespenst durchquert den Raum: *Brüder zur Sonne, zur ...* Faymann (summt mit): *Ich glaub, ich kenn' das von irgendwo.* **5.De2 Sgf6 6.Sd6** Faymann: *Ja mei, grad hab ich angefangen, jetzt is, ist matt?*

Kapital: *Wir akzeptieren Ihren Scheck.*

Ganz leicht 1286

Weiß zieht und setzt in zwei Zügen matt.

Ganz schön 1287

Weiß zieht und setzt in drei Zügen matt.

Ganz schön schwer 1288

Weiß zieht und setzt in drei Zügen matt.

Lösungen:

1285 (Vorwoche): 1.Sa2!! bxa2 Oder 1... Ke2 2.Sb4! Ke3 (2... Kd2 3.De1 matt) 3.Dd3 matt bzw. 1... Kd4 2.Lf2+ Kc4 3.Df1 matt, schließlich 1... Kd2 2.Kf3! bxa2 3.Le1 matt. **2.Dc2 Kd4/b1beliebig 3.Lf2** matt (Godfrey Heathcote 1904).

1286: 1.Tf6! Lxe3+ Oder 1... Lxe7 2.Txe7 matt, 1... Ld4/a7 2.Df8 matt, 1... Ld6 2.Te5 matt, 1... Lb4 2.Tc3 matt und 1... La3 2.Txa3 matt. **2.Lxe3** matt.

1287: 1.Tf5!! exf5 Oder 1... Ka4 2.Tf3 Ka5 3.Ta3 matt bzw. 1... Ka6 2.Tf7 Ka5 3.Ta7 matt. **2.g8D Ka4** Oder 2... Ka6 3.Da8 matt. **3.Da2** matt.

10.3. Lob der Remisen
Über die meisterliche Liebe zum Unentschieden

17.3. Gutes Karma für Vishy
In Linares tanzte Viswanathan Anand mit seinen Gegnern

24.3. Die Magie des Türken
Kempelen-Ausstellung in Budapest, ein neuer Fund des Kempelen-Archivs in Wien

31.3. Kempelens Enkel
Die Budapester Kunsthalle zeigt die Geschichte des Schachcomputers

7.4. Heimliches Spiel auf Naxos
Eleni lernt in Bertina Henrichs Roman »Die Schachspielerin« das königliche Spiel

14.4. Heimspiel für Don Quichote
Alexej Schirow gewinnt das zweite Festival in Cañada de Calatrava

21.4. Gruppenbild ohne Dame
Kleine Erinnerung an den großen Josef Emil Krejcik (1885–1957)

28.4. Zwischen Geist und Glamour
Das Prinzip Prominenz: Maria Manakova ist hip, Eva Moser ist top

5.5. Verbietet Schlaf, verbietet Abstinenz!
Kleiner Ratgeber für Schachathleten im Umgang mit verbotenen Substanzen

12.5. Der Weg ist das Ziel
»Spielend reisen«: Die Kulturgeschichte der Reiseschachspiele

19.5. Etwas fehlt…
Topalov und Kramnik straucheln, und niemand wundert sich darüber

26.5. Sofias neue Regeln
Beim M-Tel Masters in Bulgarien wurde das Unentschieden verboten

2.6. Erste Opfer
Die Schachgöttin von Elista war derzeit in Armenien zu Hause

9.6. Caissa ist zickig
WM-Qualifikation in Elista: Die ersten acht Kandidaten mussten sich verabschieden

16.6. Tickets für Mexiko
Die Kandidaten für die Schach-Weltmeisterschaft im Herbst stehen fest

23.6. Der springende Phönix
Schönheit empfiehlt Bescheidenheit bei der Metamorphose des Bauern

30.6. Babsons Forderung
Professor ehn erklärt ruf, dem Hungrigen, das Schachproblem des Jahrhunderts

7.7. Ein Carinthischer Sommer
Markus Ragger gewinnt das Open in Velden und erzielt eine Großmeisternorm

14.7. Das Spiel wird jünger
Dortmund: Weltmeister Kramnik zeigt, wie man sich gegen Wunderkinder wehrt

21.7. Mit Capa im Turm
Mit ruf & ehn auf Sommerfrische: Stille Tage in Praiano (1)

28.7. Terrassen-Leben
Mit ruf & ehn auf Sommerfrische: Stille Tage in Praiano (2)

4.8. Karibisches Fieber
Schach in Kuba (1): Von Kempelen zu Capablanca

11.8. Hasta siempre Commandante…
Schach in Kuba (2): Von Capablanca zu Guevara

18.8. Am Parque Central
Schach in Kuba (3): Von García zu Domínguez

25.8. Papa wehrt sich
Väter gegen Söhne – Amateur gegen Profi – Carlsen gegen Carlsen

1.9. Outside Africa
Amun Simutowe gewinnt des Euwe-Turnier in Arnheim

8.9. Athener Tadel
Streitbare Geister: Von Schwachköpfen, Betrügern und strengen Verweisen

15.9. Falsches Spiel
In der Welt des Infamen: Vom Altwiener Augenschmäh bis zu Hightech-Betrügern

22.9. Begegnung mit Riesen
WM in Mexiko (1): Kalkulierte Risken, vergebene Chancen

29.9. Nach allen Regeln der Kunst
WM in Mexiko (2): Schönes Spiel für Vishi, grausames Spiel für Grischuk

6.10. Virtuose im Zeitalter des Computers
WM in Mexiko (3): Viswanathan Anand holt den Titel souverän nach Indien

13.10. Spethmanns Konflikt
Zugzwang (1): Ronan Bennetts hochaktueller historischer Schachthriller

20.10. Jenseits des Schwarzen Monolithen
Zugzwang (2): Joerg Auzingers interaktive Schachinstallation

27.10. Schönheit des Albtraums
Zugzwang (3): Wie Nimzowitsch gegen Sämisch unsterblich wurde

3.11. Keine Bewegung!
Zugzwang (4): Dozent ehn belehrt ruf über Kakanien und Katatonien

10.11. Knock-out am Schachbrett
Bizarr: In Berlin rang eine WM im Schach-Boxen um Aufmerksamkeit

17.11. Einstens und jetztens
Erinnerung voraus: Das Karlsbader Turnier ermöglicht Stilvergleiche über ein Jahrhundert

24.11. Die chaotische Ordnung der Dinge
Friedrich Dürrenmatts Skizze »Der Schachspieler« ist im Officina Ludi Verlag erschienen

1.12. Blitzpartie mit Weihnachten
In Zeitnot in Moskau und überall: Die schwierigste Partie des Jahres

7.12. Schlaues München!
Die Schachakademie zeigt vor, was über Schach alles erreicht werden kann

15.12. Jung und Alt in Sibirien
Im Mittelpunkt der Welt: Kleiner Besuch im Land der Chanten und Mansen

22.12. Spielwelten - Weltspiele
Das Spielebuch von Alfons mit neuem Kommentar: Vorschau auf einen Klassiker

29.12. »Was geht, Mann?«
ruf fährt nach San Francisco, trifft RZA und überzeugt ehn vom Wert des Rap

2008

5.1. Auffällig unauffällig
Beantwortung der Frage, wer eigentlich Vize-Weltmeister ist: Boris Gelfand

12.1 Die Welt von gestern heute
Eine virtuelle Ausstellung präsentiert Stefan Zweigs »Schachnovelle«

19.1. Hundert Züge Zweisamkeit
Andrej Rychagow und Alexander Grischuk erzählen eine wundersame Geschichte

26.1. So long, Bobby!
Kleiner Abschied von Robert James Fischer (1943 - 2008)

2.2. Ein Schachbubentraum
Der Norweger Magnus Carlsen gewinnt beim Corus-Turnier in Wijk aan Zee

9.2. Budapester Bauern
Judit Polgar erklärt Mickey Adams die Kunst des Endspiels

16.2. Im Reich der Spiele
Kleine Empfehlung zur Winterreise in das Schweizerische Spielemuseum in La Tour-de-Peilz

23.2. Schöner Vogel Jugend?
Morelia/Linares: Im Schach werden Wunderkinder zum Normalfall

Kopfsätze - Schachsätze

Mit Ivan und Malina in Ingeborg Bachmanns Ungargassenland

ruf & ehn

Manchmal meint Schach auch Liebe: In den Échecs Amoureux des Mittelalters, im Großen Glas von Marcel Duchamp und nicht zuletzt in Ingeborg Bachmanns „Malina". Der 1971 erschienene Liebesroman wird derzeit im Grazer Schauspielhaus in dramatisierter Form aufgeführt.

Häufig sitzen Ivan und die Erzählerin einander am Schachbrett gegenüber, schweigen und spielen miteinander. „Heute ist er bei mir, das nächste Mal werde ich bei ihm sein, und wenn er keine Lust mehr hat, mit mir Sätze zu bilden, stellt er sein oder mein Schachbrett auf und zwingt mich zu spielen." Ivan spielt besser, „geh von e5 auf d3" rät er seiner Partnerin, manchmal gelingt ein Remis, doch auf das Ergebnis scheint es kaum anzukommen, eher um das gemeinsame Schweigen der beiden.

„Kopfsätze haben wir viele, haufenweise, wie die Telefonsätze, wie die Schachsätze, wie die Sätze über das ganze Leben. Über Gefühle haben wir noch keinen einzigen Satz, weil Ivan keinen ausspricht, weil ich es nicht wage, den ersten Satz dieser Art zu machen."

Kommt hernach der rätselhafte Malina ins Ungargassenland und sieht das verlassene Brett der beiden, so rührt er zwar die Figuren nicht an, rechnet aber doch die Stellung durch, ohne zu wissen, wer von beiden auf welcher Seite gesessen ist.

Am Schachbrett wird eine konvergierende Welt mit Ivan deutlich und eine divergierende mit Malina. Wenn ihre Liebe ein Spiel ist, dann eines von heiligmäßigem Ernst und mit rätselhaften Regeln.

Wie wir wissen, hat Ingeborg Bachmann selbst gerne Schach gespielt, die folgende Partie von Exweltmeister Anatoli Karpow und Judit Polgar, gespielt im baskischen Vitoria hätte Bachmann wohl gefallen, auch wenn kein Springer von e5 nach d3 geht. Aber es ist ja auch nicht Liebe zwischen den beiden, sondern Respekt.

Springer e5 nach d3? Ingeborg Bachmann am Schachbrett 1962. *Foto: Heinz Bachmann*

Karpow – Polgar

Vitoria Gasteiz 2007

1.d4 Sf6 2.c4 e6 3.Sf3 b6 4.g3 Lb7 Klassisches Damenindisch. Von Judit Polgar hätte man eher das moderne 4... La6 erwarten. **5.Lg2 Le7 6.Sc3 0–0** Also doch eine Portion Gift: die Polgar lässt weißes e2-e4 zu und sprengt dann das Zentrum mit d7-d5. Ansonsten war 6... Se4 der ausgetretene Weg. **7.Dc2 Sc6 8.e4 d5 9.cxd5 exd5 10.e5 Se4 11.0–0** Denn 11.Sxe4?! dxe4 12.Dxe4 f5! 13.De3 Sxd4! würde Weiß nicht gut bekommen. **11... Sb4 12.Db1 c5** Mit sofort 12... Sxc3 13.bxc3 Sc6 14.h4! Lc8 15.Sg5 Lxg5 16.Lxg5 ist kein Ausgleich zu bekommen. **13.Le3** Eine solide Fortsetzung ganz im Stil Karpows. Keinen Vorteil hat Weiß nach 13.a3 Sxc3 14.bxc3 Sc6 15.Te1 cxd4. **13... Dd7 14.Td1 Tad8?!** Danach bekommt Schwarz ernsthafte Probleme, weil der Bd5 schwach wird. Nach 14... c4 15.Sxe4 dxe4 16.Sd2 f5 geht zwar c4 verloren, doch Schwarz hat den Vorposten d3 für seinen Springer und Gegenspiel. **15.dxc5 Sxc5** Es drohte 16.Sxe4. **16.a3 Sba6 17.b4 Se6 18.Ta2!** Der Turm soll nach d2 und d5 erobern helfen. **18... Sac7 19.Tad2 Tfe8 20.Db3 Dc8 21.Sd4 Lf8 22.f4 g6 23.h4** Positionsschach vom Feinsten. Dass der Bauer d5 fallen wird, ist nur noch eine Frage der Zeit. **23... Sg7 24.Lf2 Da8 25.Sdb5 Sxb5 26.Sxb5 Se6** Es ist so weit. **27.Lxd5 Txd5 28.Txd5 Lxd5 29.Dxd5**

Die ersten Runden sind eindeutig an Anatoli Karpow gegangen. Er hat die Polgar überspielt und sich den wichtigen Bd5 geholt, aber seine Bauern am Königsflügel vielleicht ein wenig zu weit vorgeschoben und dabei den König entblößt. Nun beginnt die taktische Genialität der Polgar zu erwachen. **29... Db8 30.De4 Dc8 31.Td3 Dc2 32.Te3 Dc1+** Aus dem Nichts ist plötzlich ein Gegenangriff im Heraufziehen, allerdings zeigt er noch nicht viel Wirkung. **33.Kg2 Td8!** Noch einen Bauern gibt sie, wenn sie nur Spiel hat. **34.Sxa7 Td2 35.Sb5 Db2 36.Df3 Dc2 37.Tc3 Da2 38.Kf1** Klarer war 38.f5, obwohl die Partie noch nicht gewonnen ist: 38... gxf5 39.Dxf5 Sg7 40.Df4 Txf2+! nebst Dd5+ und Dxb5. **38... Db1+ 39.Le1**

39... Sc5!? Gibt dem Spiel einen irrationalen Touch. Doch nach 39... Lc5 40.Tb3 Tf2+ 41.Dxf2 Dxb3 42.bxc5 Dxb5+ 43.De2 Dxc5 hat Weiß bequemen Vorteil in einer einfacheren Stellung. **40.De3** Kaum überlebt hätte Schwarz 40.Te3! Se6 41.Dc6. **40... Th2 41.Tc1??** Plötzliches Nachlassen der Kräfte im Dickicht der Varianten. Mit 41.Kg1! konnte Weiß seine Schäfchen ins Trockene retten: 41... Ta2 42.Sd4 Se6 43.Sf3 und Weiß kann an die Verwertung seines Vorteils denken. **41... Db2** Mattdrohungen kreisen wie die Geier über dem weißen König. **42.Lf2**

42... Se4!! Auch das noch! Plötzlich bricht die weiße Stellung wie ein Kartenhaus zusammen. **43.Kg1** Oder 43.Dxe4 Dxf2 matt, außerdem drohte ja sowieso 43... Txf2+. **43... Sxf2!** Mit der sehenswerten Folge 44.Kxh2 Sg4+ 45.Kh3 Sxe3 46.Tg1 Df2 47.e6 Dxg1 48.exf7+ Kg7 49.beliebig Dg2 matt. 0–1

Ganz leicht 1334

Weiß zieht und setzt in zwei Zügen matt.

Ganz schön 1335

Weiß zieht und setzt in drei Zügen matt.

Ganz schön schwer 1336

Weiß zieht und setzt in drei Zügen matt.

Lösungen:

1333 (Vorwoche):
1.Td4!! Kxd4 2.Sc5! Kxc5 Oder 2... Ke5 3.Sc6 matt. **3.Se6 matt**
(Fritz Giegold 1969).

1334:
1.Lf6+! Dxf6/gxf6 2.Dg3 matt.

1335:
1.Kg5!! h6+ Oder 1... h5 2.Kh4 S/beliebig 3.Dc3 matt. **2.Kxh6 S/beliebig 3.Dc3 matt.**

1.3. Abschied von Oblomow
Morelia/Linares: Mexiko vertreibt Spanien die katerhafte Langeweile

8.3. Held der Künstler
Linares/Morelia: Kreatives Spiel beim spanischen Eliteturnier

15.3. Mit Gitarre und Capa
Linares: Das spanische Gipfeltreffen präsentierte sich in neuem Glanze

22.3. Ins Hirnkastl g'schaut!
Roland Grabner rückte die Frage nach Expertise und Intelligenz auf den Leib

29.3. Eine ehrenvolle Etappe
Der junge Kärntner Markus Ragger ist Österreichs neuer Großmeister

5.4. Aus dem Reich der Mitte
Die starken Frauen (I): Die 14-jährige Chinesin Hou Yifan drängt an die Spitze

12.4. Snorris kräftige Töchter
Die starken Frauen (II): Das größte Frauen-Schachturnier der Geschichte in Schweden

19.4. Vom Lösen zum Problem
Die starken Frauen (III): Elisabeth Gamsjägers Kunst, anderen Probleme zu bereiten

26.4. »Ich vermisse es nicht. Okay, doch!«
Die starken Frauen (IV): Im Gespräch mit Nana Ioseliani

3.5. »Ich möchte allein sein«
Berlin-Semmering-Nizza: Das Schachbrett im Grand Hotel (I)

10.5. Ein Mann aus Punjab
Berlin-Semmering-Nizza: Das Schachbrett im Grand Hotel (II)

17.5. Verrückte mit Bedeutung
Berlin-Semmering-Nizza: Das Schachbrett im Grand Hotel (III)

24.5. Die Götter lachten vor Glück
Wassili Iwantschuk gewinnt in Sofia und widerlegt Albert Camus

31.5. Wer ist der Größte?
Jeff Sonas beantwortet locker die schwierigste Frage aller Fragen

7.6. Getürkte Technik
Die Kunsthalle Wien präsentiert eine Hommage an Wolfgang von Kempelen

14.6. »Er lebte immer im Moment«
Die Kunst des Spiels: Wiesner zu Fuchs – Hübner zu Lasker

21.6. Vom Traum zum Alptraum
Schach für Tiger: Wie schlägt man einen Großmeister?

28.6. »...wie Schach ohne Würfel«
ruf & ehn überlegen, welches Endspiel sie sich am Sonntag ansehen wollen

5.7. Wo wird das enden?
Der Norweger Magnus Carlsen stürmt den Olymp der Elolisten

12.7. Juli ist Dortmund
Triumph für Leko im Schauspielhaus, Desaster für Kramnik

19.7. Kreativ in Vaduz
»Instant Chess«: Die Hochschule Liechtenstein stiftet zur Gestaltung an

26.7. Auf der Flucht
Das Beste vom Besten (I): Der rastlose Herr Falkbeer

2.8. Ein Meister der Meister
Das Beste vom Besten (II): Der hochgeschätzte Herr Geller

9.8. Der Sprachspieler
Das Beste vom Besten (III): Der brillante Herr Tartakower

16.8. Narziss im Spielrausch
Das Beste vom Besten (IV): Der leidenschaftliche Herr Aljechin

23.8. Das Spiel der Sphinx
Das Beste vom Besten (V): Der mächtige Herr Kasparow

30.8. Eine glänzende Kadenz
Das Beste vom Besten (VI): Der großartige, unartige Herr Fischer

6.9. Auf dem Weg zum Titel
Anish Giri (14) glänzte beim Großmeister-Turnier in der Wiener Kunsthalle

13.9. No Country for Old Men?
Beim Amsterdamer Turnier besiegen die Jungstars das Team der Erfahrung klar

20.9. Drei Punkte im Aquarium
Veselin Topalov gewinnt in Bilbao das »Stärksteturnierallerzeiten«

27.9. Duell an der Grenze
Alexandra Kosteniuk wurde beim Turnier in Naltschik Schachweltmeisterin

4.10. Oh du liab's Herrgottle!
Geheime Partien: Die Koalitionsverhandlungen werden diesmal am Schachbrett geführt

11.10. Weise Beweise
Was vorher war: Die wunderbare Rückwärtswelt des Dimitri Pronkin

18.10. Burn Baby, Byrne!
Freunde am Schachbrett: ruf versucht ehn zu einer sentimentalen Erinnerung zu überreden

25.10. Slawische Stunden
WM in Bonn (I): Viswanathan Anand belehrt Wladimir Kramnik zweifach

31.10. Denker aus Stahl
WM in Bonn (II): Diskrete Kampfmathematik in der Bonner Kunsthalle

8.11. Wladimir ist Österreich
WM in Bonn (III): Nachlese, war Anand so überlegen?

15.11. Blitz in Almaty
Domínguez Pérez: Ein Kubaner gewinnt die Hochgeschwindigkeits-WM in Kasachstan

22.11. An den hinteren Brettern
Die Favoriten des Herzens (I): Qatar, Jersey und Aruba

29.11. Weltspiele in Dresden
Favoriten des Herzens (II): Armenien, Vietnam – und ja doch: Österreich

6.12. Auf dem Gabentisch
Für Ehrgeizige bis Genießer: Verteidigungsvarianten im Weihnachtsfest

13.12. Ist Strom Doping?
Iwantschuk droht die Sperre, Schachprogramme sind derzeit noch erlaubt

20.12. Go East, Young Man!
Nanjing: Die ludische Globalisierung ist in China angekommen

27.12. Erinnerung an Skovsbostrand
Neues Spiel an alten Küsten: Benjamin und Brecht – Klein und Landau

2009

3.1. Das Brettl im Kopf
Der Krimi »Maslak drückt ein Auge zu« präsentiert einen blinden Schachspieler

10.1. Schönheit am Nachmittag
Die Jahresfrage im Rückblick: Welche Partie war die beste?

17.1. Mit frostigen Fingern
Sechs Zitter-Partien zwischen Iwantschuk und Leko in der Ukraine

24.1. Kopsätze – Schachsätze
Mit Ivan und Malina in Ingeborg Bachmanns Ungargassenland

31.1. Schwarze Stunden für Alex
Morosewitsch sorgt in Wijk aan Zee für Entscheidungen und grausame Nullen

7.2. Mit dem Tiger im Nebel
Vom Nutzen der Kenntnis einer Zahl und des Studiums einer Kolumne

14.2. »Wer mitspielt, bekommt Schokolade!«
Partie mit dem Jahrhundert (I): Im Gespräch mit Hermann Robitsch

21.2. »Es war wie am Sonntag«
Partie mit dem Jahrhundert (II): Im Gespräch mit Hermann Robitsch

28.2. »Für mich ist es Kunst!«
Partie mit dem Jahrhundert (II): Im Gespräch mit Hermann Robitsch

Selbstsimultan mit Springer

Imaginäre Partien, ergänzte Wirklichkeiten aus den Akten des Collège de 'Pataphysique (III), heute: Freud gegen Freud.

Von ruf&ehn

Sigmund Freud war ja bekanntlich zur Selbstanalyse fähig. Dass er auch ein starker Schachspieler war, ist zwar erst durch die grundlegende Studie von Dr. Arthur Schütz (Wien 1931) bekanntgeworden, liegt aber auf der Hand. Wien war zur Jahrhundertwende eine der Schachmetropolen der Welt, in allen intellektuellen Kreisen gehörte es zum guten Ton, zumindest ein wenig vom Schach zu verstehen. Zudem sind Schach und Psychoanalyse eng verwandt: Jede Psychoanalyse ist Retroanalyse, es gilt, durch geistige Anstrengung im Labyrinth von Möglichkeiten die richtige Variante zu finden.

Gespielt wurde die folgende Partie in der Berggasse 19 an einem Mittwoch kurz nach Mitternacht um 1910, zur Zeit der Gründung der psychoanalytischen Gesellschaft. Freud spielte gegen sich selbst, während der Partie kommentierte und analysierte er die eigenen Züge. Anwesend waren einige bekannte Ärzte, Schriftsteller und Patientinnen. Protokolliert wurde die Partie und das Selbstgespräch vom noch (sehr sehr) jungen Amerikaner Reuben Fine, Schachgroßmeister und Psychoanalytiker, der später ein bekanntes Buch über Paul Murphy verfassen sollte.

Schachfieber in der Berggasse. Fotos aus: Chess-fever, Vsevolod Pudhovkin, 1925

Freud – Freud

Wien 1910

1.d4 Der eine Freud: Also die Ausgangsposition: Wo Es ist, soll Ich werden. **1... Sf6** Der andere Freud: Oder ich. **2.Sf3 b6 3.Sbd2** Der eine Freud: Jedem menschlichen Neuankömmling ist... **3... Lb7** Der andere Freud: ... die Aufgabe gestellt... **4.e3** Alle Anwesenden (im Chor): ... den Ödipuskomplex zu bewältigen. (Applaus) **4... e6 5.Ld3 d5 6.0–0 Ld6** Der andere Freud: Betrachten wir, welche Eröffnung ich gegen mich spiele: Es ist ein „zurückhaltender" (!) Aufbau, den im Übrigen Edgar Colle, ein belgischer Patient von mir, erfand. Weiß stellt sich „unangreifbar" (!!) auf und setzt später den „Vorstoß" (!!!) e3-e4 durch. Ich leiste Widerstand. **7.b3 c5 8.Lb2 Sbd7** Der eine Freud: Etwas passiv, aktiver war wohl 8... Sc6. Ich will gewinnen, zugleich aber auch leiden. Aber das ist banal, Sie können es in den *Abhandlungen* nachlesen: Ein Sadist ist immer auch gleichzeitig ein Masochist. **9.Se5 Tc8 10.De2 cxd4 11.exd4 0–0 12.f4 g6 13.c3 De7 14.Tae1 Tc7 15.Tf3 Sh5 16.g4!?** Der eine Freud: Auftakt zum Königsangriff, Königs-Angriff, verstehen Sie? Die packende Macht des Königs Ödipus. Ich möchte jetzt gerne meine Zigarre rauchen. **16... Sg7 17.Kh1 f5!** Der andere Freud (raucht): Ach wunderbar, man muss auch zugeben, ich meine: Manchmal ist eine Zigarre einfach nur eine Zigarre, oder? Die Anwesenden: Bravo! **18.gxf5 exf5 19.Df2 Dd8 20.Th3 Sf6 21.Tg1 De8** Der andere Freud: Na ja, auch 21... Se4! war sehr gut. Warum griff ich zur Dame? Warum nicht der naheliegende Zug mit dem Springer? (assoziiert frei:) Springer, Pferd, Rössel, rosa, ach ja: Rosa, die schöne Rosa – infantile Amnesie. **22.Sdf3 Sfh5?** Der andere Freud: Sehen Sie, jetzt kann ich bereits den Springer berühren und mit ihm ziehen! Der eine Freud: Allerdings den falschen und nur an den Rand! **23.Sh4 Tf6 24.Le2 Kh8 25.Lc1 a6 26.Ld2 b5 27.Tg5 Te7 28.Lxh5** Der eine Freud: Sehen Sie, ich schlage sogar meinen Springer! **28... Sxh5** Der andere Freud: Und ich schlage mit dem Springer zurück! Eben noch phallisch, – dann kastriert. Rosa wollte immer ein Bub sein. Die Anwesenden: Bravo!

29.Shxg6+! Der eine Freud: Und jetzt opfere ich sogar den Springer! Denn Zurückhaltung von Aggressionen ist ungesund, wirkt krankmachend. **29... hxg6** Der andere Freud: Allerdings verbleibt ein Anteil von Selbstzerstörung unter allen Umständen im Inneren. **30.Sxg6+ Txg6 31.Tgxh5+ Kg7 32.Th7+?** Der eine Freud: Offenbar Todestrieb. Sofort 32.Dh4 machte alles klar: 32... Kf7 33.Th8. **32... Kf6 33.Dh4+?** Der eine Freud: Ach, Schicksalsneurose, Regression, Destruktionssucht. Mit 33.Th8 Dc6 34.Tg3 Txg3 35.Dxg3 hätte ich den Vorteil bewahrt. **33... Ke6** Der andere Freud: Mein König steht sicher. Die Anwesenden kichern. **34.Dh5 Txh7 35.Te3+ Kf6 36.Dxh7 Dxe3 37.Lxe3 Lc6 38.Dh8+ Ke6 39.Dc8+ Ld7 40.Dxa6 Tg4 41.c4 dxc4 42.bxc4 bxc4 43.Dxc4+ Ke7 44.d5 Tg8 45.Lc5 Lxc5 46.Dxc5+ Kd8 47.a4 Tg6 48.a5 Le8 49.d6?** Der andere Freud: Die Stimme des Intellekts ist leise.

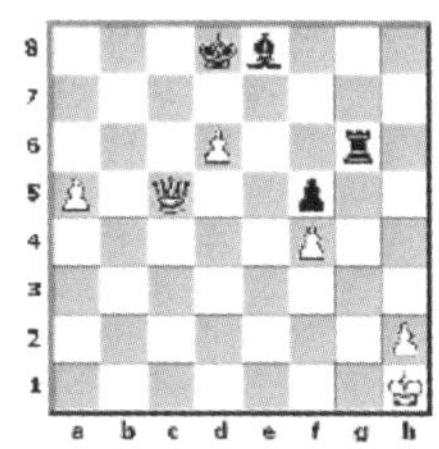

49... Lc6+!! 50.Dxc6 Tg1+! 51.Kxg1 Patt! Remis! Freud verneigt sich mit der höflichen Eleganz eines Zauberkünstlers. Applaus der Anwesenden setzt ein, der bis in die frühen Morgenstunden des Donnerstages andauert.

► *Nächste Woche: Arnold Schönberg gegen Thomas Mann*

Ganz leicht 1424

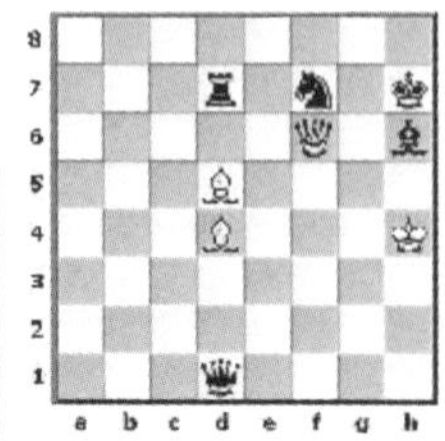

Weiß zieht und setzt in zwei Zügen matt.

Ganz schön 1425

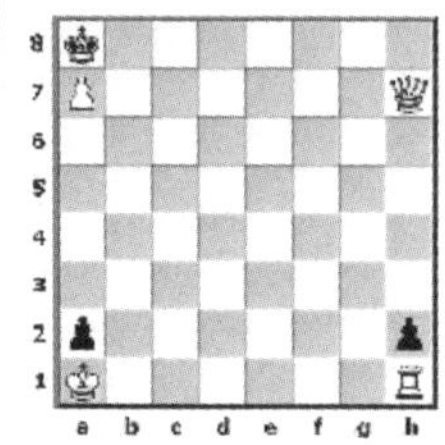

Weiß zieht und setzt in drei Zügen matt.

Ganz schön schwer 1426

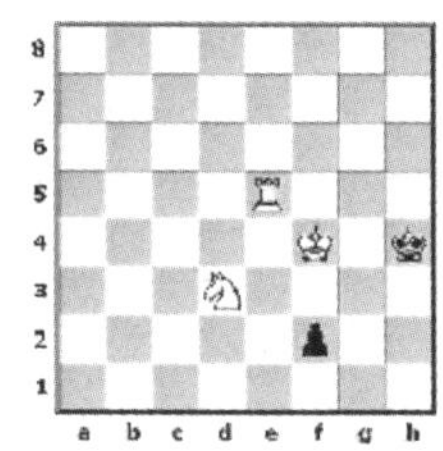

Weiß zieht und setzt in vier Zügen matt.

Lösungen:

1423 (Vorwoche): **1.Lg8!! g3 2.0–0! g2 3.Tf7! Ka2 4.Ta7** matt (Carl Bilfinger 1955).

1424: **1.Dg6+! Kxg6 2.Le4** matt.

1425: **1.Kb2!! a1D+ 2.Txa1 h1D 3.Dxh1** matt.

7.3. Linares, Linares
Das Eliteturnier in Spanien erzählt heuer von Diversität und Globalisierung des Spiels

14.3. Egal, wer am Ende gewinnt!
Nachlese Linares: Postheroisches Management, Magnus Carlsen rettet den Tag

21.3. Der Spurensucher
Ein Besuch in Edward Winters wunderbarem Schach-Zettelkasten

28.3. Probleme der Metapher
Husek gewinnt die Meisterschaft, ein seltsamer Vergleich sorgt für Aufregung

4.4. Doppelt Respekt
Auf allgemeinen Wunsch eines einzelnen Herrn: blind und schnell in Nizza

11.4. Moskauer Schachfieber
Eine Tagung zu Schach in Kunst, Literatur und Film in Erlangen

18.4. Von den starken Frauen
Den ersten Grand Prix der Frauen dieses Jahres gewann Humpy Koneru in Istanbul

25.4. Lob des Zögerns
Eine lang gehegte Entdeckung von Bruno Steiner erzählt vom Vorteil endloser Geduld

2.5. Zehntausend Stunden
Beim Duell der Lernpsychologen schlägt derzeit Üben Talent um Längen

9.5. Im Zeichen der Fairness
Die Dopingdebatte auch das Schachspiel erreicht – Ein Geständnis

16.5. Der König von Währing
Valeri Beim fährt in die Vorstadt, opfert die Dame und gewinnt ein Turnier

23.5. Vom Nach- und Selberdenken
Eine Zugzwangstudie erzählt von der hohen Kunst, anderen Menschen Probleme zu bereiten

30. 5. Intuition und Demut
Weltmeister Viswanathan Anand besucht Wien und spricht zur Stadt (I)

6. 6. Im Labyrinth der Bücher
Weltmeister Viswanathan Anand besucht Wien und spricht zur Stadt (II)

13.6. Herrliche Zeitspalten
Helmut Pfleger erweist sich als Großmeister der kleinen literarischen Form

20.6. Von demokratischen Wundern
Magnus Carlsen, seit Kindheit unter Genieverdacht, hat sich zu einem Top-Großmeister entwickelt

27.6. Spiele der Stadt
Schach-Zürich feiert den 200. Geburtstag – mit Buch und einem Graffito von Harald Naegeli

4.7. Sentimentale Favoriten
Von einem, der auszog und nie Weltmeister werden musste: Wassili Iwantschuk, Schachkünstler

11.7. »Ich schuf Frankensteins Monster!«
Die Verzifferung der Schach-Welt: Schuld war der Physiker Arpad Elo

18.7. Als alles noch viel besser war
Bischof ehn wird kurzfristig seltsam, spricht zu den jungen Menschen, beruhigt sich wieder und berichtet im Juli von der Partie des Jahres

25.7. Der Unsterbliche
Akiba Rubinstein spielte vor hundert Jahren in St. Petersburg das Turnier seines Lebens

1.8. Treppen-Witze
Das Motiv der Treppe zeigt die faszinierende Geometrie des Schachbretts

8.8. Endspiel am Orinoko
Imaginäre Partien, ergänzte Wirklichkeiten aus dem Collège de 'Pataphysique (I), heute: Alexander von Humboldt gegen Aimé Bonpland

15.8. Kafkas Affe
Imaginäre Partien, ergänzte Wirklichkeiten aus dem Collège de 'Pataphysique (II), heute: Franz Kafka gegen Rotpeter

22.8. Selbstsimultan mit Springer
Imaginäre Partien, ergänzte Wirklichkeiten aus dem Collège de 'Pataphysique (III), heute: Freud gegen Freud

29.8. Rache in Santa Monica
Imaginäre Partien, ergänzte Wirklichkeiten aus dem Collège de 'Pataphysique (IV), heute: Arnold Schönberg gegen Thomas Mann

5.9. Aus schwarzen Nächten, weißen Tagen
Imaginäre Partien, ergänzte Wirklichkeiten aus dem Collège de 'Pataphysique (V), heute: Ernesto Che Guevara gegen Luis Borges

12. 9. Shoker war nicht zu biegen
Das Vienna Chess Open im Rathaus war ein Publikumsrenner

19.9. Bilbao im Aquarium
Ein überlegener Sieg von Levon Aronian unter Glas

26.9. Nicht mehr – noch nicht
In den Zwischenzeiten: Erinnerung an Joseph »Black Death« Blackburne (1841–1924)

3.10. Nostalgie des Schmerzes
In Valencia trafen Anatoli Karpow und Garri Kasparow zu einem Revival-Match zusammen

10.10. Ästhetik der Plötzlichkeit
Knall und Fall, aus und vorbei. Weltmeister im Ein-Meter-Lauf

17.10. Der Kaiser von China
Magnus Carlsen gewann in Nanjing nach Belieben und hängt die Weltelite langsam ab

24.10. All that Chess!
In St. Louis vermied Anna Zatonskih ein Armageddon wie im Vorjahr

31.10. Dialektik des Kiebitzes
Der Kiebitz spielt nicht, er lässt spielen. Eine Plage, die zur Kultur des Spiels gehört (I)

7.11. Das Waterloo der Kiebitze
Die Herrschaft der Kiebitze hat Grenzen, eine – unglaublich – wahre Geschichte aus dem Café Central (II).

14.11. Riten der Selbstbestrafung
Was bewog Karpow, auf Korsika gegen den Weltmeister Anand anzutreten?

21.11. Zwischen Butter und Brot
Das Moskauer Eliteturnier zu Ehren von Michael Tal widerlegte Ivor Cutler

28.11. Blitzpartie mit Weihnachten
Eröffnungsvarianten, um im Kaufrausch nicht vorschnell in Zeitnot zu geraten

5.12. Kristalline Intelligenz
Christian Hesses neues Buch verführt zur Nachdenklichkeit

12.12. Turm in der Schlacht
Kleine Erinnerung an den Bildhauer Alfred Hrdlicka (1928–2009) und seine letzte Partie

19.12. Träume, Elefanten und Wesire
Das Buch der Spiele von Alfons dem Weisen liegt in einer neuen Edition vor

24.12. Das Jahr des Norwegers
Die Welt wird jünger, Magnus Carlsen ist die Nummer eins der aktuellen Weltrangliste

2010

2.1. Karussel der Generationen
Wer kommt nach Magnus Carlsen (I)? Zum Beispiel Ilja Nyzhnyk

9.1. Junge Meister
Wer kommt nach Magnus Carlsen (II)? Zum Beispiel Talente aus Österreich

Turm in der Schlacht

Kleine Erinnerung an den Schachspieler Alfred Hrdlicka (1928–2009) und seine letzte Partie.

Von ruf & ehn

Ein alter Weggefährte und guter Freund erwies sich einmal mehr als nützlich. Nach dem ersten Zug betrat er die Bühne und stellte eine Flasche Wodka neben die Schachuhr. Natürlich auf die Seite von Alfred Hrdlicka, der's ihm mit einem kurzen Kopfnicken dankte und sofort wieder in konzentriertes Nachdenken verfiel.

Die Rede ist von der letzten öffentlichen Partie des Bildhauers, die selbst Großmeister Vlastimil Hort Respekt abverlangte. Gespielt hat er sie vor 15 Jahren in Wien an der Angewandten, und zwar gegen ruf & ehn, die mit großem Respekt und der geballten Kraft von über 4000 Elopunkten (allerdings addiert) gegen den Künstler antraten.

Was Hrdlicka machte, machte er mit hoher Intensität. Helmut Zilk nannte ihn einmal einen „Turm in der Schlacht“, aufrecht, exzentrisch im Wortsinn, voll Eigensinn und ausgestattet mit enormer Kraft und Verzweiflung. Wenig bekannt ist, dass Hrdlicka auch ein sehr starker Schachspieler war. Früh begeisterte er sich statt für Turnvater Jahn für den jüdischen Schachweltmeister Emanuel Lasker und eckte mit seinem Engagement für das königliche Spiel in der Nazizeit an.

Seine beste Zeit hatte der Schachspieler Hrdlicka kurz nach dem Zweiten Weltkrieg. Mit 20 Jahren schlug er den holländischen Exweltmeister Max Euwe.

Alfred Hrdlicka 1994 an der Angewandten – der Künstler als Schachspieler. Foto: Renate Ritscher

Freilich, die Kunst war stärker, statt Schachfiguren bewegte Hrdlicka dann doch lieber Marmorblöcke, aber noch 1980 brachte der 52-jährige Künstler Anatoli Karpow an den Rand der Niederlage. Schach blieb ein wichtiges Motiv des Zeichners Hrdlicka. 1983 erschien der Band *Schachzeichnungen*. Hrdlicka war dabei weniger an der Geometrie des Schachspiels interessiert als an den Menschen, den tragikomischen und zugleich erhabenen Exzentrikern wie Cecil de Vere oder am verborgenen Spieler in Kempelens Schachautomat.

Im Grunde ist zwischen Bildhauer und Schachspieler vielleicht gar nicht so viel Unterschied, wie man glauben könnte. Für beide gilt: „Berührt, geführt.“

Nach der Partie an der Angewandten waren im Übrigen Wodkaflasche, Schachuhr und das Partieformular verschwunden, die letzte öffentliche Partie Hrdlickas muss also heute als verschollen gelten. Sei's drum, erhalten ist jedenfalls seine Partie gegen Max Euwe, der immerhin dreizehn Jahre zuvor Alexander Aljechin im Wettkampf besiegt hatte. Ein Großes Glas auf alle drei!

Euwe – Hrdlicka
Wien 1948

1.e4 e6 2.d4 d5 3.Sd2 Sc6 Eine provokante Antwort auf die ruhige Tarrasch-Variante. Hrdlicka will es wissen. **4.Sgf3 Sf6 5.e5 Sd7 6.Sb3** Gegen späteres c7-c5 gerichtet, zugleich wird der Lc1 befreit. **6... f6** Aggressiv, aber auch riskant. Elegant befreit sich Schwarz mit 6... Le7 7.Lb5 Scb8! nebst a7-a5. **7.Lb5 Le7** Schwarz muss ruhig bleiben: 7... fxe5?! 8.dxe5 ist günstiger für Weiß. **8.exf6 Lxf6 9.0–0 0–0 10.Te1 Te8 11.Lf4** Weiß hat einiges erreicht: Der Be6 bleibt rückständig, die Entwicklung des Lc8 ist vorläufig unmöglich. **11... Sf8 12.Se5** Die einfachste Art den positionellen Vorteil auszubauen, war 12. Sc5 oder 12.Lxc6 bxc6 13.Se5 Lb7 14.Sc5 Dc8 15.Dg4 nebst 16.Te3. **12... Ld7** Droht 13... Sxe5 mit Befreiung. **13.Lxc6** Besser war 13.Sxd7. **13... Lxc6 14.Sxc6 bxc6 15.Sc5 Sg6 16.Le5** Danach kann Schwarz seine Schwäche e6 plombieren. 16.Lg3 e5 17.c3 exd4 18.Txe8+ Dxe8 19.cxd4 bewahrte noch etwas Vorteil. **16... Lxe5 17.dxe5 Dg5!** Hrdlickas taktisches Geschick erwacht, er nimmt seine Chance am Königsflügel wahr. **18.g3 Te7** Nicht 18... Sxe5?? 19.f4. **19.Dd4 Tf8 20.Sd3 Tef7 21.Te2**

21... c5! Ein feines Ablenkungsopfer, mit dem Schwarz die Initiative ergreift. **22.Dxc5** Ganz falsch wäre 22.Sxc5? Sf4. **22... Dg4 23.De3?!** Vorzuziehen war 23.Te3. **23... Tf3 24.Dd2** Nicht 24.Dxa7?? Txd3 25.cxd3 Dxe2. **24... T8f5!** Droht schlicht und einfach Dh3 nebst Th5. **25.Se1?** Der in die Defensive geratene Euwe strauchelt und fällt. Nach 25.Dd1! war noch lange nicht aller Tage Abend. **25... Sf4!** Ein harter taktischer Schlag, von dem sich Weiß nicht mehr erholen kann. **26.Sxf3** Auch nach 26.Sg2 Sh3+ 27.Kf1 Sxf2 28.Txf2 Dc4+ 29.Kg1 Txf2 30.Dxf2 Txf2 31.Kxf2 Dxc2+ 32.Kg1 Dxb2 ist Endstation. **26... Sh3+ 27.Kf1 Dxf3 28.Te3 Dh1+ 29.Ke2 Txf2+** 0-1

Ganz leicht 1472

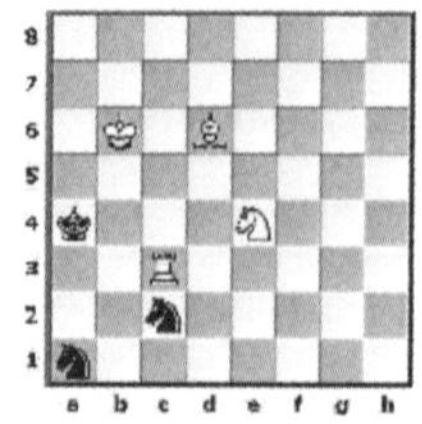

Weiß zieht und setzt in zwei Zügen matt.

Ganz schön 1473

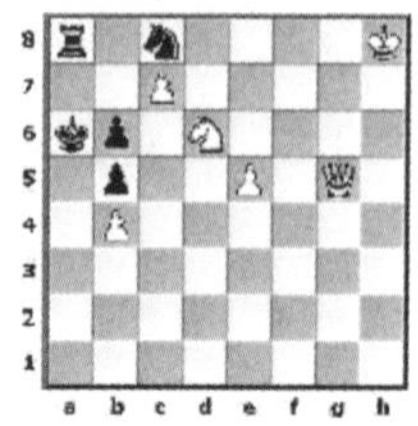

Weiß zieht und setzt in drei Zügen matt.

Ganz schön schwer 1474

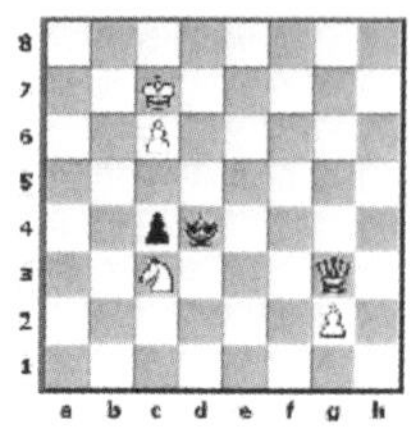

Weiß zieht und setzt in vier Zügen matt.

Lösungen:

1471 (Vorwoche): 1.Ta5!! Nicht 1.Tg5? a5 2.Tg3 a4 3.Th3 patt. **1... a6 2.Txa3 a5 3.c4! a4 4.Th3 a3 5.Th1** matt (Josef Halumbirek 1930).

1472: 1.Td3! Sb3 Oder 1... Sb4 2.Sc5 matt bzw. 1... Sc/beliebig 2.Ta3 matt. **2.Sc3** matt.

1473: 1.Dg8!! Sa7 Oder 1... Ta7 2.Da2 matt bzw. 1... Sxd6 2.Dxa8 matt. **2.Db8! Txb8+** Oder 2... Sc8 3.Db7 matt. **3.cxb8S** matt.

16.1. Die großen und die kleinen Dinge
Wer kommt nach Magnus Carlsen (III)? Zum Beispiel Anish Giri

23.1. Wiener Schule des Lebens
Erinnerung an die Weltmeisterschaft Lasker gegen Schlechter vor hundert Jahren

30.1. Im Geist der Utopie
Wir wiederholen uns gerne oder was Alex Schirow mit Ernst Bloch verbindet

6.2. Der Punkt als Doppelpunkt
In Wijk aan Zee demontierte Kramnik seinen jungen Konkurrenten Magnus Carlsen in Runde neun

13.2. Helvetische Züge
Ein eidgenössischer Kanton ist bis heute fast unbekannt geblieben: Die schachliche Schweiz, swiss made (I)

20.2. Simultan an der Bar
Ermunterung zum Gambit im winterlichen Wallis, swiss made (II)

27.2. Wahrheit und Kunst
Wie für viele russische Künstler gehörte Schach für Lew Tolstoi (1828–1910) zu den Dingen, die man können muss

6.3. Jake LaMotta im Grand Hotel
Streetfighter Veselin Topalov gewinnt das Turnier von Linares und weist uns angstvollen Menschen den richtigen Weg. Ein Stück bulgarischer Lebenshilfe

13.3. Gefährliche Liebschaften
Mr. Smith liebt Sizilianisch und macht kein Hehl daraus. Er veranstaltete ein Turnier zu Ehren seiner Eröffnung

20.3. Wirbel, Zwirbel, Turbulenzen …
Was das Schachspiel mit dem Leben zu tun hat und warum Laurence Sterns »Tristram Shandy« die realistische Beschreibung einer Schachpartie ist

27.3. Schnitzer in Nizza
Die Weltelite fand sich wie jedes Jahr zum Blind- und Schnellschach an der Promenade des Anglais in Nizza zusammen – auf allgemeinen Wunsch eines einzelnen Herrn

3.4. Jenseits von Nimzowitsch
Kleine Erinnerung an Siegbert Tarrasch (1862–1934), Lehrmeister und Seriensieger

10.4. Der freundliche Titan
Kleine Erinnerung an Wassili Smyslow (1921–2010), Meister der Intuition und Künstler auf der Suche nach Harmonie

17.4. Voland in Moskau
Tal gegen Botwinnik 1960 – oder: Wie vor fünfzig Jahren in Moskau ein Stück Jugendkultur geschrieben wurde

24.4. Von Bob und Bobby
Seitenweise zwischen Buchdeckeln: Literarische Schachpartien singen das Lied der Vernunft und inszenieren sie als absurdes Theater

1.5. Der Mensch, keine Maschine
Trotz Computerlogik: Die Weltmeisterschaft Anand gegen Topalov in Sofia ist und bleibt auch Charaktersache

8.5. Im hermeneutischen Zirkel
WM Anand – Topalov: ehn führt ruf durch die siebente Partie und belehrt ihn über die Kunst des Verstehens

15.5. Sofia kann warten
Kleine Erinnerung an Andor Lilienthal (1911–2010) – oder warum wir in die Hölle kommen

22.5. Stilübungen im Duett
Das WM-Duell Anand gegen Topalov in Sofia war letztlich eine Charakterfrage. Ein Rückblick

29.5. Komet aus New Orleans
Seine Karriere dauerte kaum ein Jahr: Auf seiner Grand Tour besiegte der Amerikaner Paul Morphy die europäische Elite – und verschwand. Ein Porträt

5.6. Der 64-Millionen-$-Mann
Schachinvestoren entdecken das Internet für das königliche Spiel, an der Seriosität der Pläne muss allerdings gezweifelt werden

12.6. Tolja und die Außerirdischen
Exweltmeister Anatoli Karpow setzt sich ans Schachbrett der Politik und kandidiert bei der nächsten Wahl für das Amt des Präsidenten des Weltschachverbandes

ff.

»Chess Fever« von Wsevolod Pudovkin & Nikolai Shpikovsky (UdSSR, 1926)

REGISTER

Das folgende alphabetische Register umfasst wichtige Namen, Fachbegriffe und Orte, die in den Schachkolumnen von ruf & ehn von 1990 bis 2010 erwähnt wurden.

Das Datum verweist dabei auf den Publikationszeitpunkt des Artikels, der auf der beiliegenden DVD nachgelesen werden kann. Klammern nach dem Datum sind entweder Spezifizierungen oder ein Hinweis auf eine im jeweiligen Artikel befindliche Schachpartie. Steht dabei der Ausdruck »vs« vor dem Namen, dann führt der erwähnte Spieler die weißen Steine, ist das »vs« nachgestellt, spielt er mit Schwarz.

In den linken und rechten Spalten befinden sich Schachrätsel unterschiedlicher Schwierigkeitsgrade von »Ganz leicht« über »Ganz schön« bis »Ganz schön schwer«. Die Lösungen finden sich auf S. 172ff.

Ganz leicht 1

Weiß zieht und setzt in zwei Zügen matt.

Ganz schön 2

Weiß zieht und setzt in drei Zügen matt.

Ganz schön schwer 3

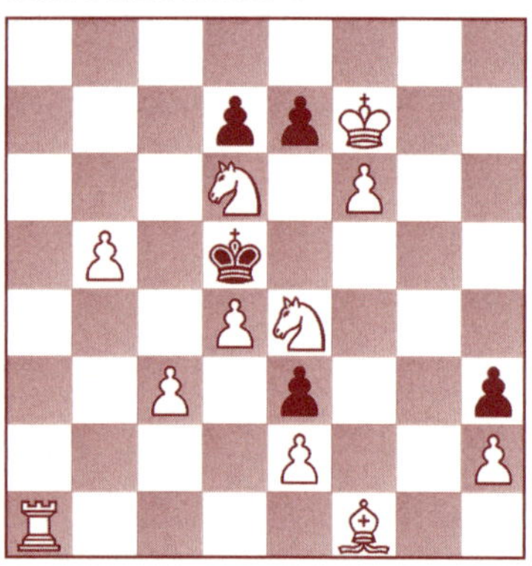

Weiß zieht und setzt in drei Zügen matt.

A

Ganz leicht 4

Weiß zieht und setzt in zwei Zügen matt.

Ganz schön 5

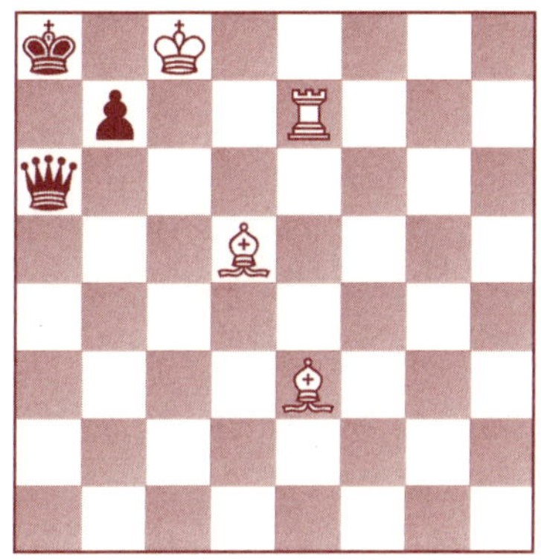

Weiß zieht und setzt in drei Zügen matt.

Ganz schön schwer 6

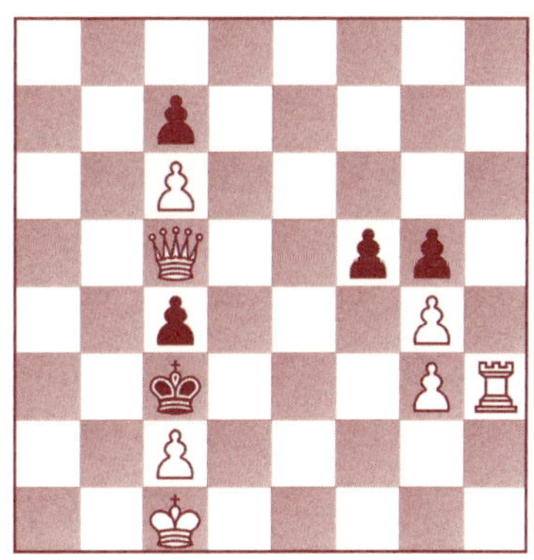

Weiß zieht und setzt in drei Zügen matt.

Ganz leicht 7

Weiß zieht und setzt in zwei Zügen matt.

Ganz schön 8

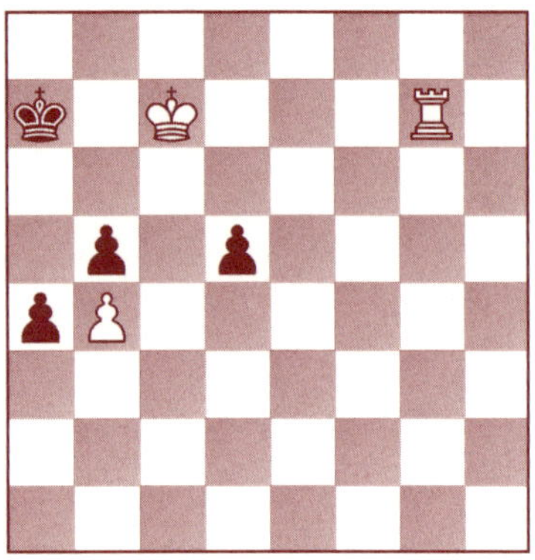

Weiß zieht und setzt in drei Zügen matt.

Ganz schön schwer 9

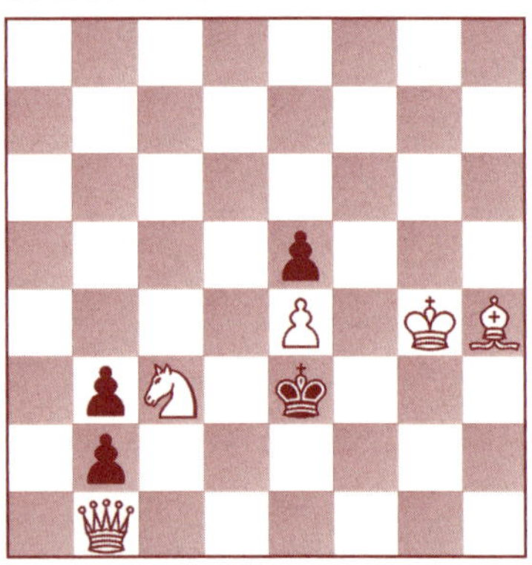

Weiß zieht und setzt in drei Zügen matt.

Ganz leicht 10

Weiß zieht und setzt in zwei Zügen matt.

Ganz schön 11

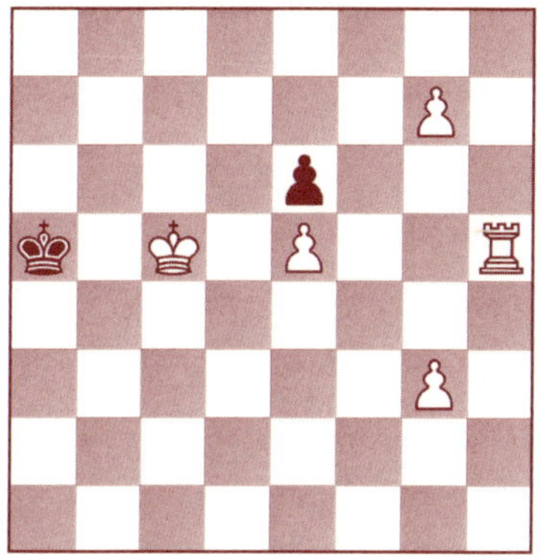

Weiß zieht und setzt in drei Zügen matt.

Ganz schön schwer 12

Weiß zieht und setzt in drei Zügen matt.

Ganz leicht 13

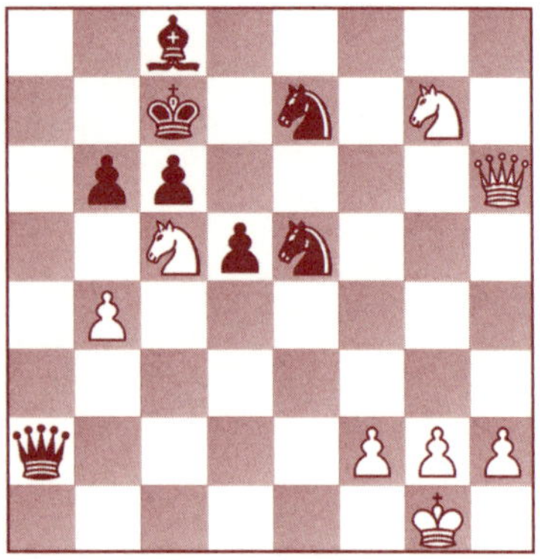

Weiß zieht und setzt in zwei Zügen matt.

Ganz schön 14

Weiß zieht und setzt in drei Zügen matt.

Ganz schön schwer 15

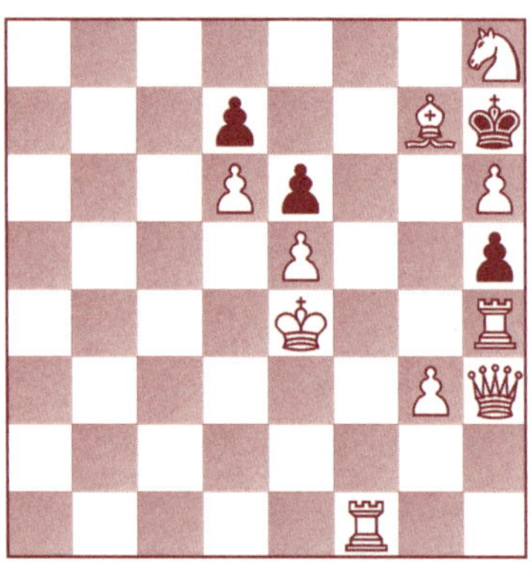

Weiß zieht und setzt in drei Zügen matt.

B

Ganz leicht 16

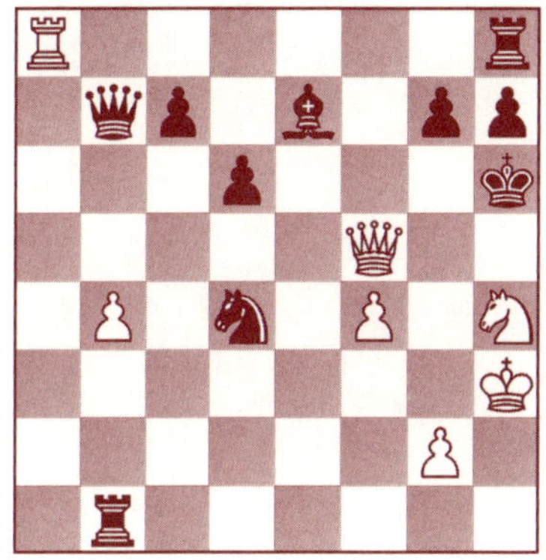

Weiß zieht und setzt in zwei Zügen matt.

Ganz schön 17

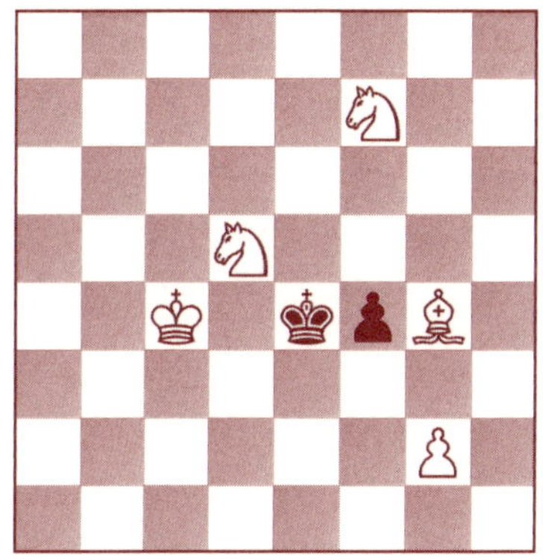

Weiß zieht und setzt in drei Zügen matt.

Ganz schön schwer 18

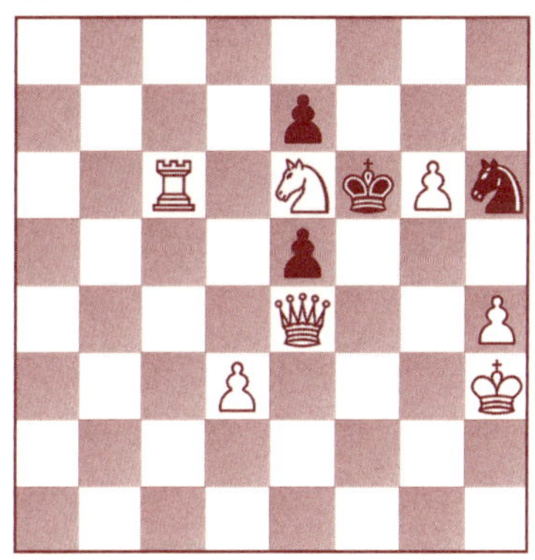

Weiß zieht und setzt in drei Zügen matt.

Ganz leicht 19

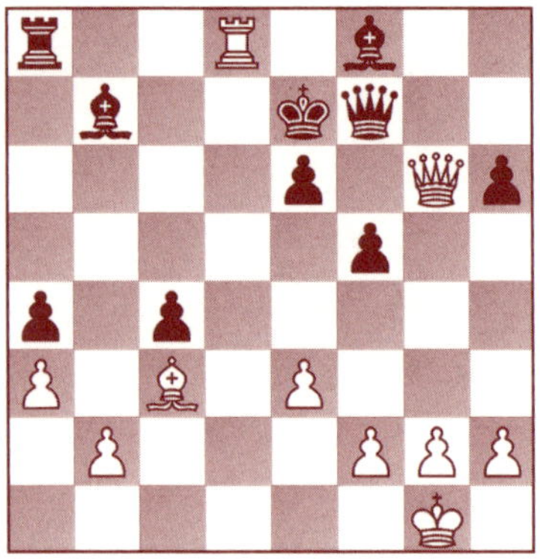

Weiß zieht und setzt in zwei Zügen matt.

Ganz schön 20

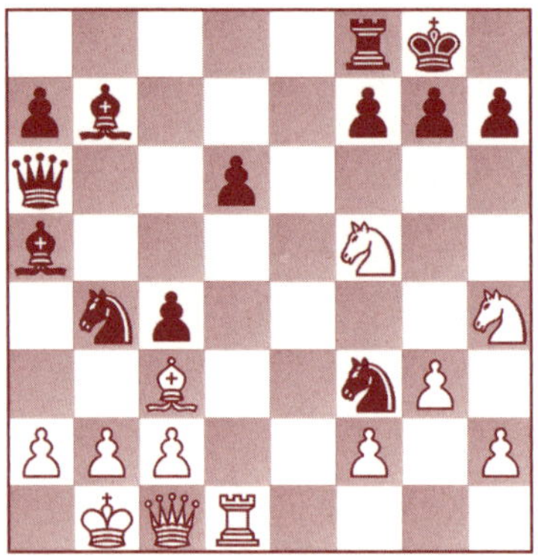

Weiß zieht und setzt in drei Zügen matt.

Ganz schön schwer 21

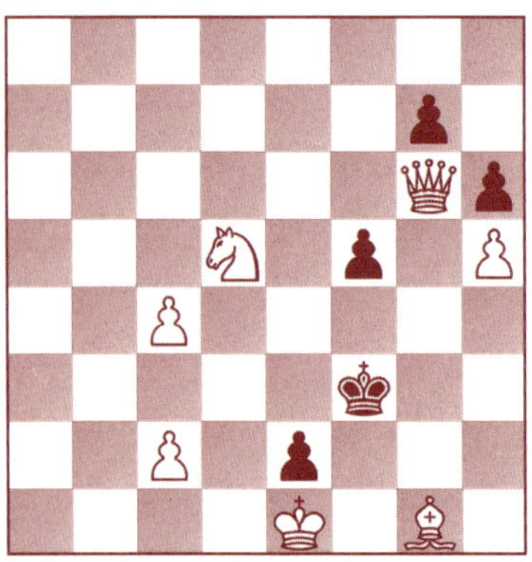

Weiß zieht und setzt in drei Zügen matt.

Ganz leicht 22

Weiß zieht und setzt in zwei Zügen matt.

Ganz schön 23

Weiß zieht und setzt in drei Zügen matt.

Ganz schön schwer 24

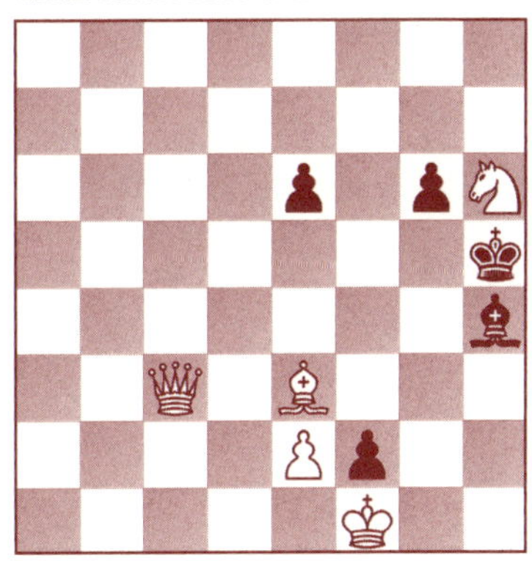

Weiß zieht und setzt in drei Zügen matt.

Ganz leicht 25

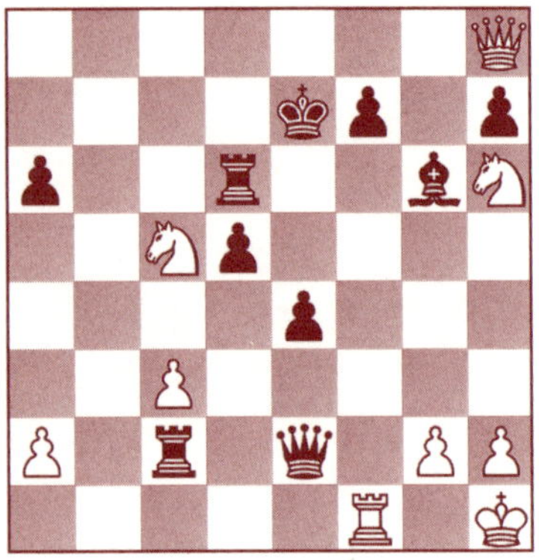

Weiß zieht und setzt in zwei Zügen matt.

Ganz schön 26

Weiß zieht und setzt in drei Zügen matt.

Ganz schön schwer 27

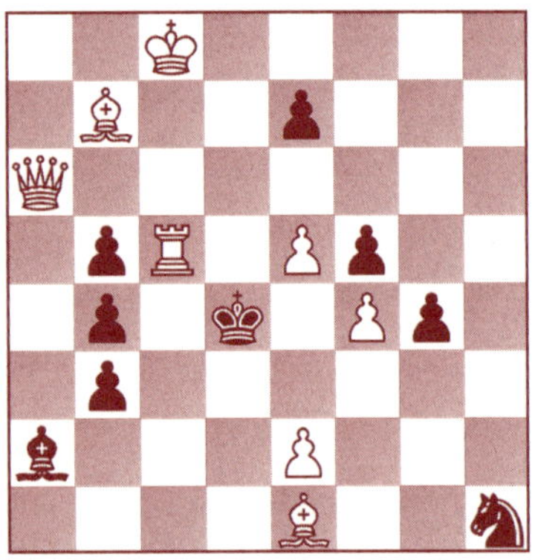

Weiß zieht und setzt in drei Zügen matt.

Bönsch Uwe 28.10.90, 29.11.92, 13.11.94, 22.11.98
Böök Eerö 17.2.91 (Landau vs, Kemeri 1937)
Bogart Humphrey 12.5.91 (Limbos vs, Stanleyville 1951), 5.1.92 (vs N.N., USA 1933; Koltanowsky vs, USA 1951), 19.2.00, 12.7.03 (Koltanowski vs, San Francisco 1952)
Bognor Regis 10.10.09
Bogoljubow Efim 13.1.91, 14.2.93, 7.3.93, 25.12.94 (Aljechin vs, Freiburg 1934), 24.12.95, 19.1.97 (Capablanca vs, Moskau 1925), 27.4.97 (Aljechin vs, Bad Pystian 1922), 6.12.98 (Réti vs, New York 1924), 1.5.99 (Sultan Khan vs, Prag 1931), 18.11.00 (Réti vs, New York 1924), 24.5.03 (vs Schmid, Bad Pyrmont 1949), 31.7.04 (Rubinstein vs, Wien 1922), 9.4.05, 12.1.08 (vs Bad Pystian, 1922), 25.10.08, 11.4.09 (vs Torre Repetto, Moskau 1925)
Boi Paolo 1.5.94, 27.11.99
Bojkovic Natascha 26.5.01
Bolbochan Julio 30.8.08 (Fischer R. vs, Stockholm 1962)
Boleslawski Isaak 1.9.01 (vs Ragosin, Moskau 1942), 15.11.03, 25.4.09
Boll Peter Albertus 17.11.96 (Hamarat vs, Fernschach-WM 1994–96)
Bologan Viorel 23.12.00, 12.1.02, 24.8.02, 16.8.03 (Anand vs, Dortmund 2003; vs Naiditsch, Dortmund 2003), 31.1.04, 22.5.04 (Morosewitsch vs, Dagomis 2004), 5.6.04, 3.10.09
Bolt Peter 22.10.95
Bonar Law Andrew 16.11.02 (vs Harley, London 1920)
Bond James 3.12.05
Bonin Jay R. 11.1.03 (Privman vs, Philadelphia 2002)
Bonn 25.10.08–8.11.08
Bonpland Aimé Goujand 8.8.09 (vs Humboldt, Am Orinoko 1800)
Bonsch Osmolovsky Michail 7.4.91 (vs Baranow, Moskau 1953)
Bonus Socius 7.4.91, 24.12.95 (Florenz 13. Jh.), 4.2.96 (Florenz 13. Jh.), 16.1.10 (um 1300)
Borek Jutta 18.12.94, 25.5.97
Borg Geoffrey 3.7.04
Borges Jorge Luis 9.12.00, 14.9.02, 5.9.09 (Che Guevara vs, Havanna 1961)
Borgia Lucrezia 11.11.06
Borgström Lars 24.3.96 (Tidskrift för Schack 1956)
Borner Daniel 13.2.94
(vs Faure, Baden 1983)
Borodin Grigori 29.3.98 (Sultanbeieff vs, Brüssel 1943)
Bosch Jeroen 25.2.06
Boston 20.11.94, 18.1.03
Bottacchi Antonio 22.10.05 (1926)
Bottlik Ivan 2.12.00
Botwinnik Michail Moiseewitsch 24.3.91, 30.6.91, 28.7.91, 22.9.91 (vs Capablanca, Amsterdam 1938; Keres vs, Leningrad/ Moskau 1941; Stolberg vs, Moskau 1940), 15.3.92, 12.7.92, 6.3.94, 16.4.95, 14.5.95 (vs Keres, Den Haag 1948; Padevski vs, Moskau 1956; Smyslow vs, WM 1957), 10.9.95, 5.11.95, 21.4.96, 3.11.96, 31.8.97, 22.3.98, 26.4.98 (vs Bronstein, 23. Partie Moskau 1951), 6.9.98, 29.11.98, 21.2.99, 8.1.00, 16.9.00, 23.9.00 (vs Euwe, 1948), 1.9.01, 8.12.01, 15.12.01, 23.2.02, 15.6.02, 22.6.02, 5.10.02, 14.12.02, 5.7.03 (Petrosjan T. vs, 5. Partie Moskau 1963), 8.11.03, 15.11.03, 17.1.04, 24.7.04, 7.1.06, 15.4.06, 19.8.06 (vs Cholmow, Moskau 1969; vs Robatsch, Amsterdam 1966), 30.9.06, 23.12.06, 31.5.08, 2.8.08, 23.8.08, 8.11.08, 17.4.10 (vs Tal, Moskau 1960)
Bournemouth 27.12.08
Boxall Graham Radford 10.10. 09 (Wade vs, Bognor Regis 1963)
Boxen (Schach-Boxen) 10.11.07
Brabbée Gustav 10.3.91
Bradford Ernle 13.11.04
Brady Frank 25.11.00
Brahman 17.3.07
Braingames 19.5.01, 8.12.01, 12.1.02, 4.5.02, 18.5.02, 27.7.02
Braingames Network 20.1.01, 3.2.01
Bramme Emanuelle 8.7.00 (Milliet vs, Paris 1998)
Brand Thomas 21.9.97 (Zielbauer vs, Graz 1997)
Brando Marlon 25.8.07
Brandenburg Graf 31.10.03
Brandenburg Daan 16.1.10 (Giri vs, Dieren 2009)
Brandner Stefan 19.8.00
Brandreth Dale A. 16.6.01
Bratislava 24.4.94
Brauchart Alica 26.8.90 (vs Felsberger, Carasaxa-Open Wien 1990)
Braun Arik 3.9.05 (vs Siebrecht, Wien 2005), 10.9.05 (vs Sulskis, Wien 2005)
Braune Robert 15.3.03 (1876), 5.7.03 (1881)
Brauneder Johann 9.8.98 (Zimmerman vs, Oberwart 1998)

Ganz leicht 28

Weiß zieht und setzt in zwei Zügen matt.

Ganz schön 29

Weiß zieht und setzt in drei Zügen matt.

Ganz schön schwer 30

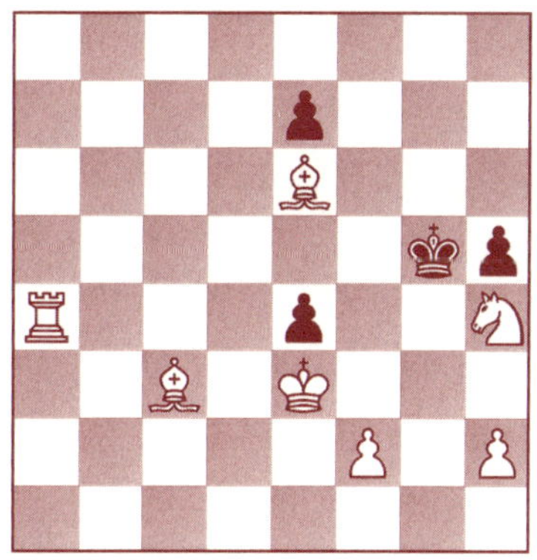

Weiß zieht und setzt in drei Zügen matt.

Ganz leicht 31

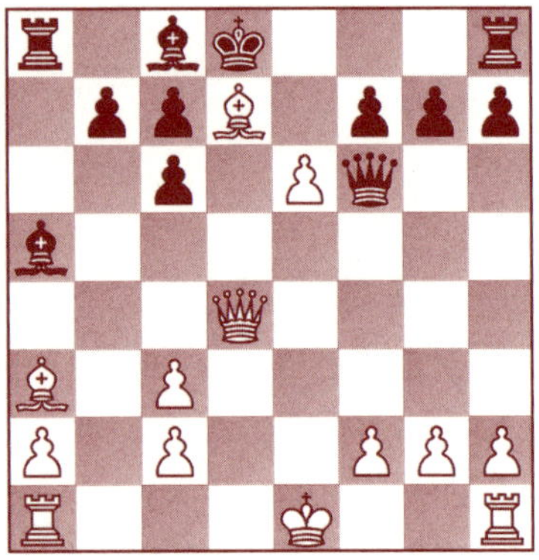

Weiß zieht und setzt in zwei Zügen matt.

Ganz schön 32

Weiß zieht und setzt in drei Zügen matt.

Ganz schön schwer 33

Weiß zieht und setzt in drei Zügen matt.

Brecher Erwin 10.10.09
Brecht Bert 9.7.95, 11.2.96, 1.12.01, 27.12.08
Brecht-Schach 9.7.95
Bredewout Henk 5.4.92 (vs van der Wiel, Niederlande 1981)
Bremen 22.11.98, 19.7.03
Brenke Andreas 23.8.03 (Brutus vs, Lippstadt 2003)
Brentano Franz Clemens 13.3.04
Breslau (Wroclaw) 15.12.96, 14.6.08
Brestian Egon 2.12.90, 3.11.91, 18.12.94, 8.10.05
Breton André 17.7.94, 11.2.06
Breuer Josef 4.2.96, 13.5.06 (1931), 3.6.06 (1932)
Breyer Gyula 1.3.92 (vs Esser, Budapest 1917; Euwe vs, Wien 1921), 15.3.92, 24.12.99, 26.8.00, 18.11.00, 2.12.00 (vs Tarrasch, Mannheim 1914; vs Havasi, Budapest 1918; vs Namer, Kaschau 1918; Lasker Em. vs, Budapest 1911; Magyar Sakkujsag 1913), 29.12.01, 10.7.04, 18.2.06, 18.8.07, 27.10.07
Breyerscher Springerrückzug 27.5.06
Bridge 5.1.01
Brien 26.7.08
Bright Thomas 8.5.99
Brinck Claussen Bjorn11.8.07 (Tal vs, Havanna 1966)
Brinckmann Alfred 13.1.91
Brissago 7.2.04, 2.10.04, 9.10.04–23.10.04, 13.2.10
British Chess Magazine 4.12.94, 22.10.95, 28.1.96, 3.8.97, 30.1.10
Britton Richard 28.1.96 (vs Dan, London 1995)
Broch Hermann 17.1.99
Brockmann Fabian 31.12.04 (vs Petrosjan S., Kiel 2004)
Brod Max 9.6.91
Brodski Michail 11.6.95 (vs Tregubow, Wijk aan Zee 1995)
Bromberger Stefan 27.4.02, 11.9.04 (vs Bartos, Pardubice 2004)
Bronstein David 2.6.91 (Mikenas vs), 30.6.91 (vs Simagin, Moskau 1967), 8.12.91 (vs Uhlmann, Tallinn 1977), 5.1.92, 7.6.92, 6.6.93, 6.3.94 (vs Dubinin, Leningrad 1947; Barcza vs, Budapest-Moskau 1949), 5.6.94, 4.9.94 (Henriksen vs, Gausdal 1994), 4.6.95, 17.12.95, 24.3.96 (vs Gretarsson, Reykjavik 1996), 9.6.96 (vs Geller, Moskau 1961), 22.3.98, 26.4.98 (Botwinnik vs, 23. Partie Moskau 1951), 21.2.99 (vs Rojahn, Moskau 1956; vs Geller, Baku 1961; vs Geller, Göteborg 1955), 8.1.00, 27.5.00, 16.9.00 (Brzozka vs, Miskolc 1963), 15.11.03, 23.12.06 (Zita vs, Moskau 1946; vs Simagin, Moskau 1947), 17.2.07 (Spassky vs, Leningrad 1960), 8.11.08
Bronznik Valeri 25.11.06
Brown Valentine siehe de Vere
Brown William 31.5.08 (vs Gibbs, London 1918)
Browne Walter 21.7.91, 28.7.91 (vs Tal, San Francisco 1991; vs Rhode, Las Vegas 1989), 13.12.98
Bruch Wieland 23.5.09 (/Minski, Dresden 2008)
Brühl Hans Moritz von 6.11.94 (Philidor vs, London 1789), 13.8.95 (vs Philidor (blind), London 1783), 20.8.95 (Philidor (ohne Sb1) vs (ohne Bf7), London 1789; Philidor vs, London 1788), 11.12.99 (vs Philidor, London 1783), 15.5.04 (vs Philidor, London 1790) , 20.5.06 (Philidor vs, London 1788)
Brünner Intelligenz-Zettel 24.3.07
Brüssel 8.9.91, 26.2.05, 24.4.10
Brugger Ingried 27.8.05
Brumen Dinko 9.9.00 (vs Zoler, Schwarzach 2000)
Brunner Erich 9.10.04 (1910), 24.12.04 (1912), 21.5.05 (1917), 18.6.05, 11.2.06 (1927) , 9.9.06 (1934), 30.9.06 (1934) , 20.1.07 (1929), 29.5.10 (1927)
Brunner John 27.12.03, 13.10.07
Bruski Johannes 3.7.04 (1906), 10.7.04 (1906), 19.7.08 (1906)
Brustkern Jürgen 23.2.02 (vs Trkulja, Wien 2002)
Bruthennen, Vernichtung der (siehe auch Zeitnot) 23.2.92
Brutus 17.8.02 (vs Xinix, Maastricht 2002), 23.8.03 (Romanischin vs, Lippstadt 2003; vs Brenke, Lippstadt 2003), 6.12.03 (Jonny vs, Computer-WM Graz 2003)
Bruzon Lazaro 3.11.01, 7.6.03, 29.5.04, 29.1.05 (vs Topalov, Wijk aan Zee 2005), 5.2.05 (Leko vs, Wijk aan Zee 2005), 17.6.06 (Kramnik vs, Turin 2006), 18.8.07 (vs Nijboer, Wijk aan Zee 2004)
Brynell Stellan 20.5.00 (Machelet vs, Deutsche Bundesliga 2000)
Brzozka Stefan 16.9.00 (vs Bronstein, Miskolc 1963)
Bu Xiangzhi 24.3.01, 26.11.05, 24.5.08, 20.12.08
Buben Walter 20.10.91 (vs Simon, Wien 1990), 13.11.94 (Staudner vs, Wien 1994)
Buch der Spiele siehe Alfons X.
Buchwald Julius 12.6.94

C

Ganz leicht 34

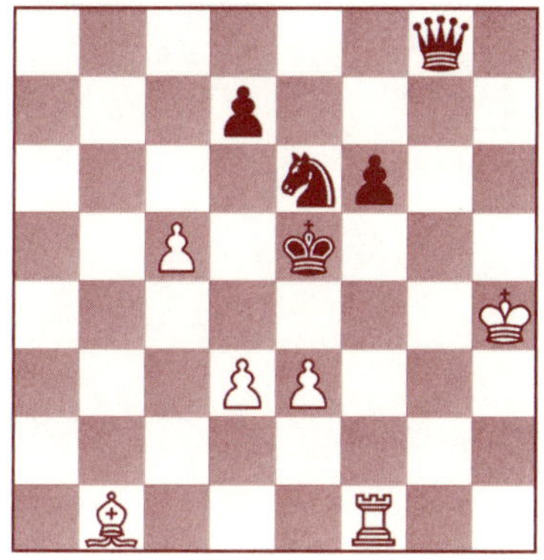

Weiß zieht und setzt in zwei Zügen matt.

Ganz schön 35

Weiß zieht und setzt in drei Zügen matt.

Ganz schön schwer 36

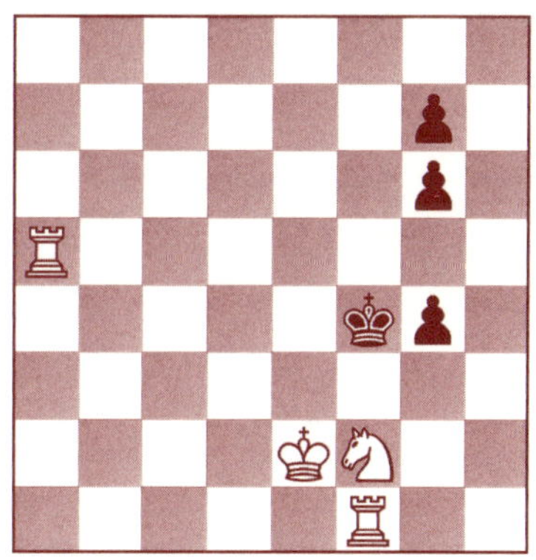

Weiß zieht und setzt in drei Zügen matt.

Ganz leicht 37

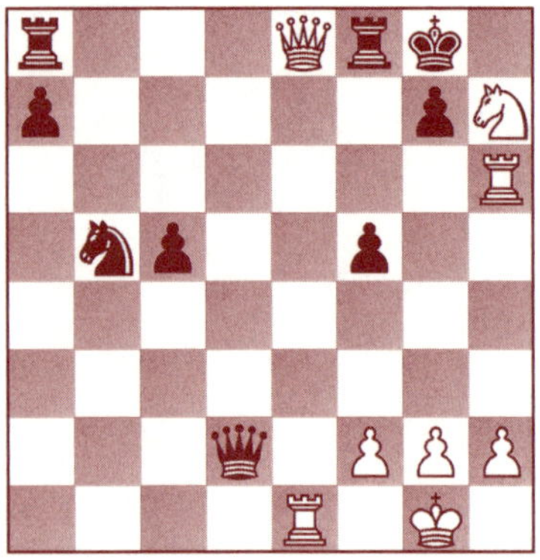

Weiß zieht und setzt in zwei Zügen matt.

Ganz schön 38

Weiß zieht und setzt in drei Zügen matt.

Ganz schön schwer 39

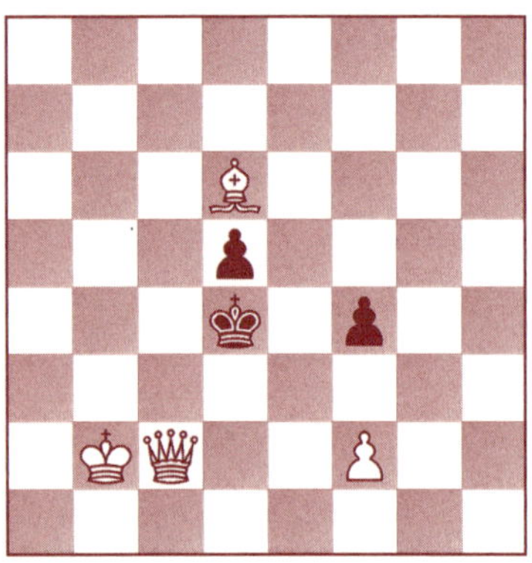

Weiß zieht und setzt in drei Zügen matt.

Ganz leicht 40

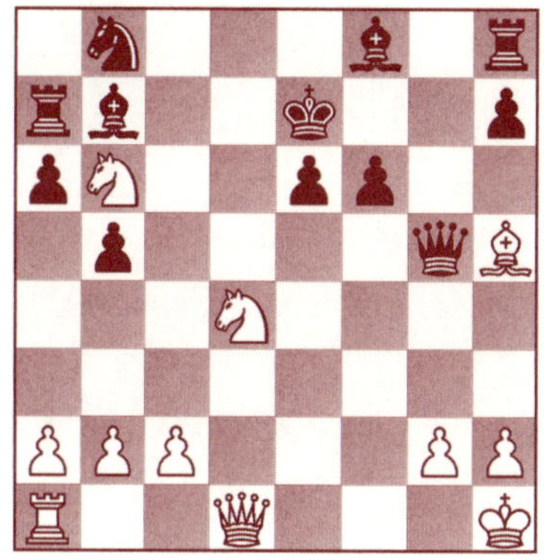

Weiß zieht und setzt in zwei Zügen matt.

Ganz schön 41

Weiß zieht und setzt in drei Zügen matt.

Ganz schön schwer 42

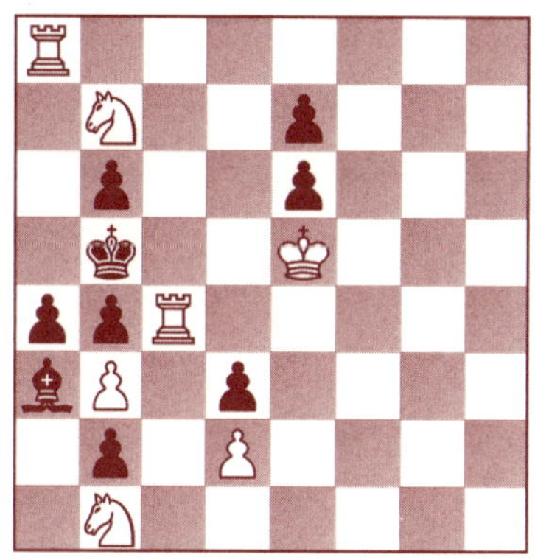

Weiß zieht und setzt in drei Zügen matt.

Ganz leicht 43

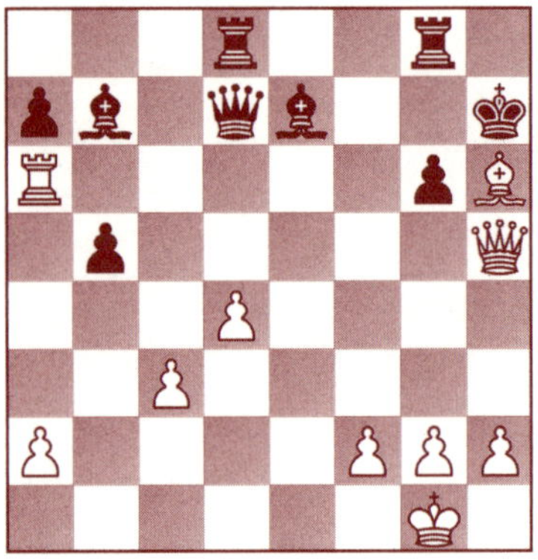

Weiß zieht und setzt in zwei Zügen matt.

Ganz schön 44

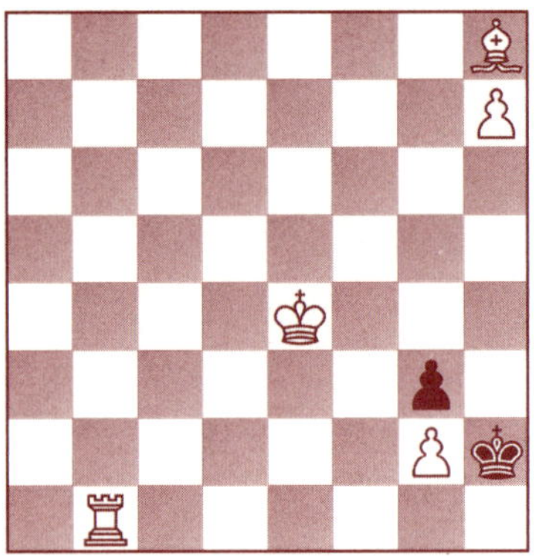

Weiß zieht und setzt in drei Zügen matt.

Ganz schön schwer 45

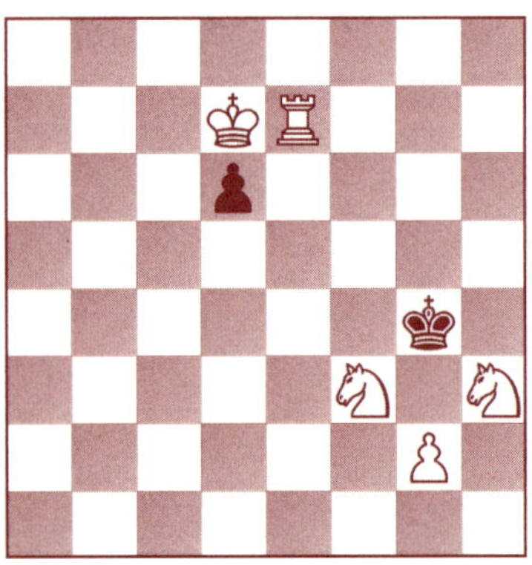

Weiß zieht und setzt in drei Zügen matt.

D

Ganz leicht 46

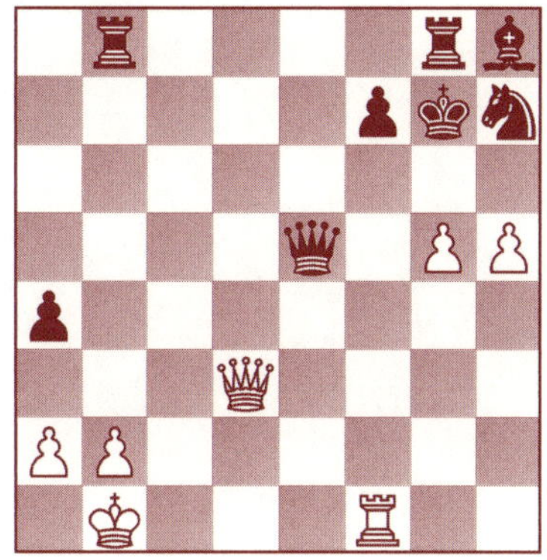

Weiß zieht und setzt in zwei Zügen matt.

Ganz schön 47

Weiß zieht und setzt in drei Zügen matt.

Ganz schön schwer 48

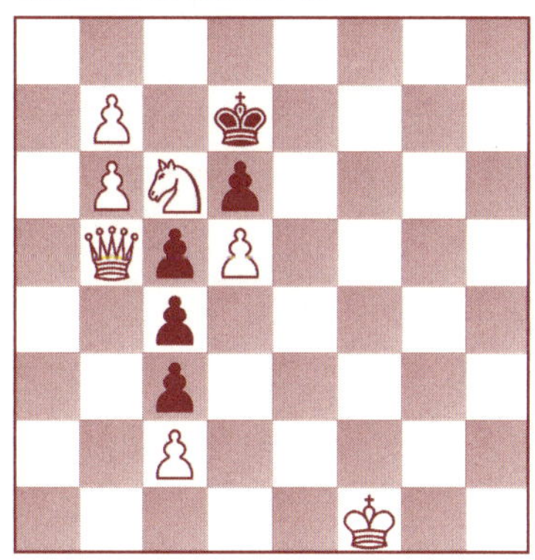

Weiß zieht und setzt in drei Zügen matt.

Ganz leicht 49

Weiß zieht und setzt in zwei Zügen matt.

Ganz schön 50

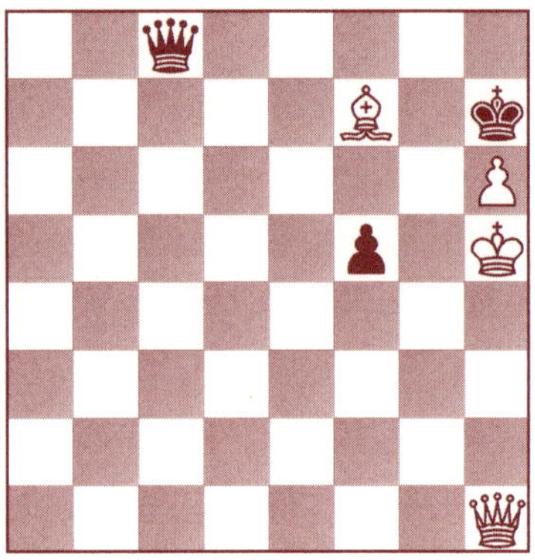

Weiß zieht und setzt in drei Zügen matt.

Ganz schön schwer 51

Weiß zieht und setzt in drei Zügen matt.

Wien 1998; vs Stanec, Wien 1998)

Deep Fritz 19.5.01 (vs Deep Junior, 15. Partie Cadaques 2001), 12.10.02, 19.10.02 (vs Kramnik, 3. Partie Manama 2002; Kramnik vs, 6. Partie Manama 2002), 26.10.02 (Kramnik vs, 6. Partie (Analyse) Manama 2002), 4.1.03, 8.2.03, 30.12.06 (vs Kramnik, Bonn 2006)

Deep Junior 26.2.00, 15.7.00, 19.5.01 (vs Deep Fritz, 15. Partie Cadaques 2001), 1.2.03 (Kasparow vs, 1. Partie New York 2003), 8.2.03 (vs Kasparow, 2. Partie; Kasparow vs, 3. Partie New York 2003), 15.2.03 (Kasparow vs, 5. Partie New York 2003), 22.11.03

Deep Junior 6 22.7.00 (Kramnik vs, Dortmund 2000)

Deep Junior 7 17.8.02 (vs ParSOS, Maastricht 2002)

Deep Sjeng 6.12.03

Deep Thought 28.4.91 (vs Cooke, Long Beach 1990; vs Wahls, Hannover 1991; Grünberg vs, Hannover 1991), 15.9.91, 26.4.92, 26.7.92, 14.3.93, 18.7.93 (vs Wahls, Hannover 1991), 15.5.99, 8.1.00, 26.2.00

Defoe Daniel 5.10.97, 20.9.03

Degerman Lars 4.12.94 (vs Cramling, Stockholm 1985)

Dehler Georg 17.7.04 (1906)

Delius Frederick Theodore Albert 6.11.94 (vs Ravel, Mousset 1913)

Delmar Eugene 19.6.04

Delpy Eduard 4.9.04 (1908)

Den Haag 6.6.93, 5.6.94, 14.5.95, 4.6.95

Dengler Dijana 7.12.07

Denver 22.8.92, 13.4.97

Depto David «Double D" 10.11.07

Der unbekannte Meister 30.4.95 (vs Old Joe, London)

Dergatschova Daus Anna 28.4.07 (vs Moser E., Dresden 2007)

Derivate 22.7.06 (Lawinen- und Polo-schach), 29.7.06 (Taschenspringer und Circe), 10.11.01 (Progressiv-Schach), 30.4.04–15.5.04 (Koalitionsschach), 9.9.90, 4.2.96, 13.7.97, 23.10.99, 30.10.99, 29.3.03, 31.5.03, 21.5.05 (arabisches Schach), 26.1.92 (chinesisches Schach), 13.10.91, 22.7.06 (Fress-Schach), 9.7.95 (Brecht-Schach), 9.10.99, 9.12.00, 7.7.01 (Random/Shuffle Chess), 27.12.08

Desancic Miroslav 16.1.94 (Bichsel vs, Allschwil 1984)

Desaster 28.2.99

Deschappelles Alexandre Louis 3.4.99

Design, siehe Kunst

Desmukh Anup 1.5.99 (Suvrajit vs, Nagpur 1999)

Desperado 20.10.91

Detter Peter 9.3.97 (Tscholowitsch vs, ö. Staatsliga Wien 1997)

Deutsches Wochenschach 8.5.99

Deutsche Schachblätter 10.2.01

Deutsche Schachzeitung 13.1.91, 4.12.94

Deutschmann Matthias 13.12.08

Dewin 6.12.92 (Nasarkin vs, Saratow 1981)

Dhaka 28.7.07

Dharma 17.3.07

Dialoge, ruf & ehn 31.12.99 (Über Glück), 17.3.01 (Über Ordnung), 30.10.04 (Über Langeweile), 31.12.04 (Über Vergesslichkeit), 9.4.05 (Über Weltmeister), 25.6.05 (Über Freundschaft), 25.2.06 (Über Traumata), 8.7.06 (Über Geduld), 28.10.06 (Über Hypnose), 30.12.06 (Über Optimismus), 30.6.07 (Über Hunger), 3.11.07 (Über Zugzwänge), 25.8.07 (Über Väter und Söhne), 29.12.07 (Über Rap), 28.6.08 (Über Fußball), 18.10.08 (Über Musik), 9.5.09 (Über Doping), 18.7.09 (Über den Zeitgeist)

Diaz Paolo 12.11.05

di Bona da Cutri Leonardo 27.11.99

di Stefano Alfredo 8.5.94, 29.6.02

Dickens Charles 13.9.03

Diderot Denis 20.8.95, 11.12.99

Die Schwalbe (Zeitschrift) 9.7.95, 24.12.99, 23.3.02, 19.4.08

Diep 2.9.00, 6.12.03

Diemer Emil Joef 13.1.91 (vs Wohlmannstetter, Rastatt 1953, vs Locher, 1946), 4.8.91

Dieren 2.10.04, 16.1.10

Dilaram 29.1.95 (Persien 10. Jhdt.), 23.10.99

Dimitriew 16.7.95 (vs Jaschin, UdSSR 1965)

Dimitrijewitsch Efim 11.4.09

Dimitrov Vladimir 12.11.05

Dinosaurier Schach 1.12.07

Dionysos 14.6.92

Direct Chess 15.12.91

Dirr Ulrich 7.12.07

Dishman Stephen 29.9.91 (vs Westra, Eastbourne 1991)

Disraeli Benjamin 13.9.03

Dittrich Kurt 9.6.07 (1947)

Divinsky Nathan 24.3.91

Dizdar Goran 7.8.99

Dizdarevic Emir 16.6.96 (vs Sermek, Makarska 1995), 14.6.03 (Radjabow vs, Sarajewo 2003), 30.8.03, 5.6.04

Ganz leicht 52

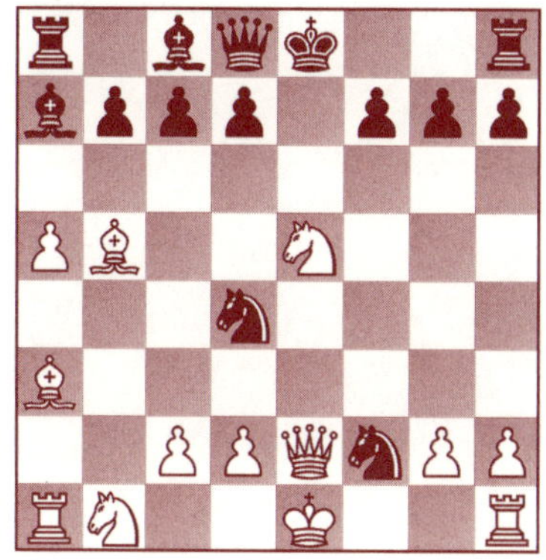

Weiß zieht und setzt in zwei Zügen matt.

Ganz schön 53

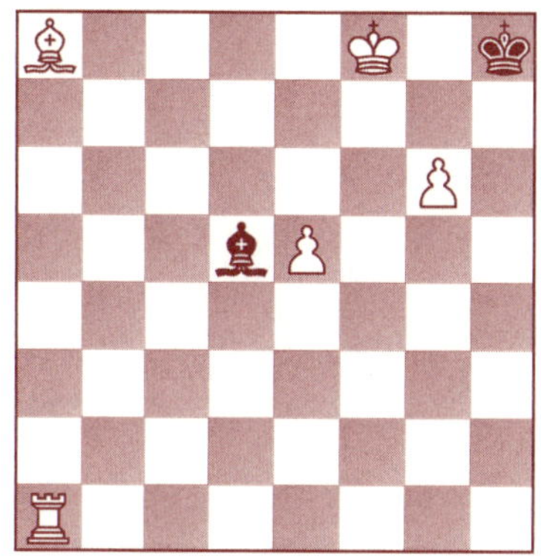

Weiß zieht und setzt in drei Zügen matt.

Ganz schön schwer 54

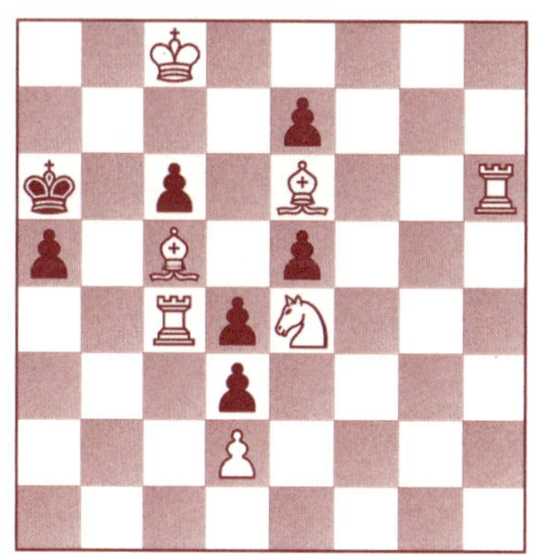

Weiß zieht und setzt in drei Zügen matt.

Ganz leicht 55

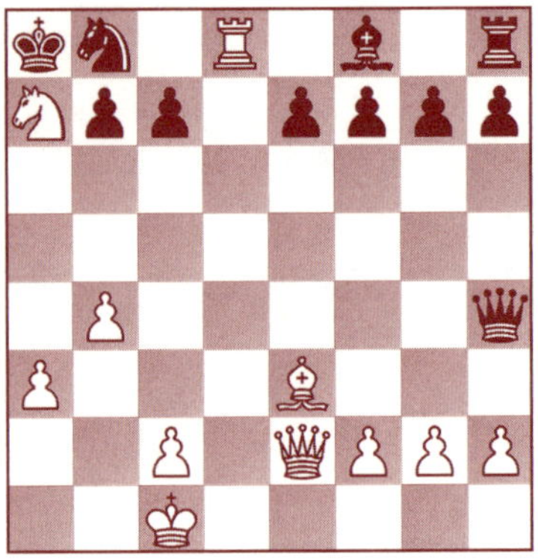

Weiß zieht und setzt in zwei Zügen matt.

Ganz schön 56

Weiß zieht und setzt in drei Zügen matt.

Ganz schön schwer 57

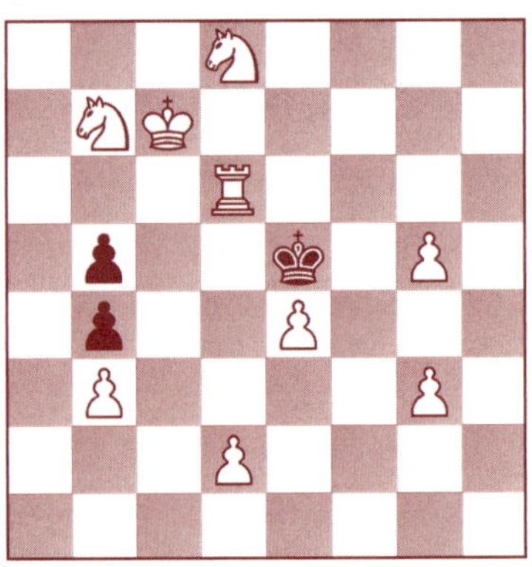

Weiß zieht und setzt in drei Zügen matt.

E

Ganz leicht 58

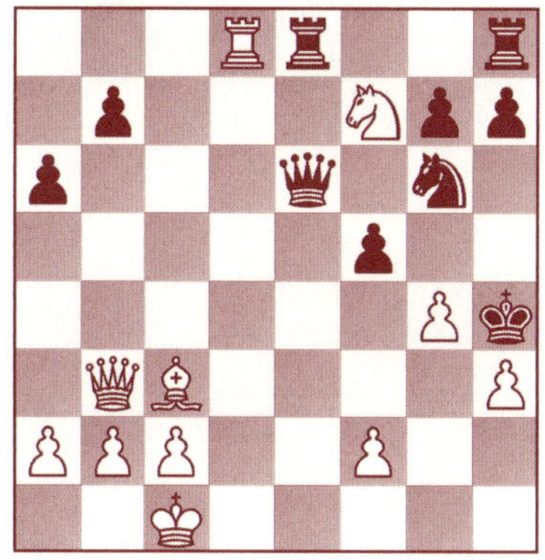

Weiß zieht und setzt in zwei Zügen matt.

Ganz schön 59

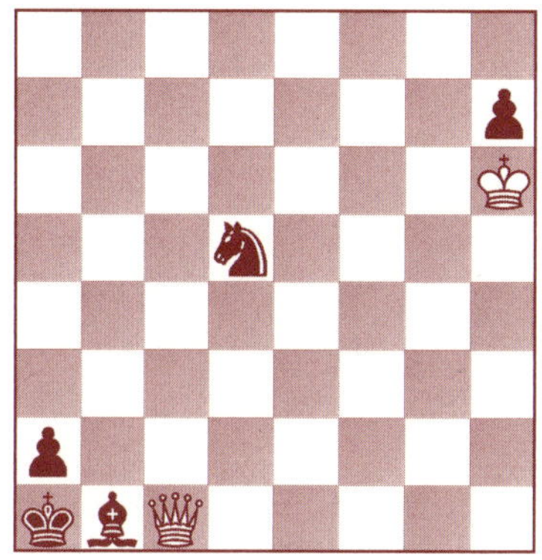

Weiß zieht und setzt in drei Zügen matt.

Ganz schön schwer 60

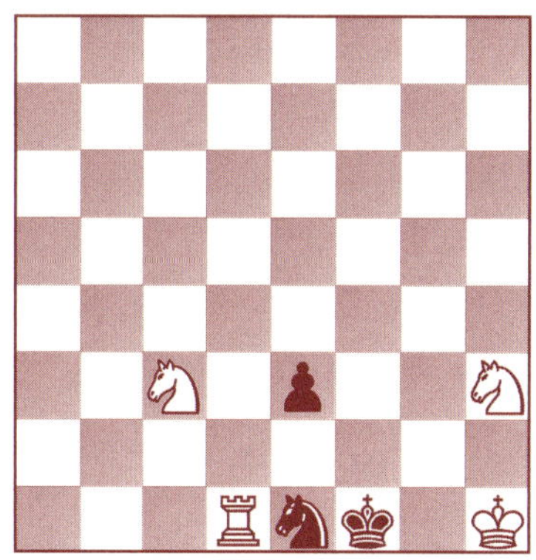

Weiß zieht und setzt in drei Zügen matt.

Ganz leicht 61

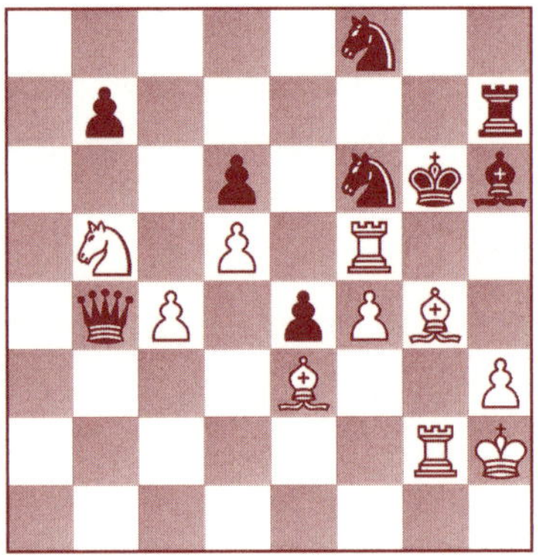

Weiß zieht und setzt in zwei Zügen matt.

Ganz schön 62

Weiß zieht und setzt in drei Zügen matt.

Ganz schön schwer 63

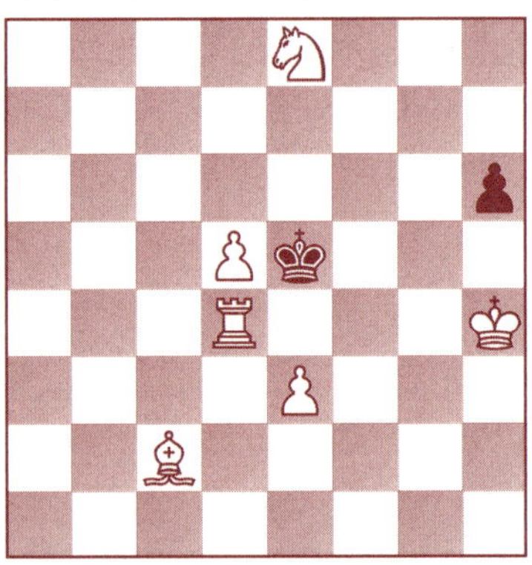

Weiß zieht und setzt in vier Zügen matt.

26. WM-Partie Zandvoort 1935; Tartakower vs, Venedig 1948), 18.1.03 (vs Fischer R., New York 1957), 8.11.03, 15.11.03, 10.4.04, 17.7.04 (Vidmar vs, Karlsbad 1929), 28.8.04 (vs Keres, Moskau 1948), 12.5.05, 15.4.06, 16.8.08, 27.12.08, 13.6.09, 27.6.09 (vs Najdorf, Zürich 1953), 12.12.09 (vs Hrdlicka, Wien 1948)
Evans William Davies 14.2.04, 21.4.07
Evans Larry Melvyn 8.7.90 (vs Larsen, Dallas 1957), 22.3.92 (vs Suttles, San Antonio 1972), 31.7.99, 11.9.99 (vs Taimanow, New York 1953), 18.10.03, 22.11.03
Evdokimow Oleg 11.6.05
Excalibur 19.11.05, 6.12.08

F

Fabel Karl 30.12.90 (1949), 31.12.95 (1952), 3.1.99 (Weltspiegel 1946) , 18.11.06 (1938), 11.10.08
Fabergé-Figuren 12.7.03
Fähndrich Hugo 22.2.98
Fahnenschmidt Gerhard 16.5.93 (vs Stohl, Deutsche Bundesliga 1993)
Fahrmeier Edmund 28.2.09 (1965)
Fahrner Kurt 10.3.96 (Dückstein vs, Staatsliga 1996), 19.8.00
Fahrner Rainer 22.3.03
Fahrni Hans 23.2.92 (vs Hess, Stuttgart 1925), 15.9.07 (vs N.N., Wien 1991)
Falcon (Computerprogramm) 6.12.03
Falk Raphael 9.4.95 (Troitzki vs, St. Petersburg 1897)
Falkbeer Ernst Karl 27.9.98, 26.7.08 (Matschego vs, Wien 1853)
Falle 30.9.00
Farago Ivan 13.11.94, 4.1.98 (Becher vs, Budapest 1997), 24.2.01 (vs Krizsany, Lienz 2001)
Farndorn 9.10.99 (Ward vs, Jersey 1999)
Fatalibekowa Elena 29.11.98
Fattorini Antonio 8.5.99
Fauland Alexander 19.8.90 (vs Loginov, Oberwart 1990), 26.8.90 (Dückstein vs, Carasaxa-Open Wien 1990; Sinowjew vs, Carasaxa-Open Wien 1990), 2.12.90, 3.11.91, 5.4.92, 6.12.92 (vs Blatny P., Staatsliga 1992), 23.10.94, 4.12.94 (vs Baumgartner, Leibnitz 1994), 12.3.95 (vs Sokolov I., ö. Staatsliga 1995), 19.3.95, 26.3.95, 26.11.95, 12.5.96 (Stanec vs, Wien 1996), 19.5.96
Faure Marc 13.2.94 (Borner vs, Baden 1983)
Favoriten (des Herzens) 22.11.08 (Qatar, Jersey, Aruba), 29.11.08 (Armenien, Vietnam, Österreich)
Faymann Werner 4.10.08 (Kapital vs, Wien 2008)
Fazekas Stefan 7.4.91 (vs Spielmann, Prag 1938)
Fedina 9.2.92 (vs Gulak, Fernpartie 1980)
Fedorow Alexej 14.8.99, 20.1.01 (vs Kasparow, Wijk aan Zee 2001), 27.1.01, 3.2.01 (vs Morosewitsch, Wijk aan Zee 2001), 22.5.04 (vs Morosewitsch, Wijk aan Zee 2001)
Fedorowicz John 10.11.91 (vs Wolff, Los Angeles 1991), 7.7.96, 29.7.00
Fedortschuk Sergej 1.7.06 (vs Hossain, Lodi 2006)
Fehler letzte 3.3.07
Feilitzsch Major Freiherr von 5.10.02 (vs Keres, Fernturnier der Deutschen Schachzeitung 1932)
Feist Matthias 25.6.95, 19.10.02
Feldt 1.11.92 (Aljechin vs, Tarnopol 1916 Blindsimultan)
Felgaer Ruben 21.8.99 (Mogilarow vs, Oropesa del Mar 1998), 29.9.01, 18.9.04 (Neubauer vs, Open Decameron 2004), 18.12.04 (Moskalenko vs, Barcelona 2004)
Felsberger 26.8.90 (Brauchart vs, Carasaxa-Open Wien 1990), 25.7.93 (vs Bartsch, Velden 1993), 18.12.94, 9.3.97 (Casagrande vs, ö. Staatsliga Wien 1997), 25.5.97, 5.10.97
Feng Hsiung Hsu 14.3.93, 25.2.96, 4.5.97, 8.1.00, 9.4.05
Feoktistov Alexander 2.12.06 (Russland, Standard-Kompositionsturnier 2006)
Ferber Eugen 7.12.07 (1911)
Fercec Nenad 5.1.02
Ferdinand II. von Tirol 24.5.98
Ferdinand und Isabella von Spanien 20.7.97, 11.11.06
Fermat, Vermutung des 30.6.07
Fernschach (siehe auch Lob der Langsamkeit) 3.4.94, 13.5.00, 5.10.02, 24.5.03, 4.10.03, 17.1.04, 24.1.04, 4.4.09
Fernschachbund, österreichischer 17.11.96
Fernweh (siehe Reisen)
Ferret (Schachprogramm) 26.6.99
Ferry Roger 12.5.91 (Limbos vs, Brügge 1961)
Fers (Figur) 20.6.93
Ferstl Franz 28.7.01
Fesselung 22.7.00, 2.9.00
Fessler Rosa 19.4.08

Ganz leicht 64

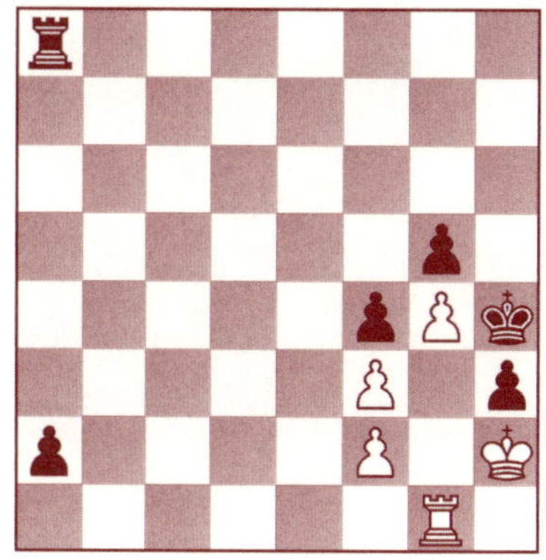

Weiß zieht und setzt in zwei Zügen matt.

Ganz schön 65

Weiß zieht und setzt in drei Zügen matt.

Ganz schön schwer 66

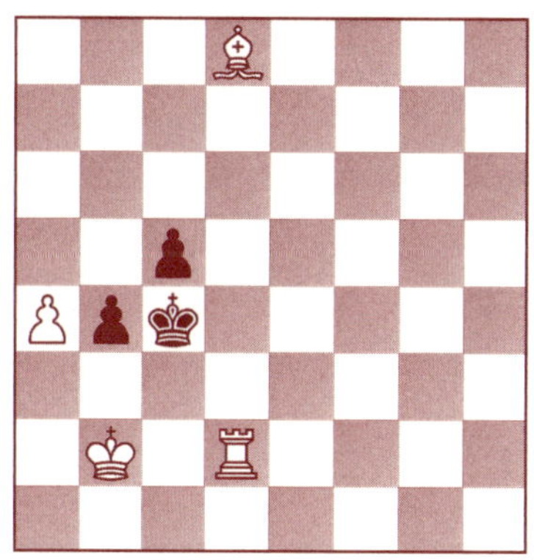

Weiß zieht und setzt in drei Zügen matt.

Ganz leicht 67

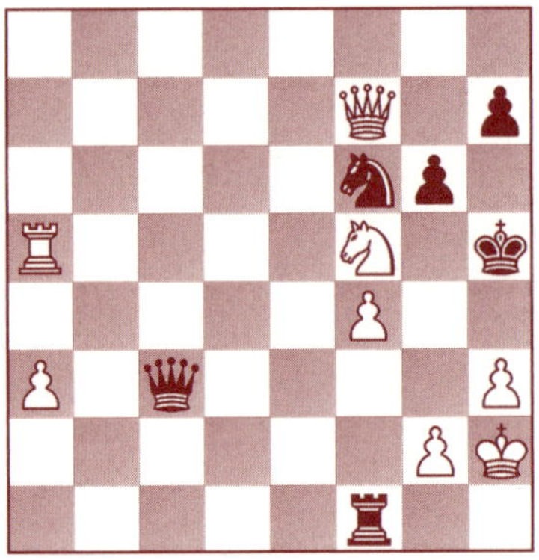

Weiß zieht und setzt in zwei Zügen matt.

Ganz schön 68

Weiß zieht und setzt in drei Zügen matt.

Ganz schön schwer 69

Weiß zieht und setzt in drei Zügen matt.

G

Ganz leicht 70

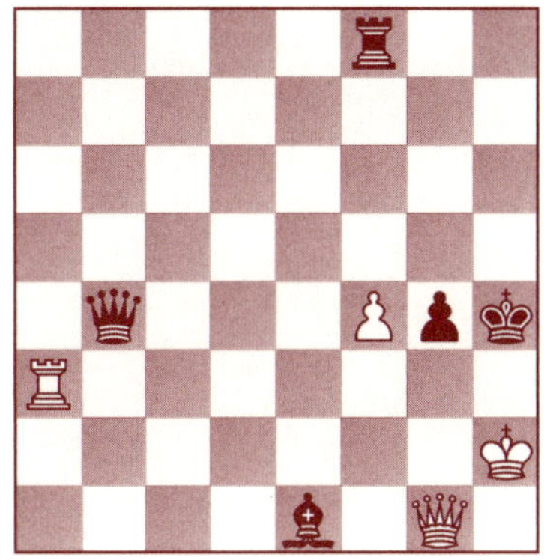

Weiß zieht und setzt in zwei Zügen matt.

Ganz schön 71

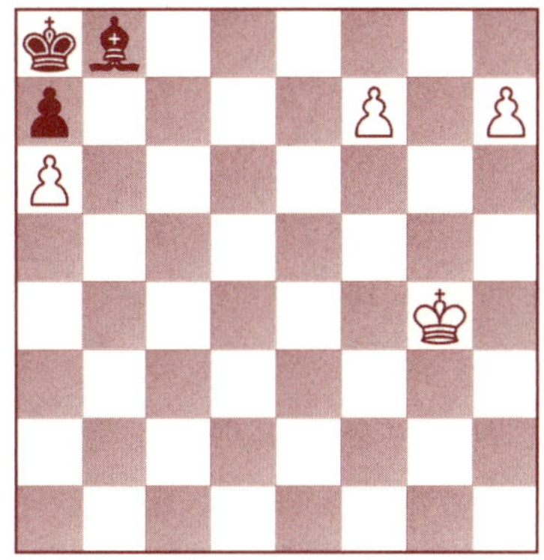

Weiß zieht und setzt in drei Zügen matt.

Ganz schön schwer 72

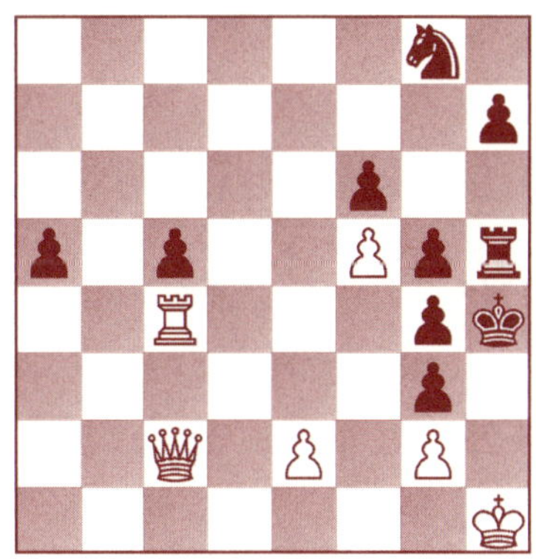

Weiß zieht und setzt in drei Zügen matt.

Ganz leicht 73

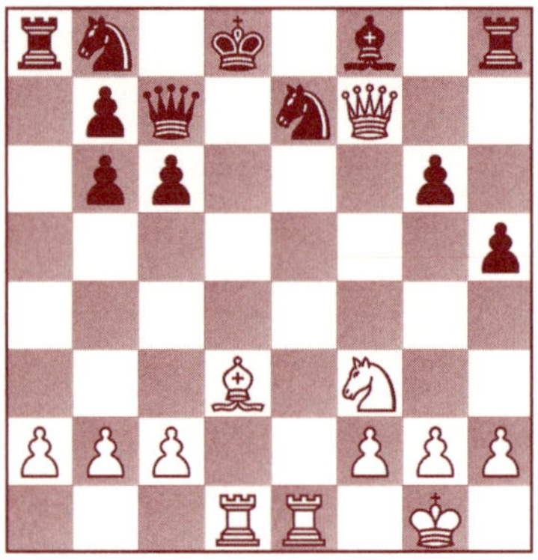

Weiß zieht und setzt in zwei Zügen matt.

Ganz schön 74

Weiß zieht und setzt in drei Zügen matt.

Ganz schön schwer 75

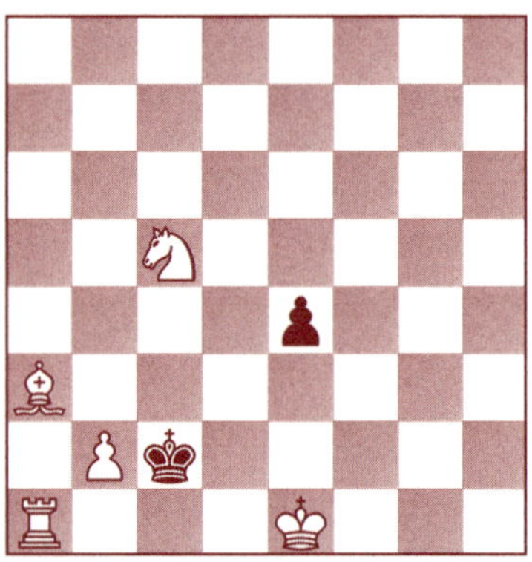

Weiß zieht und setzt in drei Zügen matt.

Ganz leicht 76

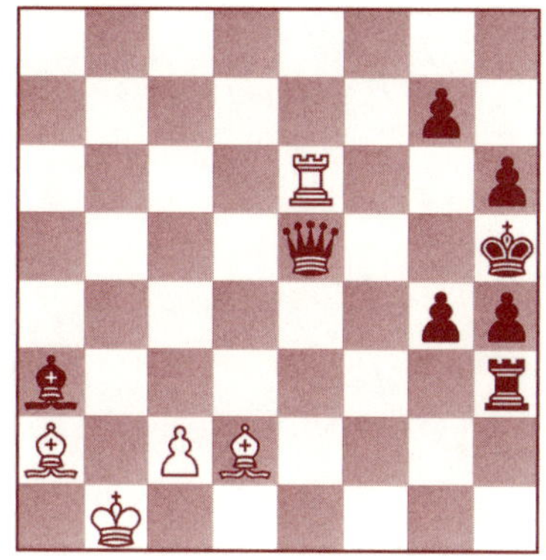

Weiß zieht und setzt in zwei Zügen matt.

Ganz schön 77

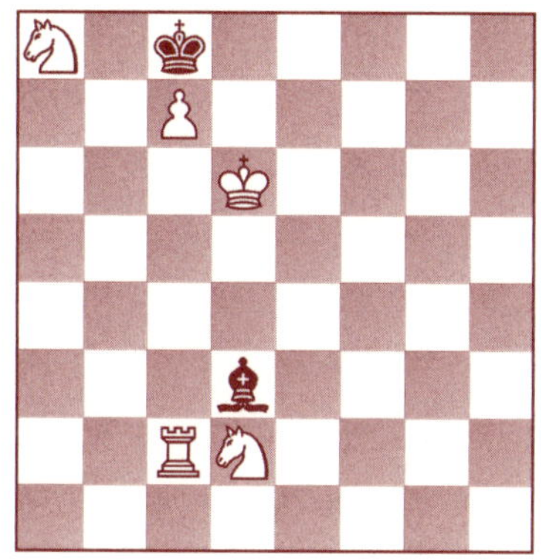

Weiß zieht und setzt in drei Zügen matt.

Ganz schön schwer 78

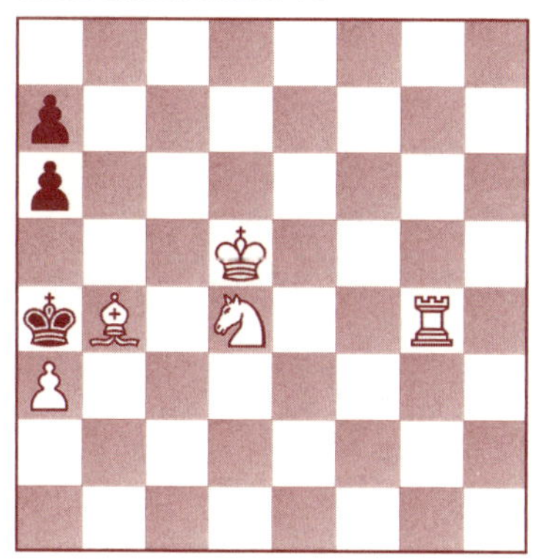

Weiß zieht und setzt in drei Zügen matt.

Ganz leicht 79

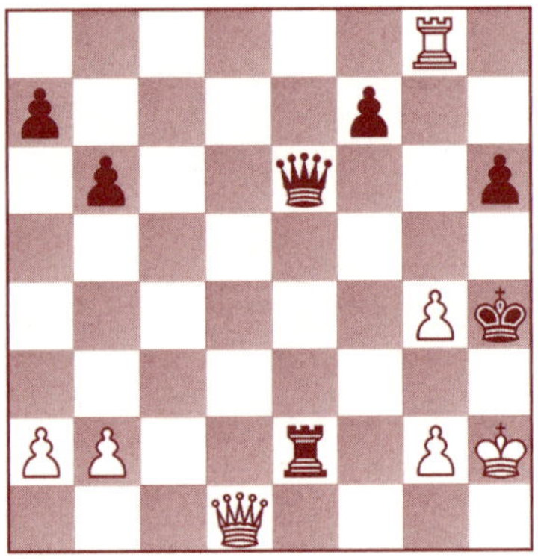

Weiß zieht und setzt in zwei Zügen matt.

Ganz schön 80

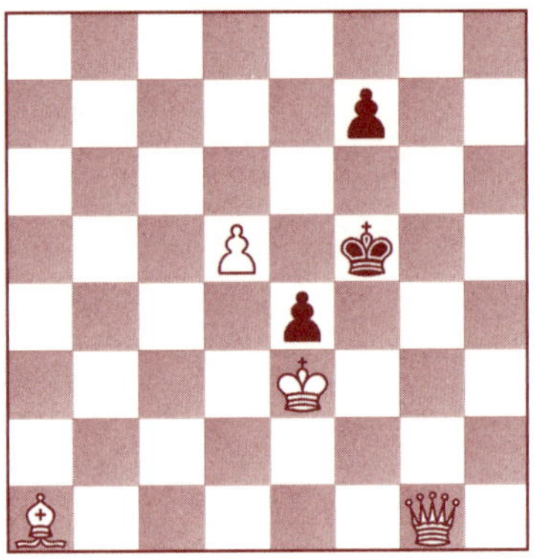

Weiß zieht und setzt in drei Zügen matt.

Ganz schön schwer 81

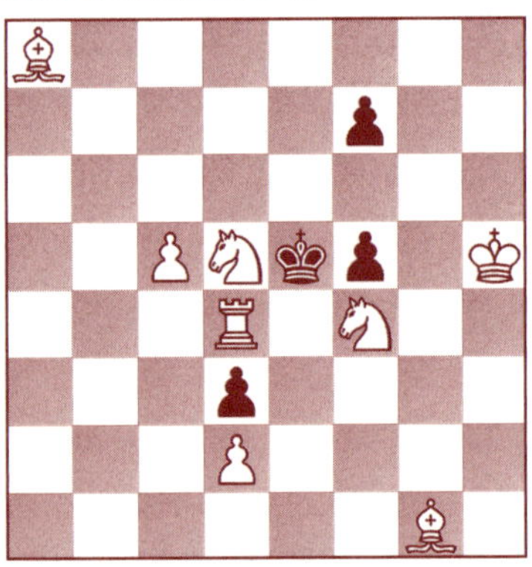

Weiß zieht und setzt in drei Zügen matt.

H

Ganz leicht 82

Weiß zieht und setzt in zwei Zügen matt.

Ganz schön 83

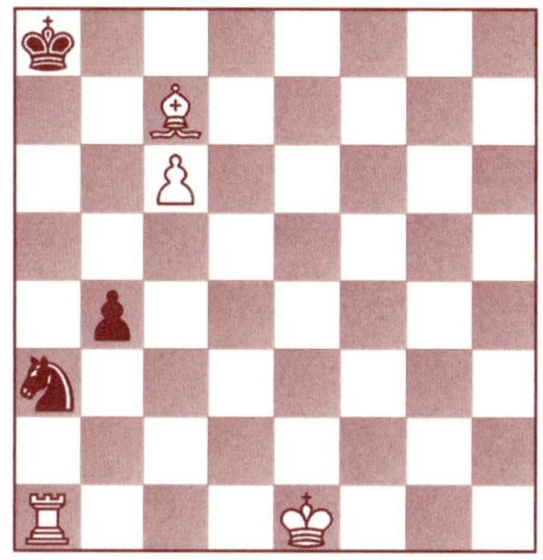

Weiß zieht und setzt in drei Zügen matt.

Ganz schön schwer 84

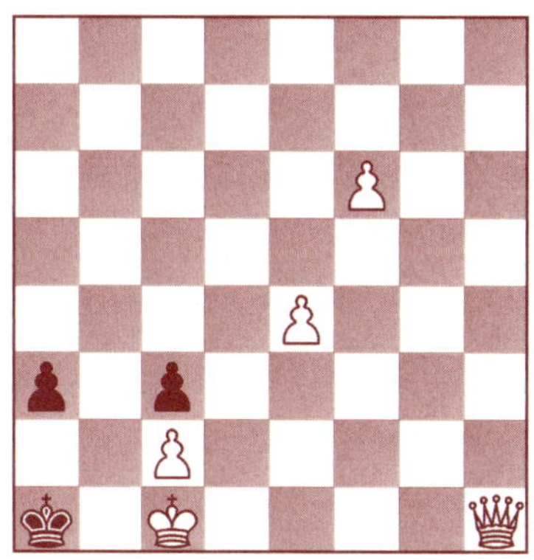

Weiß zieht und setzt in drei Zügen matt.

Ganz leicht 85

Weiß zieht und setzt in zwei Zügen matt.

Ganz schön 86

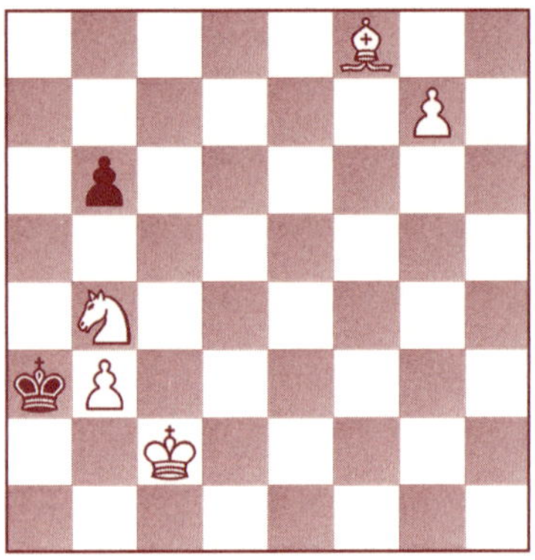

Weiß zieht und setzt in drei Zügen matt.

Ganz schön schwer 87

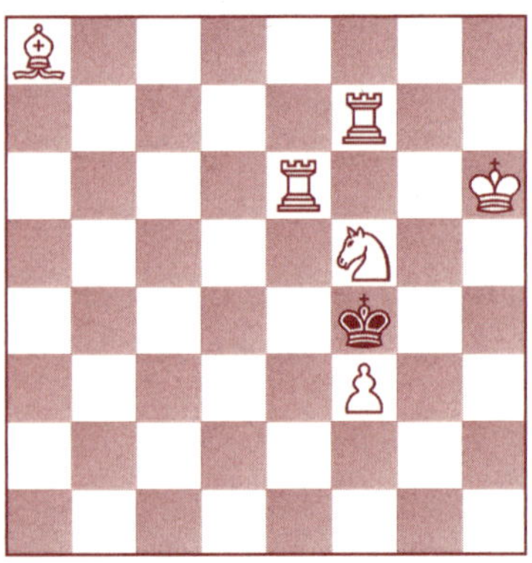

Weiß zieht und setzt in drei Zügen matt.

Ganz leicht 88

Weiß zieht und setzt in zwei Zügen matt.

Ganz schön 89

Weiß zieht und setzt in drei Zügen matt.

Ganz schön schwer 90

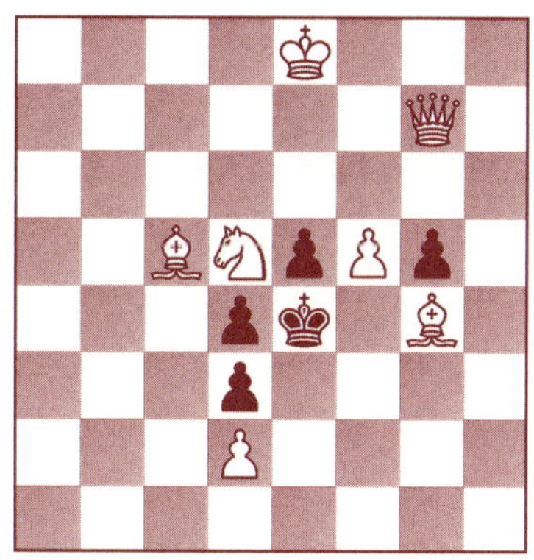

Weiß zieht und setzt in drei Zügen matt.

Ganz leicht 91

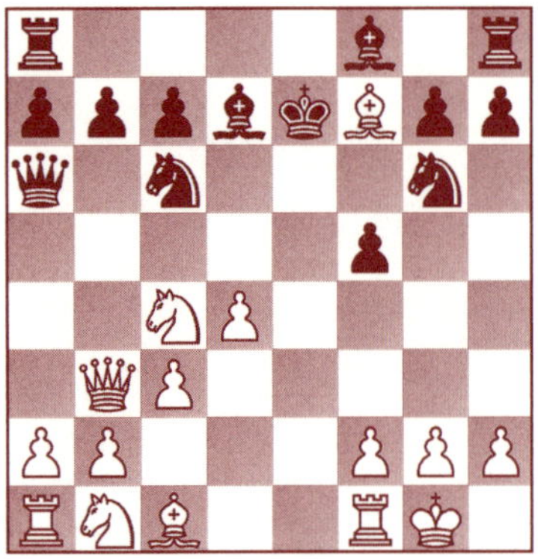

Weiß zieht und setzt in zwei Zügen matt.

Ganz schön 92

Weiß zieht und setzt in drei Zügen matt.

Ganz schön schwer 93

Weiß zieht und setzt in drei Zügen matt.

I

Ganz leicht 94

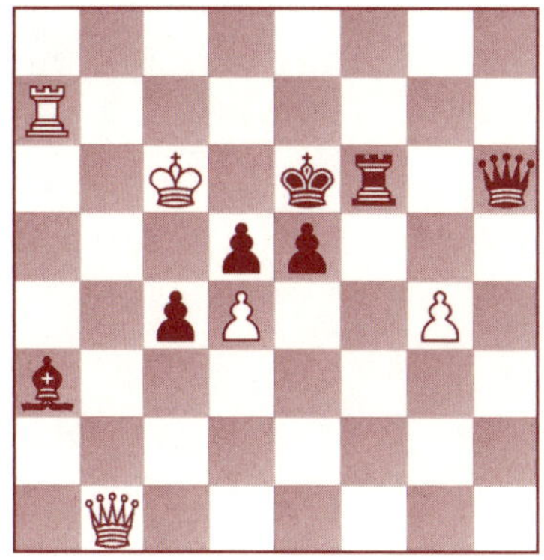

Weiß zieht und setzt in zwei Zügen matt.

Ganz schön 95

Weiß zieht und setzt in drei Zügen matt.

Ganz schön schwer 96

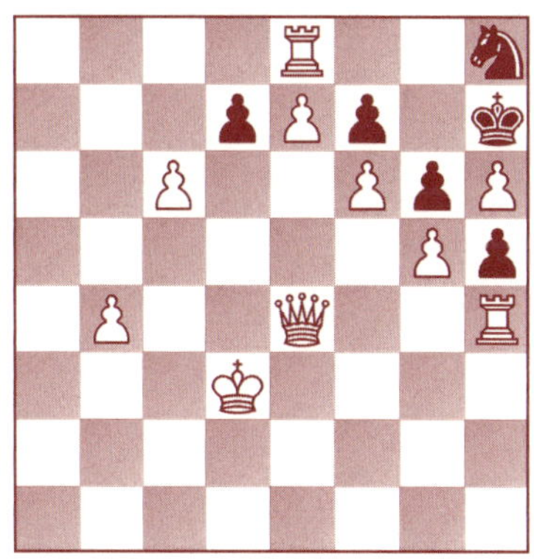

Weiß zieht und setzt in drei Zügen matt.

Ganz leicht 97

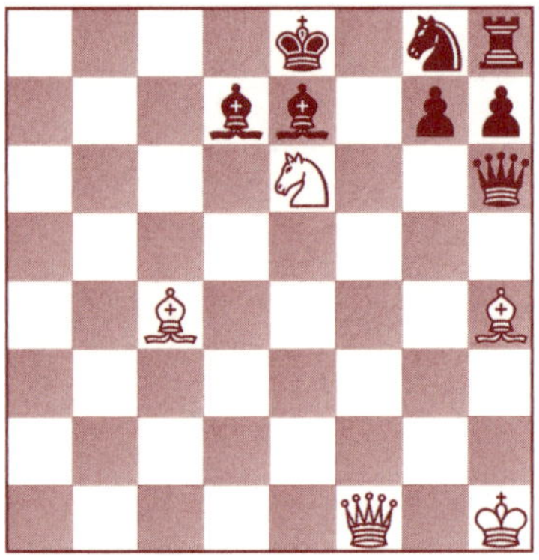

Weiß zieht und setzt in zwei Zügen matt.

Ganz schön 98

Weiß zieht und setzt in drei Zügen matt.

Ganz schön schwer 99

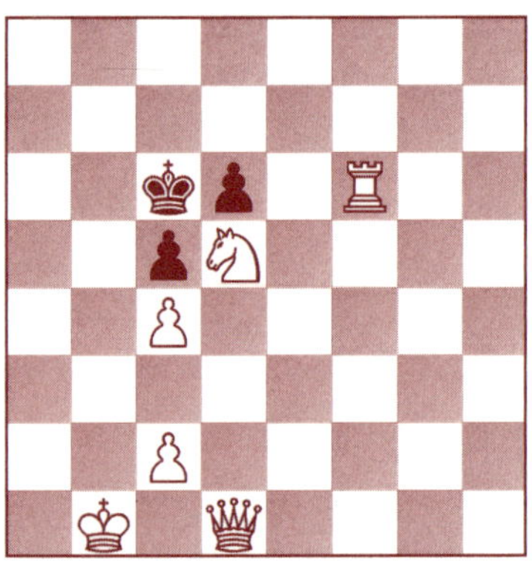

Weiß zieht und setzt in drei Zügen matt.

J

Ganz leicht 100

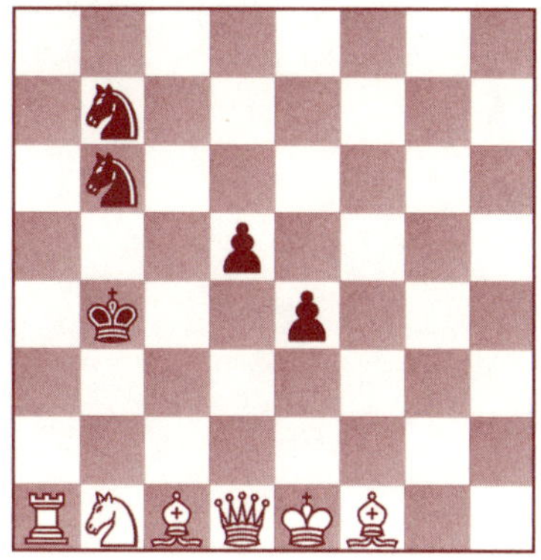

Weiß zieht und setzt in zwei Zügen matt.

Ganz schön 101

Weiß zieht und setzt in drei Zügen matt.

Ganz schön schwer 102

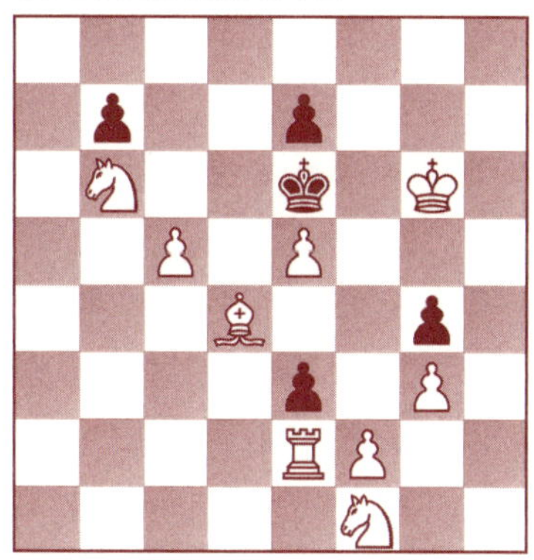

Weiß zieht und setzt in drei Zügen matt.

Ganz leicht 103

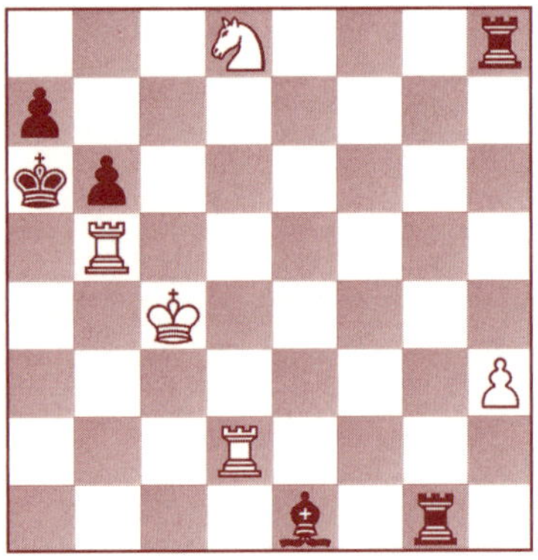

Weiß zieht und setzt in zwei Zügen matt.

Ganz schön 104

Weiß zieht und setzt in drei Zügen matt.

Ganz schön schwer 105

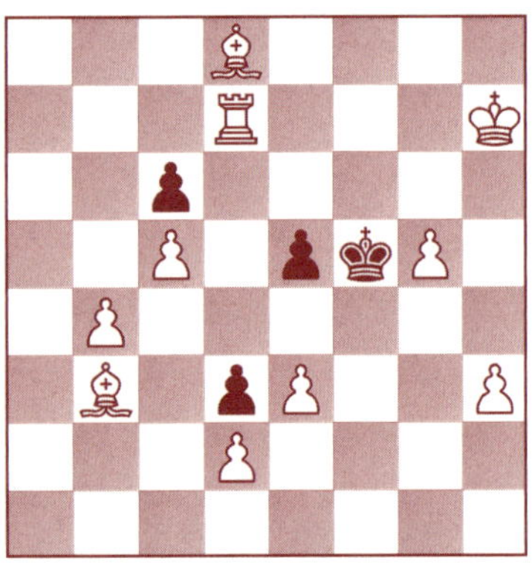

Weiß zieht und setzt in drei Zügen matt.

K

Ganz leicht 106

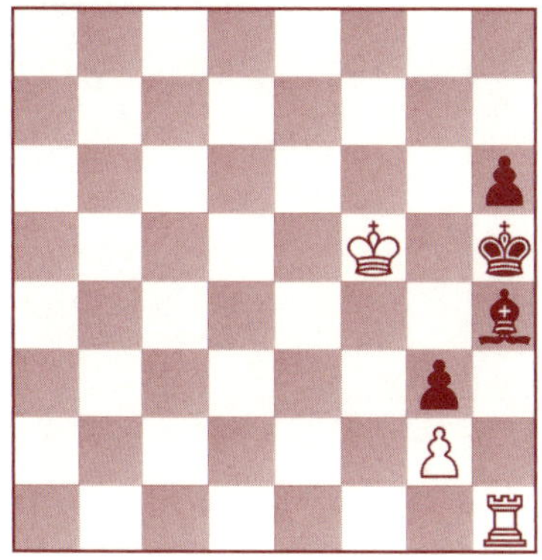

Weiß zieht und setzt in zwei Zügen matt.

Ganz schön 107

Weiß zieht und setzt in drei Zügen matt.

Ganz schön schwer 108

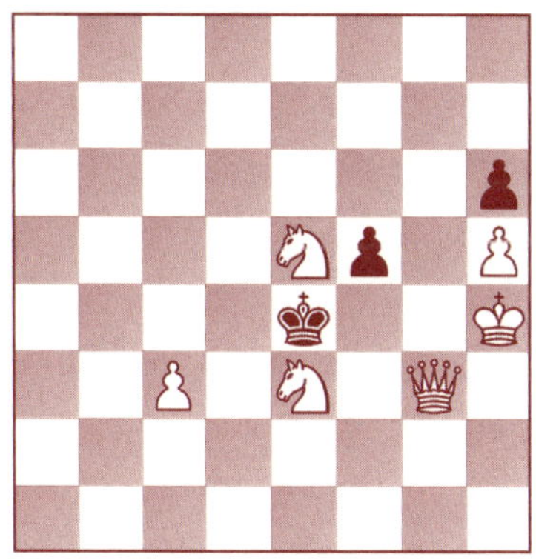

Weiß zieht und setzt in drei Zügen matt.

Ganz leicht 109

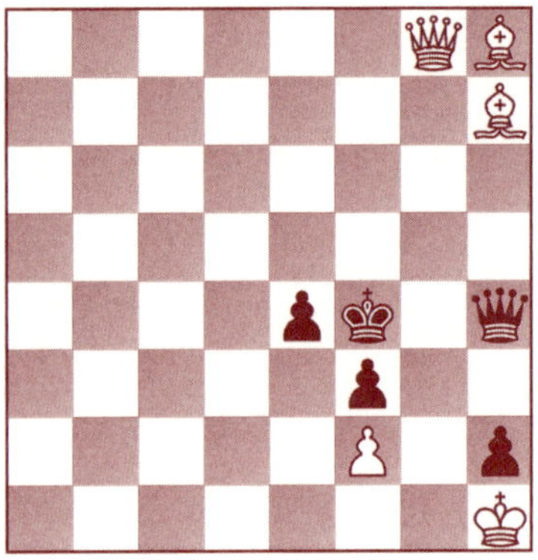

Weiß zieht und setzt in zwei Zügen matt.

Ganz schön 110

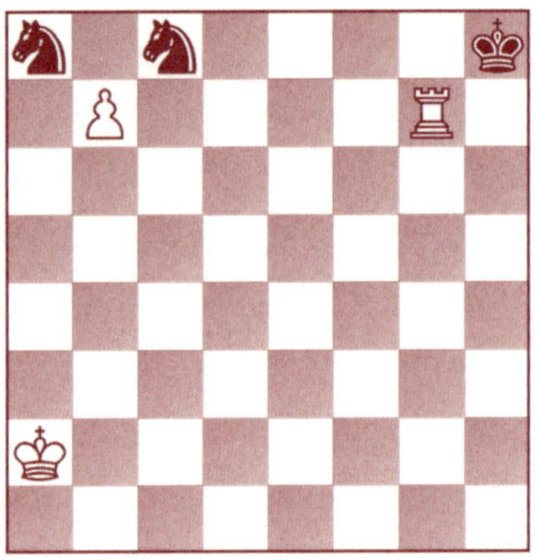

Weiß zieht und setzt in drei Zügen matt.

Ganz schön schwer 111

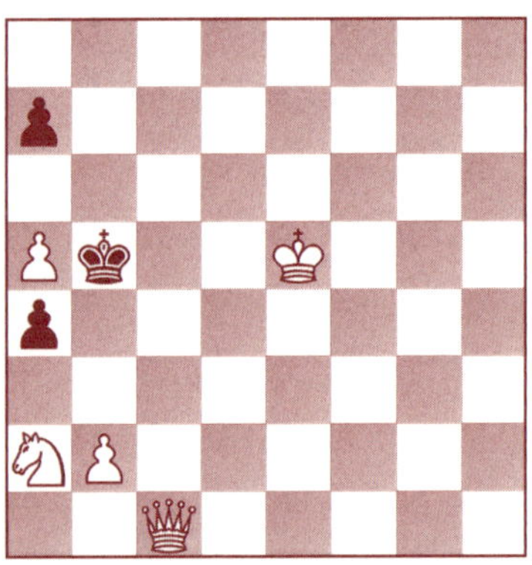

Weiß zieht und setzt in drei Zügen matt.

24.1.93, 21.2.93 (vs Dür, Staatsliga 1993), 21.3.93 (vs Kasparow, Linares 1993; vs Salov, Linares 1993), 11.4.93, 25.4.93, 2.5.93 (Kamsky vs, Dortmund 1993; Lautier vs, Dortmund 1993), 30.5.93, 11.7.93, 22.8.93, 29.8.93, 5.9.93 (vs Timman, Moskau 1992), 12.9.93 (Timman vs, 1. WM-Partie Zwolle 1993; vs Timman, 2. WM-Partie Zwolle 1993), 19.9.93 (vs Timman, 6. WM-Partie Arnheim), 26.9.93 (Timman vs, 9. WM-Partie Amsterdam 1993), 3.10.93 (vs Timman, 10. WM-Partie Amsterdam 1993), 24.10.93 (vs Timman, 14. WM-Partie Djakarta 1993), 31.10.93 (Timman vs, 15. WM-Partie Djakarta 1993; vs Timman, 16. WM-Partie Djakarta 1993), 7.11.93 (Timman vs, 20. WM-Partie Djakarta), 9.1.94 (vs Jussupow, Tilburg 1993), 30.1.94, 13.3.94 (Kasparow vs, Linares 1994), 20.3.94 (vs Topalov, Linares 1994), 27.3.94 (vs Barejew, Linares 1994; vs Polgar Ju., Linares 1994; vs Beljawski, Linares 1994; vs Kortschnoi, Baguio City 1978), 15.5.94 (vs Hrdlicka, Wien 1980), 22.5.94 (Hort vs, Amsterdam 1981), 7.8.94 (vs Kortschnoi, Dortmund 1994), 14.8.94, 25.9.94, 9.10.94 (Kurajica vs, Tilburg 1994), 30.10.94, 18.12.94, 8.1.95, 15.1.95, 26.2.95 (vs Gelfand, 6. Partie Sanghi Nagar 1995), 2.4.95, 23.4.95 (Iwantschuk vs, Blindpartie Monaco 1995; vs Larsen, Tilburg 1982), 21.5.95 (Kamsky vs, Dos Hermanas 1995), 28.5.95, 2.7.95, 3.9.95 (vs Lautier, Dortmund 1995; vs Gavrikov, Baden-Baden 1995), 22.10.95 (Fischer vs, WM 1975 letzte und entscheidende Partie, USA 1984), 29.10.95, 10.12.95, 14.1.96 (vs Hansen, Groningen 1995; Topalov vs, Varna 1995), 24.3.96, 31.3.96, 7.4.96, 9.6.96, 16.6.96 (vs Kamsky, 1. WM-Partie Elista 1996), 23.6.96 (Kamsky vs, 4. WM-Partie Elista 1996; Kamsky vs, 6. WM-Partie Elista 1996), 30.6.96 (vs Kamsky, 9. WM-Partie Elista 1996; Kamsky vs, 10. WM-Partie Elista 1996), 7.7.96 (vs Kamsky, 13. WM-Partie Elista 1996), 14.7.96 (Kamsky vs, 16. WM-Partie Elista 1996), 18.8.96, 25.8.96, 6.10.96, 13.10.96, 10.11.96, 24.11.96 (van Wely vs, Blitz Cap d'Agde 1996; Magem Badals vs, Cap d'Agde 1996), 22.12.96, 29.12.96 (Kasparow vs, Las Palmas 1996), 12.1.97, 2.2.97, 23.2.97, 2.3.97, 13.4.97, 15.6.97, 20.7.97, 23.11.97 (vs Miles, Skara 1980), 14.12.97, 28.12.97, 4.1.98, 11.1.98 (vs Anand, 1. Partie Lausanne 1998; Anand vs, 2. Partie Lausanne 1998; vs Anand, 3. Partie Lausanne 1998), 18.1.98 (Anand vs, 4. Partie Lausanne 1998; vs Anand, 5. Partie Lausanne 1998; Anand vs, 6. Partie Lausanne 1998), 1.2.98 (Salov vs, Wijk aan Zee 1998), 8.2.98 (van der Sterren vs, Wijk aan Zee 1998), 8.3.98, 15.3.98, 3.5.98 (Kasparow vs, 24. WM-Partie Sevilla 1987), 17.5.98 (vs Kramnik, Monte Carlo 1998), 31.5.98, 28.6.98, 5.7.98 (vs Polgar Ju., Budapest 1998), 18.10.98, 15.11.98, 6.3.99, 17.4.99, 24.4.99, 15.5.99, 19.6.99 (vs Anand, 1. Partie Léon 1999; vs Anand, 3. Partie Léon 1999; vs Anand, 5. Partie Léon 1999), 26.6.99, 10.7.99 (Kramnik vs, Frankfurt 1999; Kasparow vs, Frankfurt 1999), 24.7.99, 14.8.99, 4.9.99, 11.9.99 (vs Taimanow, Leningrad 1977), 29.1.00, 15.4.00, 6.5.00, 20.5.00 (vs Schirow, Monaco 2000), 24.6.00 (/Gik), 30.12.00, 17.2.01, 3.3.01 (Schirow vs, Linares 2001), 10.3.01 (Kasparow vs, Linares 2001), 29.9.01 (vs Mecking, Buenos Aires 2001), 17.11.01 (vs Miles, Skara 1980), 8.12.01, 22.12.01, 19.1.02, 2.2.02, 4.5.02, 11.5.02 (vs Short, Prag 2002; Anand vs, Prag 2002), 25.5.02, 5.10.02, 12.10.02, 28.12.02 (vs Kasparow, 1. Partie New York 2002; Kasparow vs, 2. Partie New York 2002), 25.1.03 (vs Polgar Ju., Wijk aan Zee 2003), 1.2.03, 26.4.03, 17.5.03, 24.5.03, 21.6.03 (vs Asmaiparaschwili, Moskau 1983), 25.10.03 (Polgar Ju. vs, Essent 2003), 22.11.03, 26.6.04, 11.12.04, 19.3.05, 23.4.05 (vs Hamarat, Wien 2005), 30.4.05 (vs Hort, Moskau 1971), 13.8.05, 20.8.05, 25.3.06, 7.10.06, 14.10.06, 17.3.07, 14.4.07, 13.10.07, 5.1.08, 23.8.08, 31.10.08, 8.11.08, 15.11.08, 6.12.08 (Jackova vs, Mariánské Lazne 2008), 24.1.09 (vs Polgar Ju., Vitoria Gasteiz 2007), 3.10.09 (Kasparow vs Valencia 2009), 14.11.09 (vs Anand, 4. Matchpartie Ajaccio 2009), 12.12.09

Karsten 4.3.00 (vs Schneider, Budapest 1989)

Kasan 1.12.96, 14.8.99, 28.2.04

Kasanzew Alexander 20.4.97 (Schachmati v SSSR 1953), 22.2.03 (Schachmati v SSSR 1953; Meisterschaft für Schachkomposition 1952; Dar Kaissi 1983)

Kaschgalejew Murtas 15.11.08 (vs Iwantschuk, Almaty 2008)

Kasimdschanow Rustam 24.1.99, 31.1.99, 7.2.99, 9.2.02, 15.6.02, 2.11.02 (Anand vs, Hyderabad 2002), 14.6.03, 16.10.04,

Ganz leicht 112

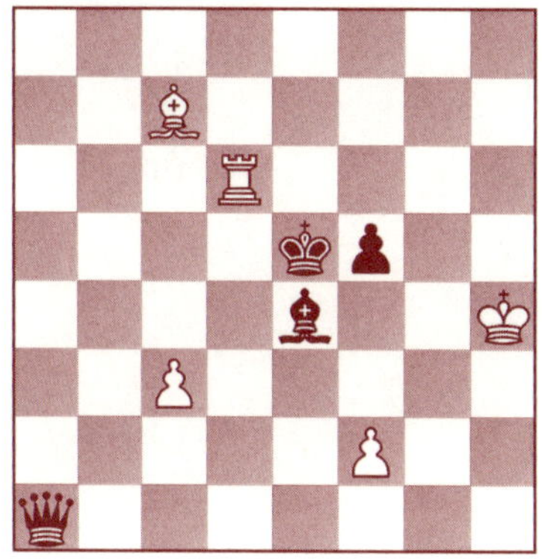

Weiß zieht und setzt in zwei Zügen matt.

Ganz schön 113

Weiß zieht und setzt in drei Zügen matt.

Ganz schön schwer 114

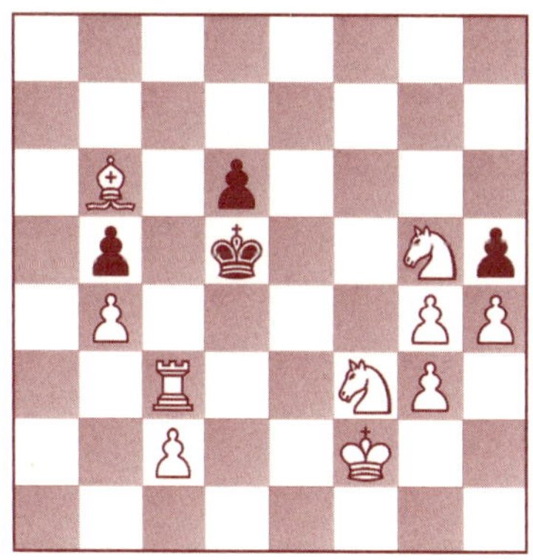

Weiß zieht und setzt in vier Zügen matt.

Ganz leicht 115

Weiß zieht und setzt in zwei Zügen matt.

Ganz schön 116

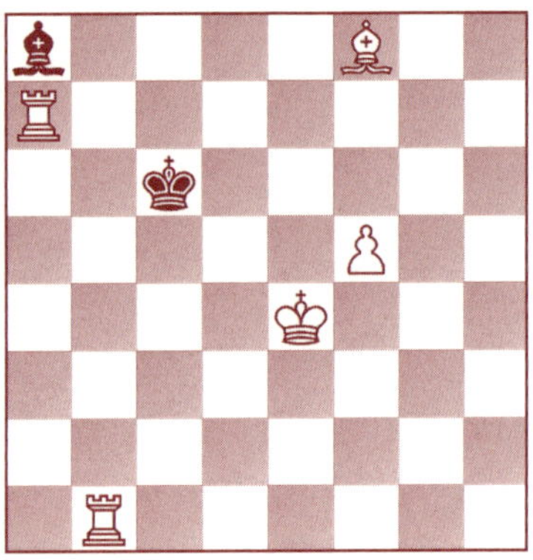

Weiß zieht und setzt in drei Zügen matt.

Ganz schön schwer 117

Weiß zieht und setzt in vier Zügen matt.

1995), 1.10.95 (Anand vs, 9. Partie New York 1995; vs Anand, 10. Partie New York 1995), 8.10.95 (Anand vs, 11. Partie New York 1995; Anand vs, 13. Partie New York 1995; vs Anand, 14. Partie New York 1995), 15.10.95 (Anand vs, 17. Partie New York 1995; vs Portisch, Niksic 1983), 19.11.95 (vs Iwantschuk, Horgen 1995), 10.12.95 (Morosewitsch vs, Paris 1995; Anand vs, Paris 1995), 17.12.95, 14.1.96, 21.1.96, 25.2.96 (Deep Blue vs, 1. Partie Philadelphia 1996; vs Deep Blue, 6. Partie Philadelphia 1996), 31.3.96, 7.4.96, 21.4.96, 26.5.96, 9.6.96, 7.7.96, 14.7.96, 25.8.96, 29.9.96, 6.10.96 (vs Hracek, Erewan 1996), 13.10.96, 22.12.96, 29.12.96 (vs Karpow, Las Palmas 1996; vs Iwantschuk, Las Palmas 1996), 2.2.97, 23.2.97 (vs Nikolic, Linares 1997; vs Kramnik, Linares 1997), 2.3.97 (Topalov vs, Linares 1997), 4.5.97 (Deep Blue vs, 1. Partie Philadelphia 1996), 11.5.97 (vs Deep Blue, 1. Partie New York 1997; 2. Partie Deep Blue vs, New York 1997), 18.5.97 (Deep Blue vs 2.Partie; Deep Blue vs, 6. Partie New York 1997), 25.5.97, 15.6.97, 29.6.97 (vs Short, Nowgorod 1997; Kramnik vs, Nowgorod 1997), 28.9.97 (Sorin vs, Buenos Aires 1997), 5.10.97 (vs Polgar Ju., Tilburg 1997), 12.10.97 (Svidler vs, Tilburg 1997), 30.11.97 (vs ICC-Team, London 1997), 21.12.97, 18.1.98, 1.2.98, 8.2.98, 8.3.98, 15.3.98, 3.5.98 (vs Karpow, 24. WM-Partie Sevilla 1987), 17.5.98 (vs Topalov, Sofia 1998), 31.5.98 (vs Huzman, Tel Aviv 1998; Sutovsky vs, Tel Aviv 1998), 7.6.98, 14.6.98, 21.6.98 (vs Topalov, 2. Partie Léon 1998; vs Topalov, 4. Partie Léon 1998), 28.6.98 (Kramnik vs, Frankfurt 1998; Anand vs, Frankfurt 1998), 5.7.98, 12.7.98, 16.8.98, 30.8.98, 6.9.98, 20.9.98 (Timman vs, Prag 1998), 18.10.98, 13.12.98 (vs Kramnik, Blitz-Wettkampf 11. Partie Moskau 1998), 24.1.99 (vs van Wely, Wijk aan Zee 1999), 31.1.99 (vs Topalov, Wijk aan Zee 1999), 7.2.99 (vs Svidler, Wijk aan Zee 1999), 6.3.99 (Iwantschuk vs, Linares 1999), 13.3.99 (Anand vs, Linares 1999), 20.3.99 (Topalov vs, Linares 1999), 8.5.99, 22.5.99, 29.5.99 (vs Short, Sarajewo 1999), 5.6.99 (vs Adams, Sarajewo 1999), 10.7.99 (vs Karpow, Frankfurt 1999), 24.7.99, 21.8.99, 28.8.99, 4.9.99, 2.10.99, 9.10.99, 24.12.99 (vs Die Welt, Internet 1999), 8.1.00 (vs Ribli, Skelleftea 1989), 22.1.00, 29.1.00 (vs van Wely, Wijk aan Zee 2000), 5.2.00 (vs Polgar J., Wijk aan Zee 2000), 12.2.00, 26.2.00 (vs Adams, Internet Grand Prix 2000; Piket vs, Finale Internet Grand Prix 2000), 11.3.00 (Anand vs, Linares 2000), 18.3.00 (Kramnik vs, Linares 2000), 1.4.00, 20.5.00, 27.5.00 (vs Gurevich M., Sarajewo 2000), 3.6.00 (Movsesian vs, Sarajewo 2000), 10.6.00 (vs Georgiev K., Sarajewo 2000), 1.7.00, 15.7.00, 22.7.00, 5.8.00, 7.10.00 (Kramnik vs, Las Palmas 1996), 14.10.00 (vs Kramnik, 1. WM-Partie London 2000; Kramnik vs, 2. WM-Partie London 2000), 21.10.00 (Kramnik vs, 4. WM-Partie London 2000), 28.10.00 (Kramnik vs, 6. WM-Partie London 2000; Kramnik vs, 8. WM-Partie London 2000), 4.11.00 (Kramnik vs, 10. WM-Partie London 2000; Kramnik vs, 12. WM-Partie London 2000), 11.11.00 (Kramnik vs, 14. WM-Partie London 2000; vs Kramnik, 15. WM-Partie London 2000), 18.11.00, 16.12.00, 23.12.00, 30.12.00, 20.1.01 (Fedorow vs, Wijk aan Zee 2001), 27.1.01 (vs Topalov, Wijk aan Zee 2001), 3.2.01 (vs Schirow, Wijk aan Zee 2001), 3.3.01 (Schirow vs, Linares 2001), 10.3.01 (vs Karpow, Linares 2001; Polgar J. vs, Linares 2001), 31.3.01 (vs Barejew, Cannes 2001), 19.5.01 (Kramnik vs, Zürich 2001), 9.6.01 (vs Kramnik, Kasachstan 2001), 23.6.01, 20.10.01, 27.10.01 (vs Movsesian, Prag 2001; vs Oral, Prag 2001), 8.12.01, 15.12.01, 29.12.01 (vs Kramnik, 2. Partie (Turnier) Moskau 2001; vs Kramnik, 8. Partie (Blitz) Moskau 2001), 12.1.02, 2.2.02, 2.3.02 (vs Anand, Linares 2002), 9.2.02, 9.3.02 (vs Adams, Linares 2002), 16.3.02 (vs Ponomarjow, Linares 2002), 4.5.02, 11.5.02, 18.5.02 (vs Polgar J., Prag 2002), 25.5.02, 15.6.02 (vs Radjabow, Moskau 2002), 13.7.02, 20.7.02, 27.7.02, 17.8.02, 21.9.02 (Polgar J. vs, Moskau 2002), 28.9.02, 5.10.02, 26.10.02, 16.11.02 (Sasikiran vs, Bled 2002), 28.12.02 (Karpow vs, 1. Partie New York 2002; vs Karpow, 2. Partie New York 2002), 4.1.03, 11.1.03, 25.1.03, 1.2.03 (vs Deep Junior, 1. Partie New York 2003, 8.2.03 (Deep Junior vs, 2. Partie New York 2003; vs Deep Junior, 3. Partie New York 2003), 15.2.03 (vs Deep Junior, 5. Partie New York 2003), 1.3.03, 8.3.03 (vs Ponomarjow, Linares 2003), 15.3.03,

Ganz leicht 118

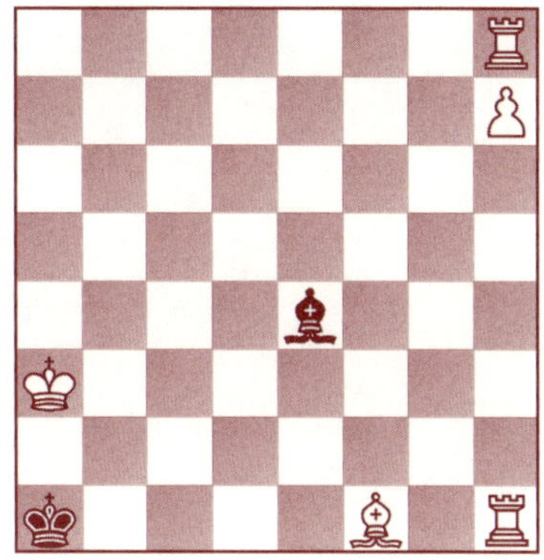

Weiß zieht und setzt in zwei Zügen matt.

Ganz schön 119

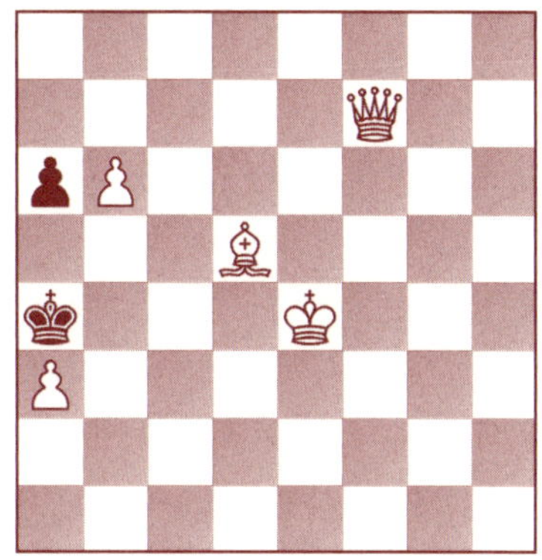

Weiß zieht und setzt in drei Zügen matt.

Ganz schön schwer 120

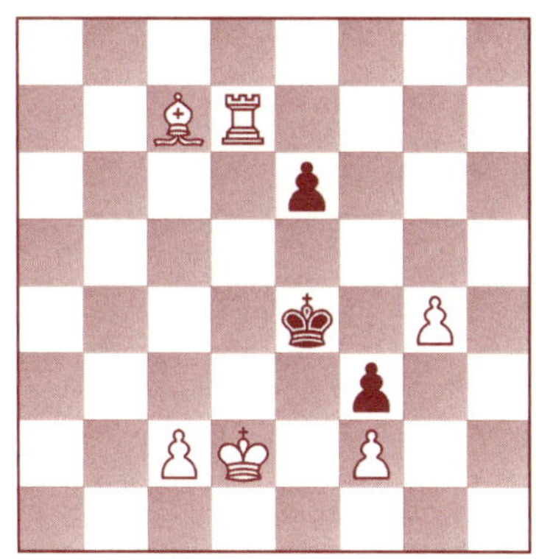

Weiß zieht und setzt in vier Zügen matt.

Ganz leicht 121

Weiß zieht und setzt in zwei Zügen matt.

Ganz schön 122

Weiß zieht und setzt in drei Zügen matt.

Ganz schön schwer 123

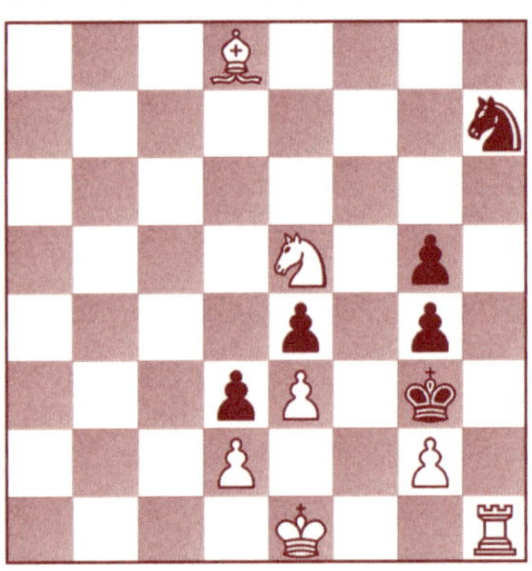

Weiß zieht und setzt in vier Zügen matt.

Ganz leicht 124

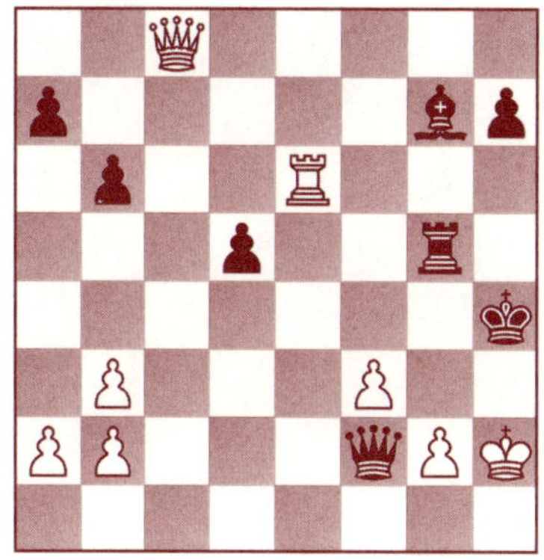

Weiß zieht und setzt in zwei Zügen matt.

Ganz schön 125

Weiß zieht und setzt in drei Zügen matt.

Ganz schön schwer 126

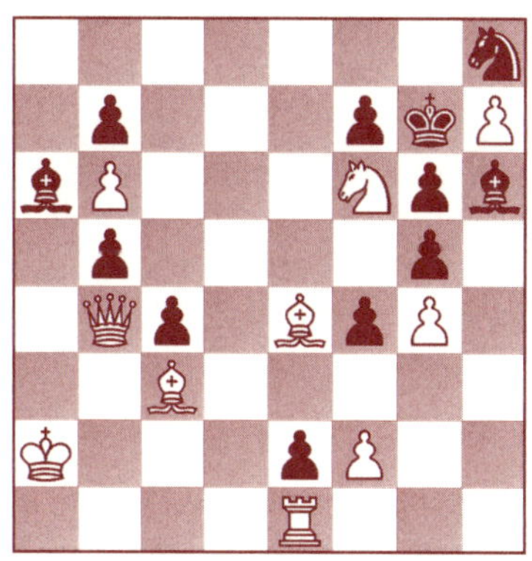

Weiß zieht und setzt in vier Zügen matt.

Ganz leicht 127

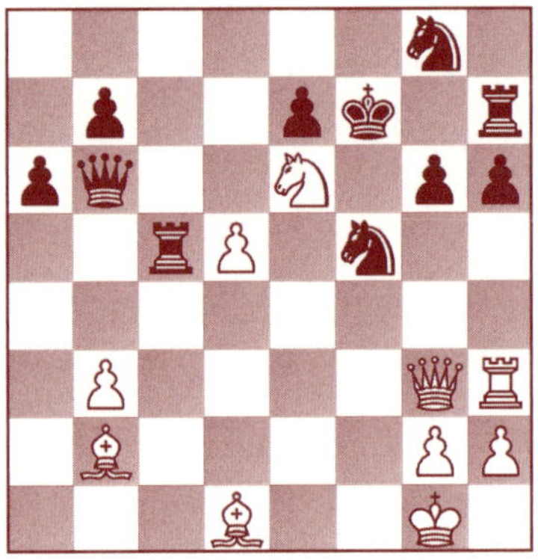

Weiß zieht und setzt in zwei Zügen matt.

Ganz schön 128

Weiß zieht und setzt in drei Zügen matt.

Ganz schön schwer 129

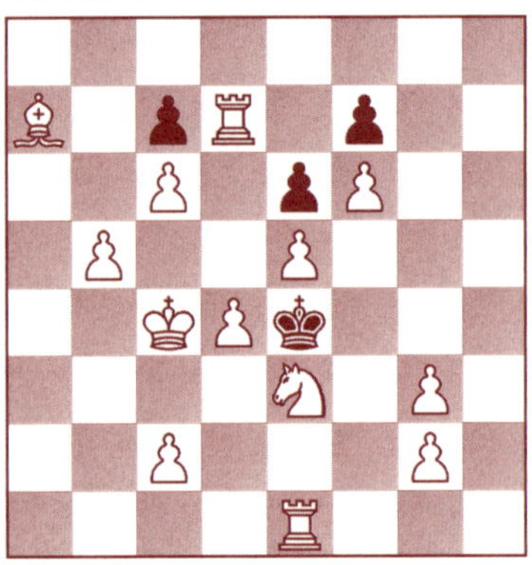

Weiß zieht und setzt in vier Zügen matt.

15.3.98 (vs Svidler, Linares 1998), 17.5.98 (Karpow vs, Monte Carlo 1998; van Wely vs, Monte Carlo 1998), 7.6.98 (Schirow vs, 4. Partie Cazorla 1998; vs Schirow, 5. Partie Cazorla 1998), 14.6.98 (vs Schirow, 7. Partie Cazorla 1998; vs Schirow, 9. Partie Cazorla 1998), 28.6.98 (vs Kasparow, Frankfurt 1998), 12.7.98 (vs Jussupow, Dortmund 1998), 30.8.98, 20.9.98, 18.10.98, 15.11.98 (Anand vs, Tilburg 1998; vs Lautier, Tilburg 1998), 13.12.98 (Kasparow vs, Blitz-Wettkampf 11. Partie Moskau 1998), 24.1.99, 31.1.99, 7.2.99 (Schirow vs, Belgrad 1999), 6.3.99, 13.3.99, 17.4.99, 24.4.99, 15.5.99, 5.6.99, 10.7.99 (vs Karpow, Frankfurt 1999), 24.7.99, 14.8.99, 21.8.99, 22.1.00, 29.1.00 (vs Short, Wijk aan Zee 2000), 5.2.00, 11.3.00 (Chalifman vs, Linares 2000), 18.3.00 (vs Kasparow, Linares 2000), 3.6.00, 10.6.00, 1.7.00, 22.7.00 (vs Deep Junior 6, Dortmund 2000), 7.10.00 (vs Kasparow, Las Palmas 1996), 14.10.00 (Kasparow vs, 1. WM-Partie London 2000; vs Kasparow, 2. WM-Partie London 2000), 21.10.00 (vs Kasparow, 4. WM-Partie London 2000), 28.10.00 (vs Kasparow, 6. WM-Partie London 2000; vs Kasparow, 8. WM-Partie London 2000), 4.11.00 (vs Kasparow, 10. WM-Partie London 2000; vs Kasparow, 12. WM-Partie London 2000), 11.11.00 (vs Kasparow, 14. WM-Partie London 2000; Kasparow vs, 15. WM-Partie London 2000), 18.11.00, 16.12.00, 23.12.00, 5.1.01, 13.1.01 (vs Leko, 1. Partie Schnellschach Budapest 2001; Leko vs, 8. Partie Schnellschach Budapest 2001), 20.1.01, 27.1.01, 3.2.01, 3.3.01, 10.3.01, 19.5.01 (vs Kasparow, Zürich 2001), 9.6.01 (Kasparow vs, Kasachstan 2001), 7.7.01 (vs Anand, 5. Partie Mainz 2001), 20.10.01, 8.12.01, 15.12.01, 29.12.01 (Kasparow vs, 2. Partie (Turnier) Moskau 2001; Kasparow vs, 8. Partie (Blitz) Moskau 2001), 12.1.02, 4.5.02, 11.5.02, 18.5.02 (Hrácek vs, Prag 2002), 15.6.02, 6.7.02 (vs Anand, 3. Partie Léon 2002), 13.7.02, 20.7.02, 27.7.02, 17.8.02, 21.9.02, 5.10.02, 12.10.02, 19.10.02 (Deep Fritz vs, 3. Partie Manama 2002; vs Deep Fritz, 6. Partie Manama 2002), 26.10.02 (vs Deep Fritz, 6. Partie (Analyse) Manama 2002), 4.1.03, 25.1.03, 1.2.03, 8.2.03, 8.3.03 (vs Radjabow, Linares 2003), 15.3.03, 5.4.03 (vs Topalov, Blindpartie Monte Carlo 2003), 7.6.03, 16.8.03, 31.1.04 (Adams vs, Wijk aan Zee 2004), 7.2.04 (Hübner vs, Brissago 2004; vs Dautov, Brissago 2004), 28.2.04, 6.3.04, 13.3.04 (Leko vs, Linares 2004), 22.5.04, 5.6.04, 26.6.04, 2.10.04 (Leko vs, 1. WM-Partie Brissago 2004), 9.10.04 (Leko vs, 5. WM-Partie Brissago 2004), 16.10.04 (vs Leko, 8. WM-Partie Brissago 2004), 23.10.04 (vs Leko, 14. WM-Partie Brissago 2004), 30.10.04, 13.11.04, 27.11.04, 4.12.04, 18.12.04, 15.1.05, 29.1.05 (vs Sokolov I., Wijk aan Zee 2005), 5.2.05, 12.2.05 (vs Topalov, Wijk aan Zee 2005), 26.3.05, 9.4.05, 23.4.05, 28.5.05, 4.6.05 (Adams vs, Sofia 2005), 9.7.05, 23.7.05, 1.10.05, 7.1.06, 21.1.06, 8.4.06, 22.4.06 (Topalov vs, Linares 1999), 17.6.06 (vs Bruzon, Turin 2006), 8.7.06, 12.8.06, 19.8.06, 26.8.06, 2.9.06, 9.9.06 (Iwantschuk vs, Dos Hermanas 1996; vs Kasparow, Nowgorod 1997), 16.9.06, 23.9.06, 30.9.06 (Topalov vs, 2. WM-Partie Elista 2006), 7.10.06, 14.10.06 (vs Topalov, 10. WM-Partie Elista 2006), 21.10.06 (Topalov vs, WM 3. Playoff-Partie Elista 2006; vs Topalov, WM 4. Playoff-Partie 2006), 4.11.06, 30.12.06 (Deep Fritz vs, Bonn 2006), 5.1.07, 20.1.07, 3.2.07 (vs van Wely, Wijk aan Zee 2007), 24.2.07, 31.3.07, 14.4.07, 19.5.07 (Aronian vs, 4. Partie Jerewan 2007), 26.5.07, 16.6.07, 14.7.07 (vs Carlsen M., Dortmund 2007), 8.9.07, 22.9.07 (vs Morosewitsch, Mexiko City 2007) , 29.9.07 (Morosewitsch vs, Mexiko City 2007), 6.10.07, 3.11.07, 24.11.07 (vs Schirow, Moskau 2007), 1.12.07 (vs Anand, Blitz-WM Moskau 2007), 5.1.08, 2.2.08 (vs Carlsen M., Wijk aan Zee 2008), 23.2.08, 8.3.08, 17.5.08 (vs Anand, Nizza 2008), 12.7.08 (Naiditsch vs, Dortmund 2008), 23.8.08, 20.9.08, 25.10.08 (vs Anand, 3. WM-Partie Bonn 2008; vs Anand, 5.WM-Partie Bonn 2008), 31.10.08 (vs Anand, 10. WM-Partie Bonn 2008), 8.11.08 (Anand vs, 9. WM-Partie Bonn 2008; Anand vs, 11. WM-Partie Bonn 2008), 22.11.08, 13.12.08, 7.2.09, 4.4.09, 18.4.09, 11.7.09, 18.7.09 (Naiditsch vs Dortmund 2009), 14.11.09, 21.11.09 (Morosewitsch vs, Moskau 2009), 24.12.09, 30.1.10, 6.2.10 (Carlsen M. vs, Wijk aan Zee 2010), 13.2.10

Krankl Hans 23.8.03

Krasenkow Michail 19.8.90, 25.11.90, 25.1.03, 1.2.03, 14.4.07, 14.7.07

Kraßnig Otto 12.5.01

Ganz leicht 130

Weiß zieht und setzt in zwei Zügen matt.

Ganz schön 131

Weiß zieht und setzt in drei Zügen matt.

Ganz schön schwer 132

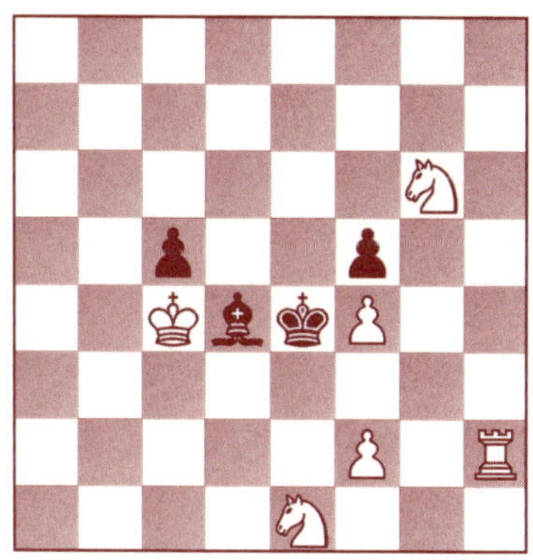

Weiß zieht und setzt in vier Zügen matt.

Ganz leicht 133

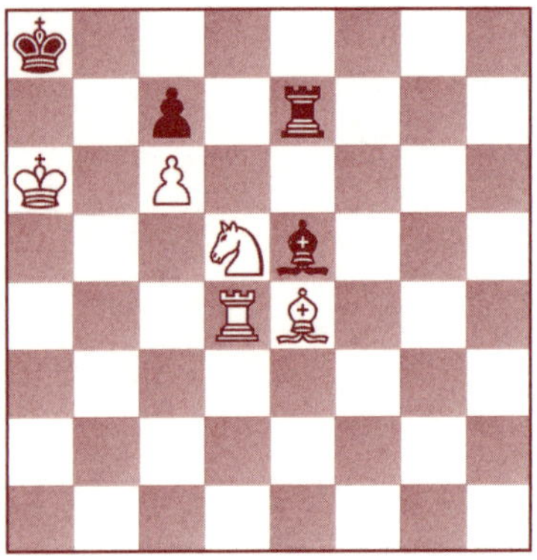

Weiß zieht und setzt in zwei Zügen matt.

Ganz schön 134

Weiß zieht und setzt in drei Zügen matt.

Ganz schön schwer 135

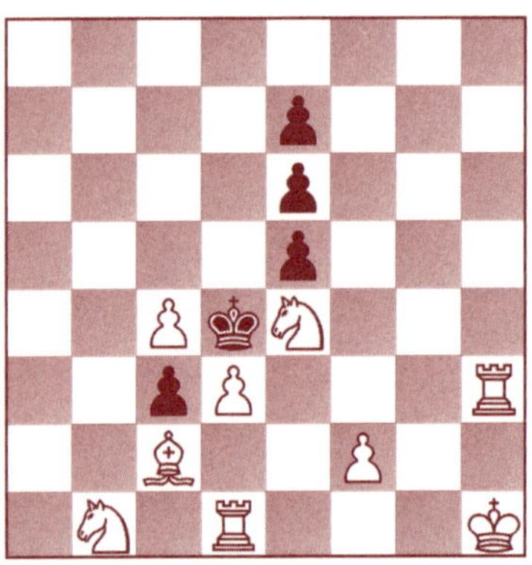

Weiß zieht und setzt in vier Zügen matt.

Kratky Alfred 21.5.95 (Müllner vs, Wien 1958)
Kraus Herbert (Neurochirurg) 28.2.09
Kraus Karl 4.8.96, 18.8.01, 13.3.04, 10.5.08
Krebelder Michael 5.1.02
Kreisky Bruno 14.5.05
Kreisl Robert 6.9.08
Krejcik-Gambit 21.4.07
Krejcik Josef Emil 3.3.96 (vs Vranovits, Wien 1954), 4.8.96 ([ohne Dd1] vs Hirschhorn, Café Central Wien 1908; vs N.N., Café Central Wien 1906), 18.8.01 (Soyka vs, Café Central Wien 1911), 21.4.07 ([ohne Dd1] vs Hirschhorn, Wien 1909; (ohne Dd1) vs N.N., Wien 1908), 12.4.08 (1904), 19.4.08 (1940), 26.4.08 (1914), 3.5.08 (1926) , 10.5.08 (1917), 17.5.08 (1915), 24.5.08 (1912), 20.2.10
Krenn Anton 9.1.10 (Uksini vs, Graz 2009)
Kriegsschiff, das 9.9.90
Kristiansen Jens 16.6.91 (Larsen vs, Kopenhagen 1991)
Kristinsson Jon 25.9.99 (vs Kinnmark, Halle 1967)
Kristjánsson Gudmundur 24.4.04
Krivoshey Sergei 5.1.02 (Schneider vs, Aschach 2001), 11.1.03
Krivun Nikolaj Minovich 3.7.94 (Rupp vs, Fernpartie 1981)
Kriwitscha 28.6.92 (vs Hara, Kuldiga 1984)
Krizsany Laszlo 24.2.01 (Farago vs, Lienz 2001)
Kroggel Jürgen 26.11.05 (1992)
Krogius Nikolai 4.11.90
Kronsbein 21.3.09 (Rick vs, Frankfurt 1938)
Krpelan Wolfgang 31.7.99 (Zöbisch vs, Laaerbergbad Wien 1980)
Krulich Roman 7.12.07
Krummer Helmut 9.12.00
Krush Irina 14.7.01 (vs Shahade, New York 2001), 12.1.02 (Harikrishna vs, Hastings 2001/02), 2.11.02, 12.8.06, 24.10.09
Krylow Sergej 7.5.95 (vs Tarasow, UdSSR 1961), 7.6.98 (vs Tarasow, Moskau 1961)
Krystufek Peter 1.1.95 (1986; 1987), 31.12.99 (Schach-Logeleien 1987)
Kuala Lumpur 10.10.09
Kuba Günter 27.8.05, 8.4.06 (vs Srienz, ÖMM Ansfelden 2006), 12.9.09
Kubbel Leonid 30.12.90 (1990), 5.1.97 (1921), 25.9.04 (1909), 16.10.04 (1909), 26.9.09 (1908)
Kube Hannelore 1.6.02 (vs Bade, Ströbeck 1975)
Kubrick Stanley 20.10.07, 7.12.07
Kuczynski Robert 9.12.90 (Wedberg vs, Schacholympiade 1990)
Kudrin Sergej 21.7.91, 7.8.99
Kücherer 13.12.98 (vs Heinrich, Schach-Blitzturnier 1954)
Kuligowski Adam 31.7.04
Kumaran Dharshan 9.5.93 (vs Miles, Dublin 1993), 24.9.95
Kundin Alexander 2.10.99
Kunst (und Schach) 20.10.07 (Auzinger); 14.12.97, 6.12.98, 2.8.03, 1.12.07 (Bauhaus); 17.7.94, 11.2.06 (Breton); 12.7.03 (Calder); 9.8.03 (Cattelan); 2.8.03 (Chapman); 5.3.95, 18.11.99, 3.7.04 (Cook); 16.7.05, 11.2.06 (Dada); 31.12.99, 2.8.03, 31.12.04 (Dali); 2.8.03 (Danko); 22.5.94, 17.7.94, 24.7.94, 31.7.94, 25.11.00, 11.8.01, 11.10.03, 18.10.03, 11.2.06 (Duchamp); 12.7.03, 19.7.03, 2.8.03, 16.7.05, 25.4.09 (Fluxus); 12.7.03, 2.8.03, 11.4.09 (Hirst); 15.5.94 12.12.09 (Hrdlicka); 16.7.95 (Keats); 27.8.05- 10.9.05 (Komad); 26.7.03 (Kusama); 2.8.03 (McCarthy); 27.6.09 (Naegeli); 12.7.03, 11.2.06 (Nogutschi); 12.7.03, 11.10.03, 11.2.06 (Tanguy); 12.7.03, 11.2.06 (Tanning); 19.7.03 (Yoko Ono); 28.4.96, 4.5.96, 12.5.96, 19.5.96 (Ausstellung »Ein Lied der Vernunft«); 24.5.98 (Ausstellung »Spielwelten, Weltspiele«); 16.7.05 (Ausstellung »Faites vos Jeux«); 11.2.06 (Ausstellung »The Imagery of Chess«); 20.5.06 (Ausstellung »Mozart«); 12.5.07 (Ausstellung »Spielend reisen«); 7.6.08, 14.6.08 (Ausstellung »Games«); 19.7.08 (Ausstellung »Instant Chess«); 29.10.05 – 5.11.05 (Ausstellung »Lust am Denken«); 12.1.08 (Ausstellung »Schachnovelle«), 14.6.08 (Ausstellung »Games«)
Kuntze Friedrich 20.9.03 (1887)
Kupchik Abraham 21.12.02
Kupreitschik-Variante 25.2.06
Kupreitschik Viktor 25.2.06
Kurajica Bojan 19.8.90, 9.10.94 (vs Karpow, Tilburg 1994), 14.6.03, 30.8.03 (Lendwai vs, Wien 2003), 5.6.04 (Schirow vs, Sarajewo 2004)
Kure Alexander 21.11.93, 17.8.02, 23.8.03
Kurucsai Istvanne 30.1.94 (Ambelang vs, Budapest 1983),
Kurzdorfer Peter 5.1.92 (Christie vs, New York 1986)
Kurzschlüsse (Kurzpartien) 5.8.90, 31.5.92, 14.9.97, 28.2.99, 8.4.06

L

Ganz leicht 136

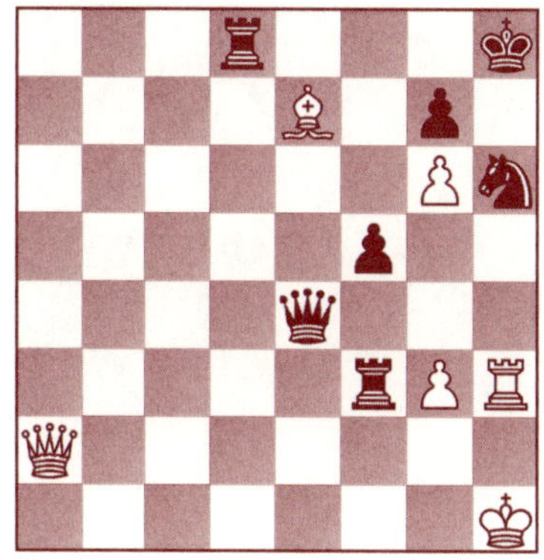

Weiß zieht und setzt in zwei Zügen matt.

Ganz schön 137

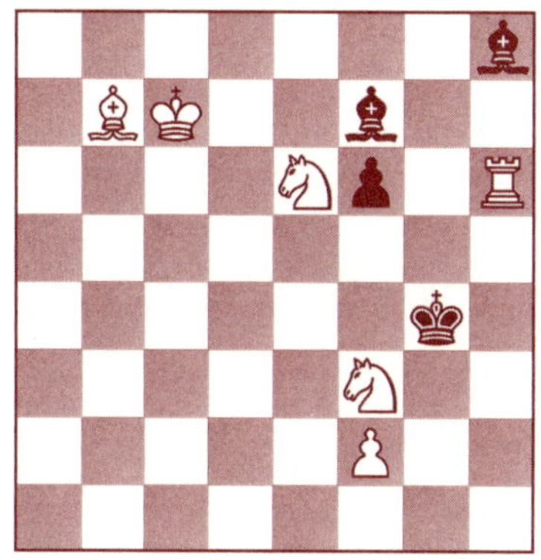

Weiß zieht und setzt in drei Zügen matt.

Ganz schön schwer 138

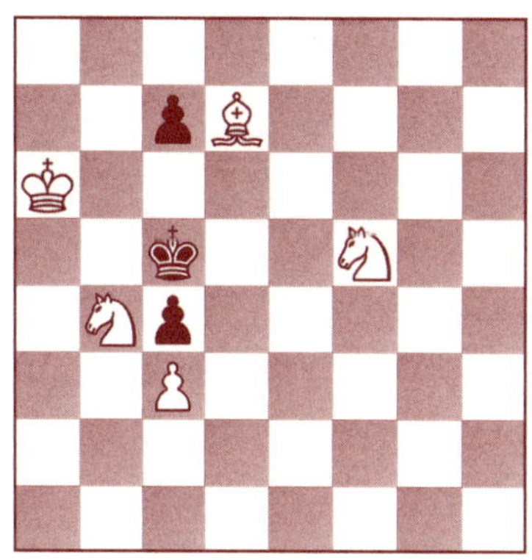

Weiß zieht und setzt in vier Zügen matt.

Ganz leicht 139

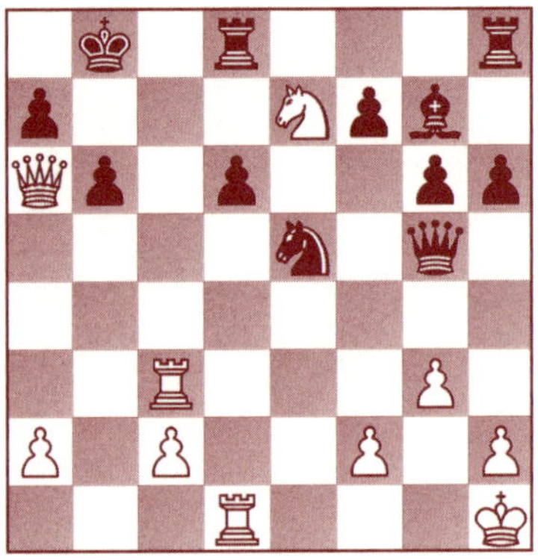

Weiß zieht und setzt in zwei Zügen matt.

Ganz schön 140

Weiß zieht und setzt in drei Zügen matt.

Ganz schön schwer 141

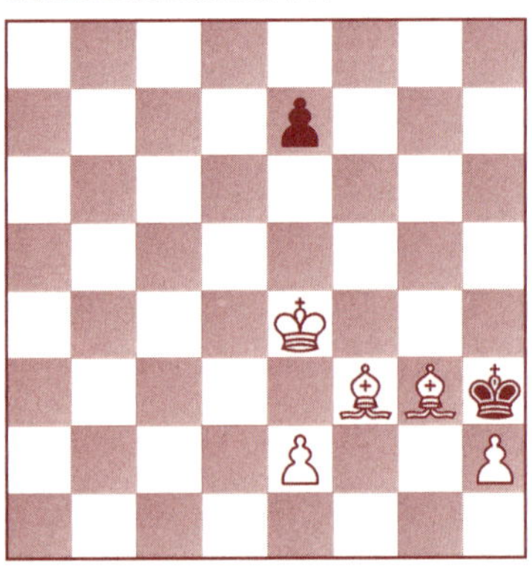

Weiß zieht und setzt in vier Zügen matt.

Ganz leicht 142

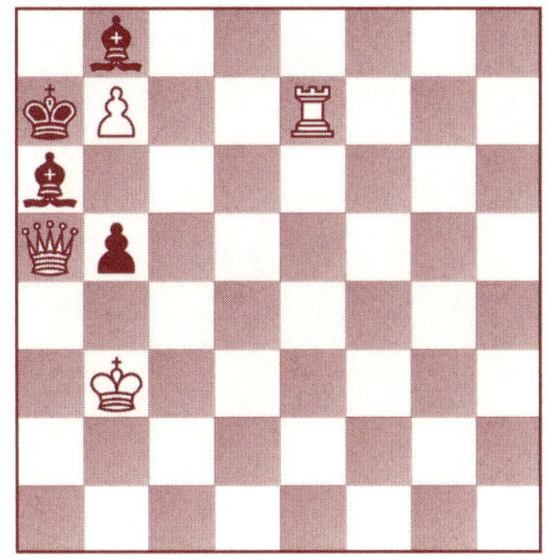

Weiß zieht und setzt in zwei Zügen matt.

Ganz schön 143

Weiß zieht und setzt in drei Zügen matt.

Ganz schön schwer 144

Weiß zieht und setzt in vier Zügen matt.

Ganz leicht 145

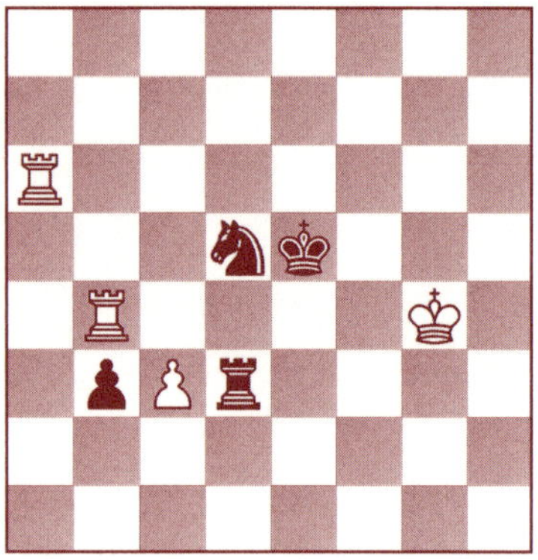

Weiß zieht und setzt in zwei Zügen matt.

Ganz schön 146

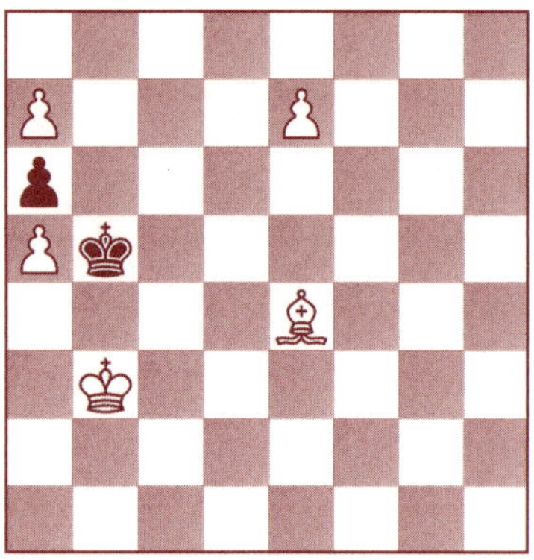

Weiß zieht und setzt in drei Zügen matt.

Ganz schön schwer 147

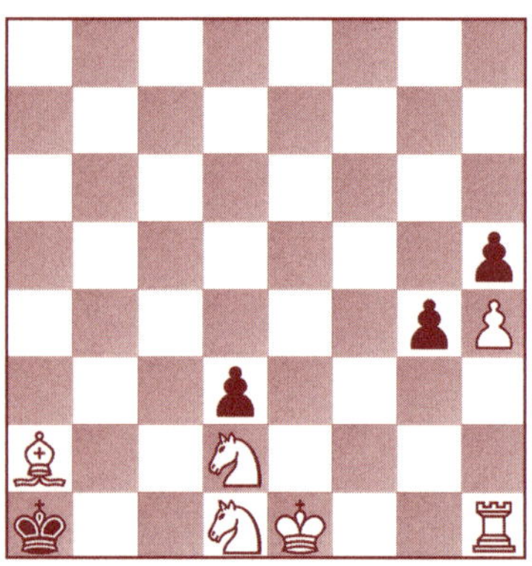

Weiß zieht und setzt in vier Zügen matt.

M

Ganz leicht 148

Weiß zieht und setzt in zwei Zügen matt.

Ganz schön 149

Weiß zieht und setzt in drei Zügen matt.

Ganz schön schwer 150

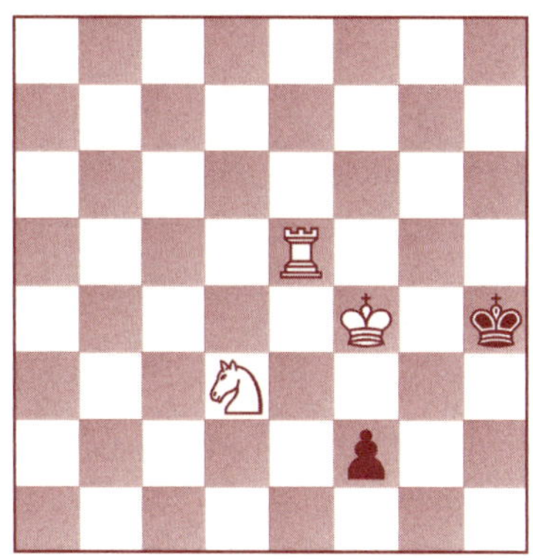

Weiß zieht und setzt in vier Zügen matt.

Ganz leicht 151

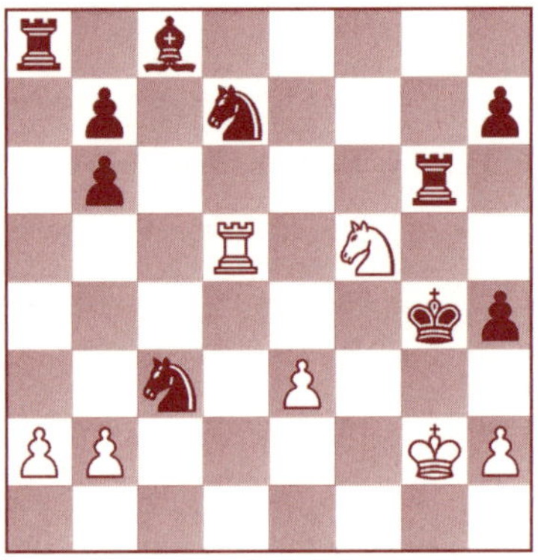

Weiß zieht und setzt in zwei Zügen matt.

Ganz schön 152

Weiß zieht und setzt in drei Zügen matt.

Ganz schön schwer 153

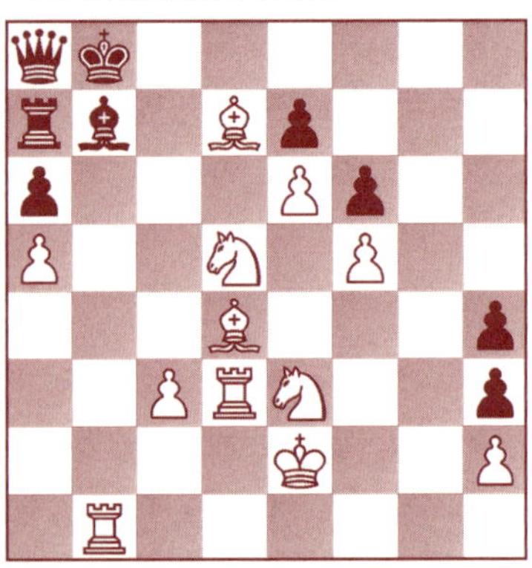

Weiß zieht und setzt in vier Zügen matt.

Ganz leicht 154

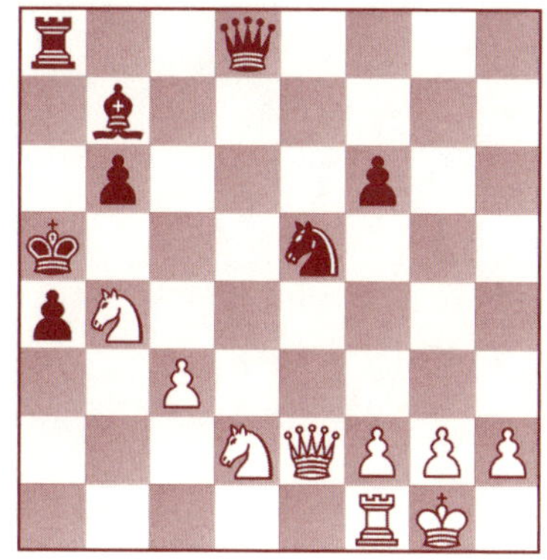

Weiß zieht und setzt in zwei Zügen matt.

Ganz schön 155

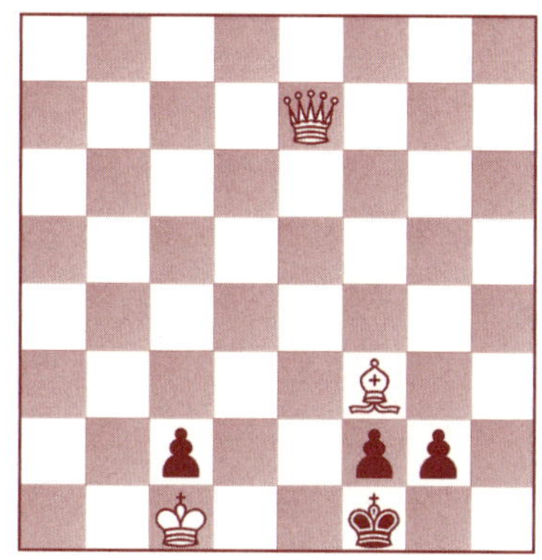

Weiß zieht und setzt in drei Zügen matt.

Ganz schön schwer 156

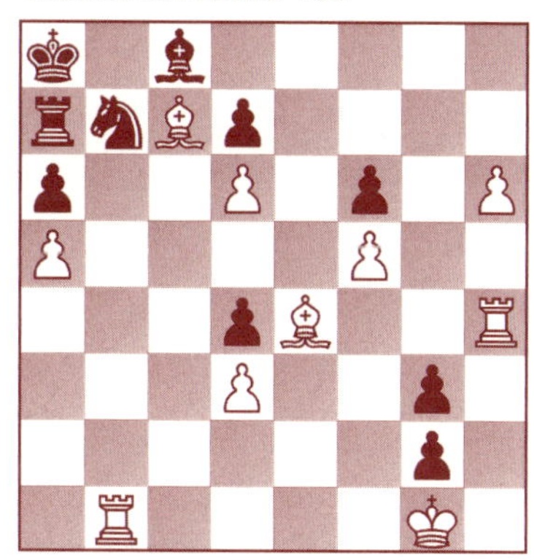

Weiß zieht und setzt in vier Zügen matt.

Ganz leicht 157

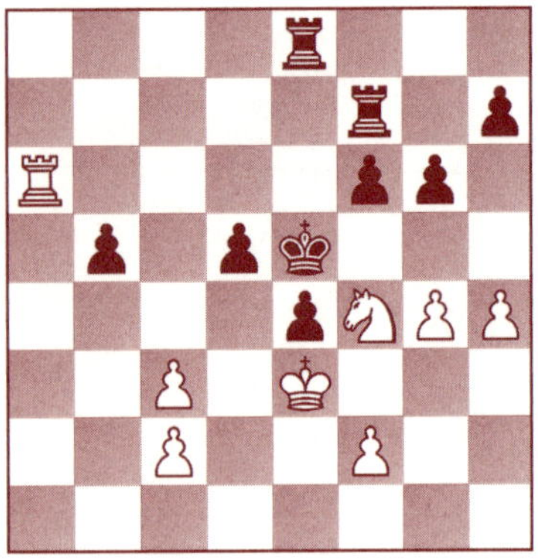

Weiß zieht und setzt in zwei Zügen matt.

Ganz schön 158

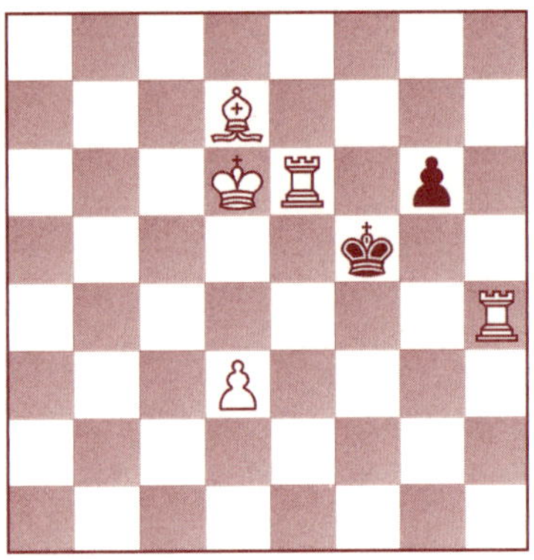

Weiß zieht und setzt in drei Zügen matt.

Ganz schön schwer 159

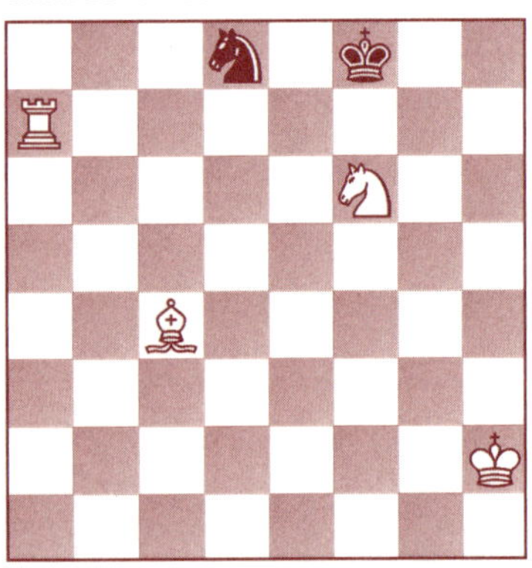

Weiß zieht und setzt in vier Zügen matt.

Ganz leicht 160

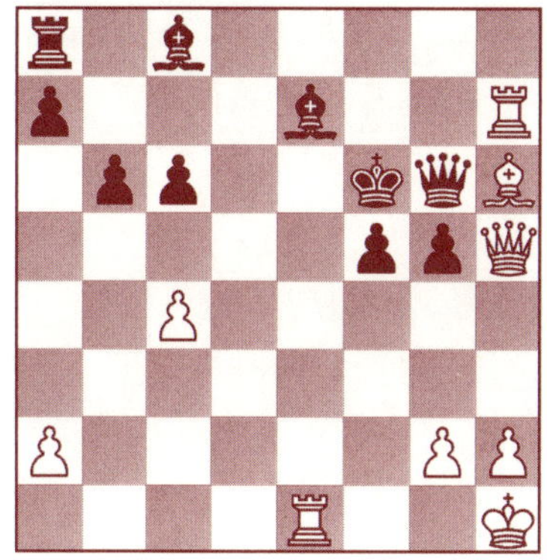

Weiß zieht und setzt in zwei Zügen matt.

Ganz schön 161

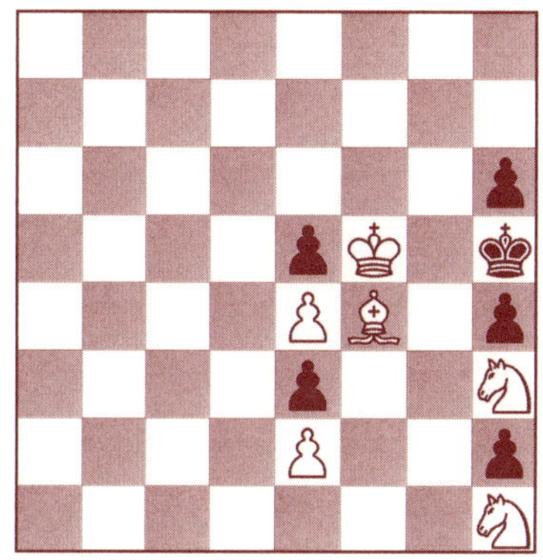

Weiß zieht und setzt in drei Zügen matt.

Ganz schön schwer 162

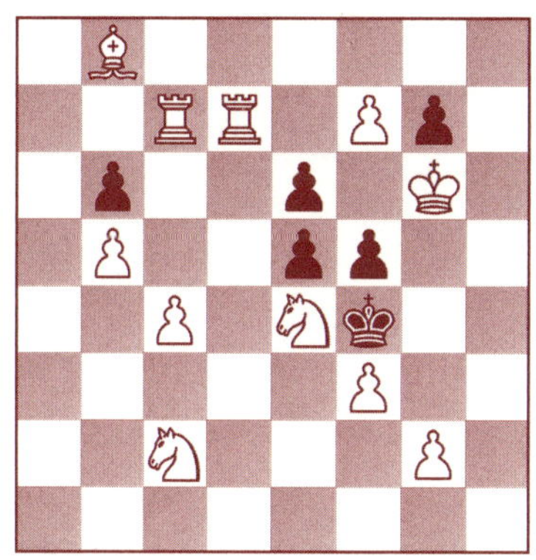

Weiß zieht und setzt in vier Zügen matt.

Ganz leicht 163

Weiß zieht und setzt in zwei Zügen matt.

Ganz schön 164

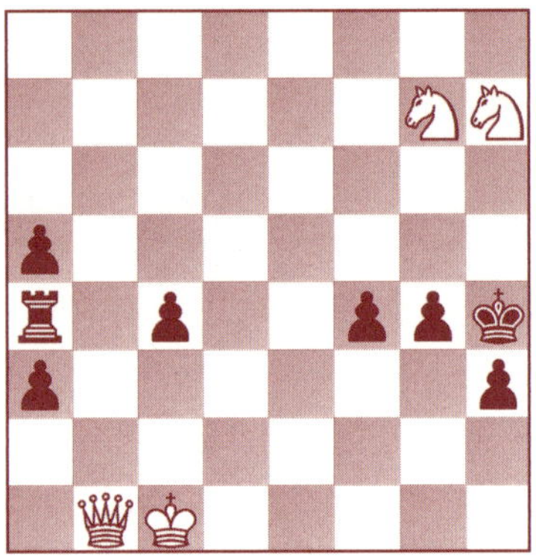

Weiß zieht und setzt in drei Zügen matt.

Ganz schön schwer 165

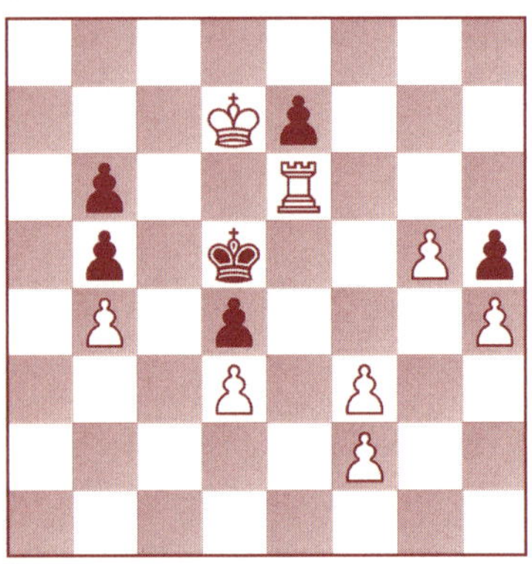

Weiß zieht und setzt in vier Zügen matt.

N

Ganz leicht 166

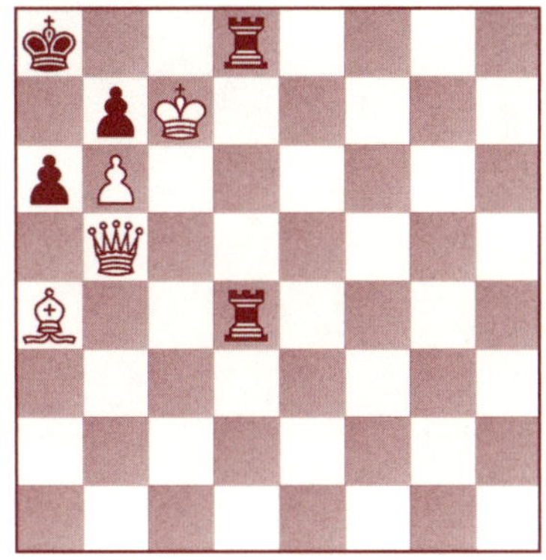

Weiß zieht und setzt in zwei Zügen matt.

Ganz schön 167

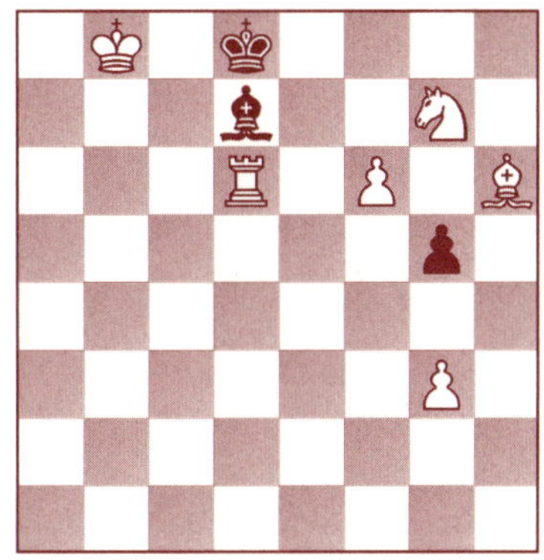

Weiß zieht und setzt in drei Zügen matt.

Ganz schön schwer 168

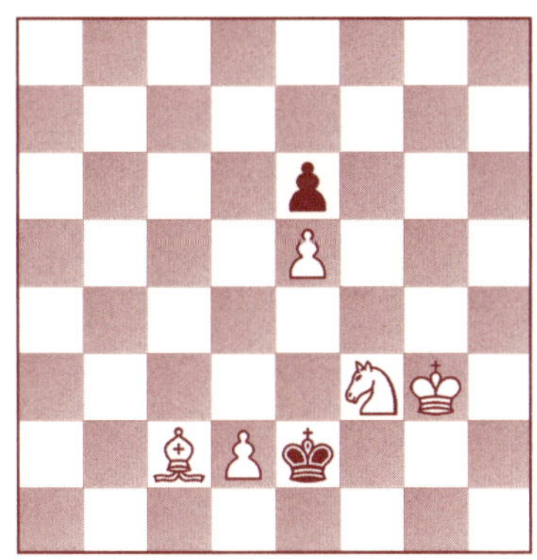

Weiß zieht und setzt in vier Zügen matt.

Ganz leicht 169

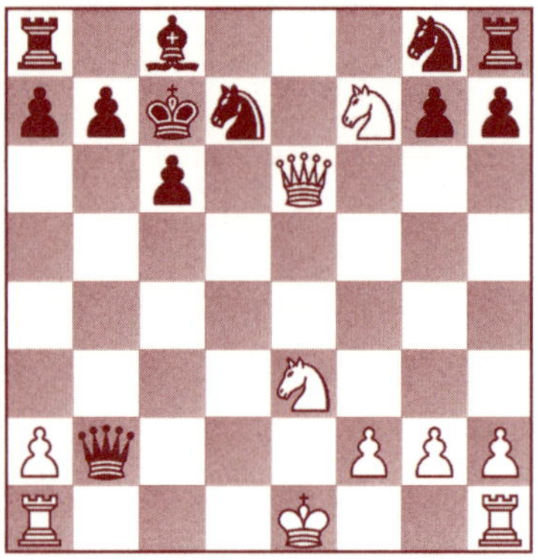

Weiß zieht und setzt in zwei Zügen matt.

Ganz schön 170

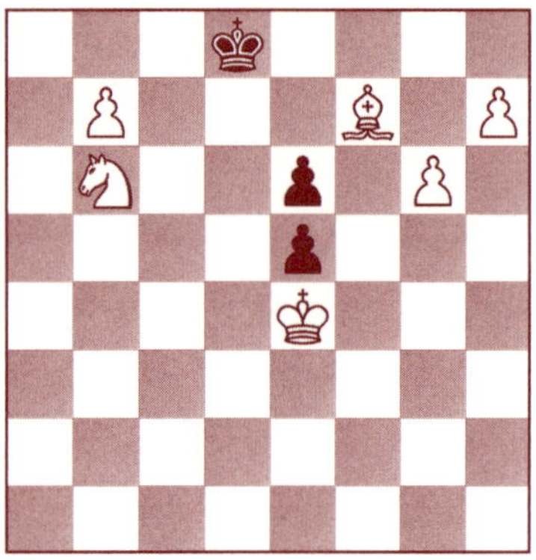

Weiß zieht und setzt in drei Zügen matt.

Ganz schön schwer 171

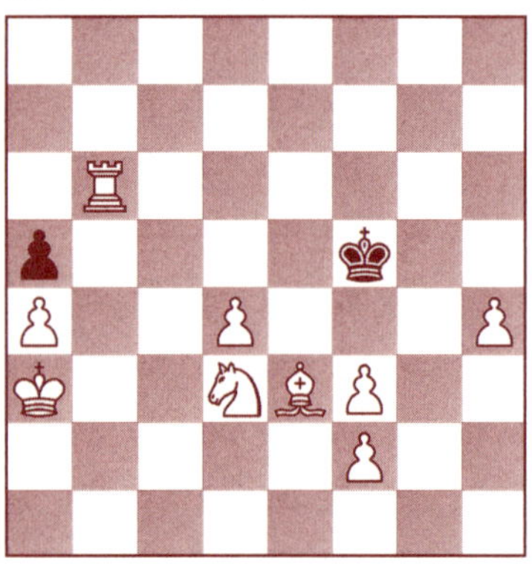

Weiß zieht und setzt in vier Zügen matt.

O

Ganz leicht 172

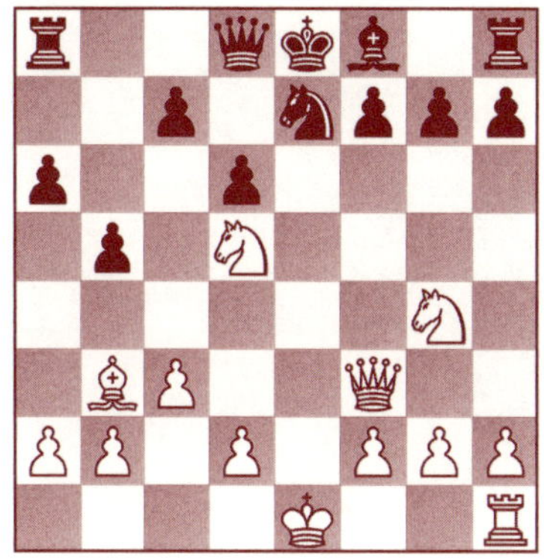

Weiß zieht und setzt in zwei Zügen matt.

Ganz schön 173

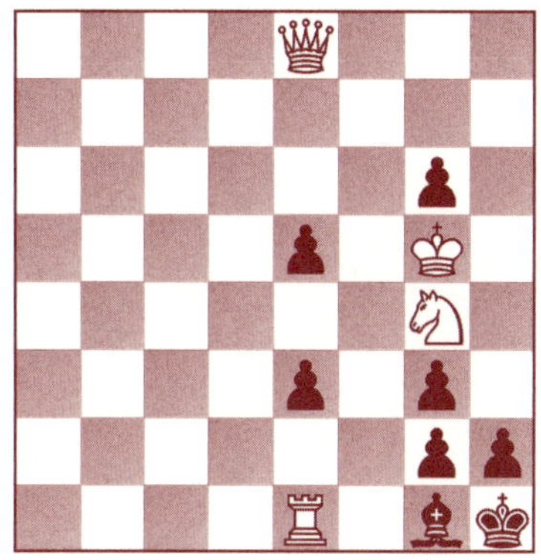

Weiß zieht und setzt in drei Zügen matt.

Ganz schön schwer 174

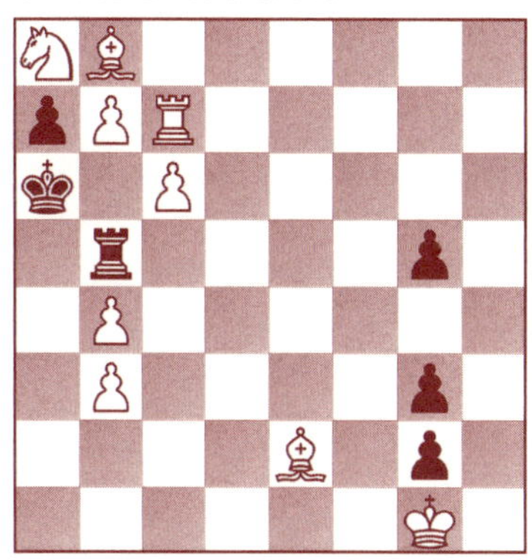

Weiß zieht und setzt in vier Zügen matt.

Ganz leicht 175

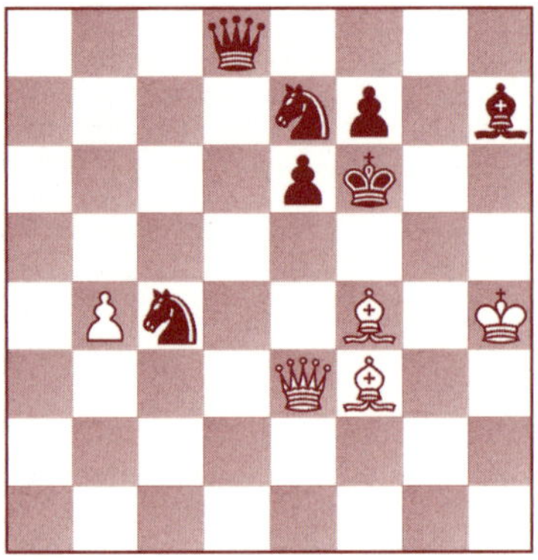

Weiß zieht und setzt in zwei Zügen matt.

Ganz schön 176

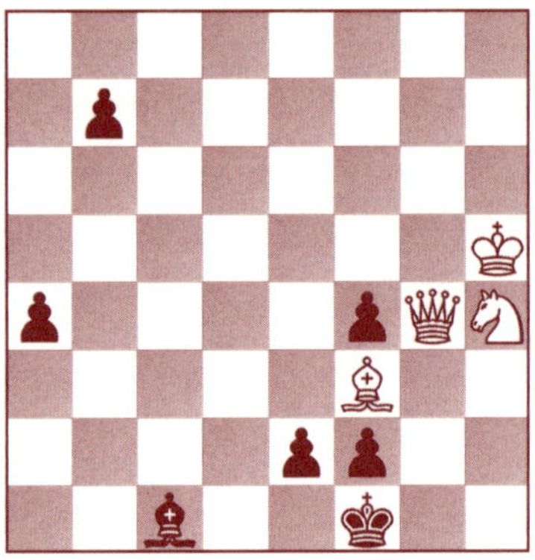

Weiß zieht und setzt in drei Zügen matt.

Ganz schön schwer 177

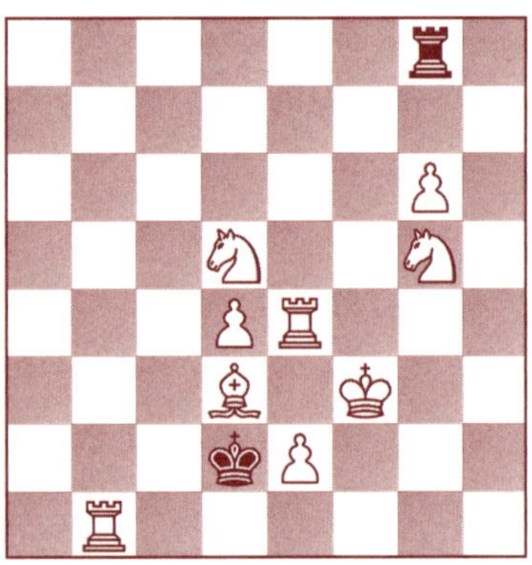

Weiß zieht und setzt in vier Zügen matt.

P

Ganz leicht 178

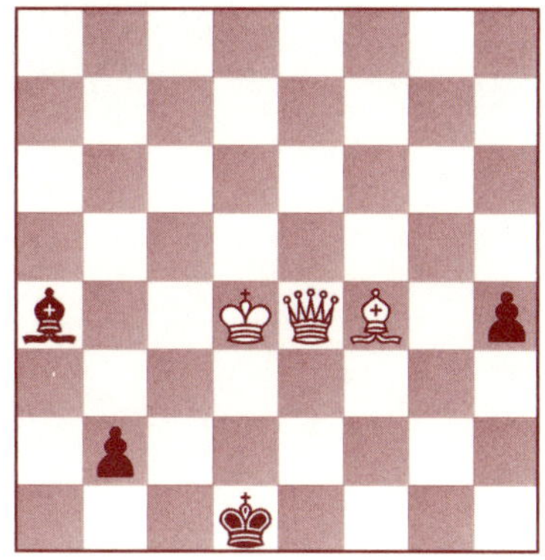

Weiß zieht und setzt in zwei Zügen matt.

Ganz schön 179

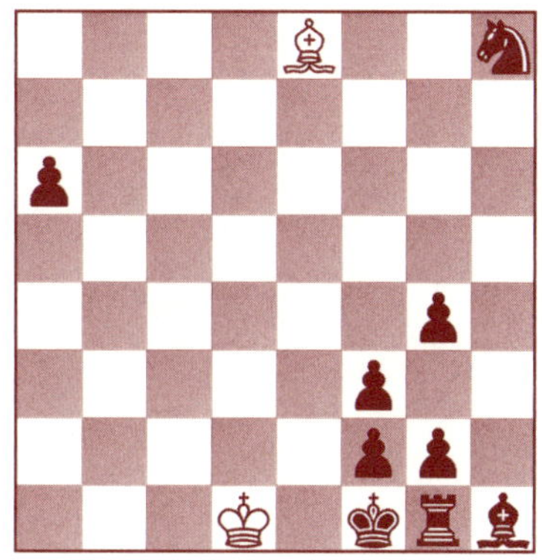

Weiß zieht und setzt in drei Zügen matt.

Ganz schön schwer 180

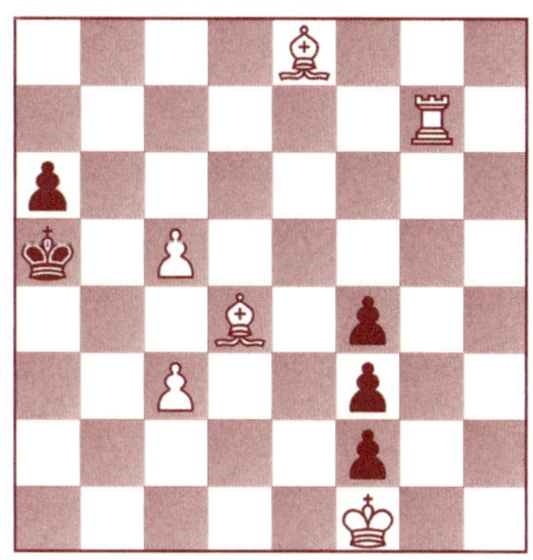

Weiß zieht und setzt in vier Zügen matt.

Ganz leicht 181

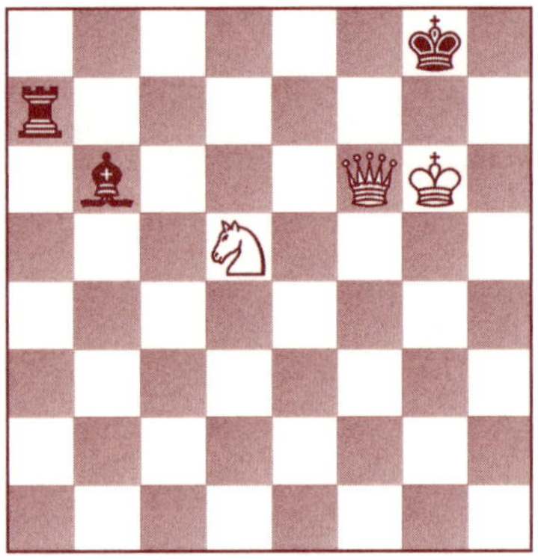

Weiß zieht und setzt in zwei Zügen matt.

Ganz schön 182

Weiß zieht und setzt in drei Zügen matt.

Ganz schön schwer 183

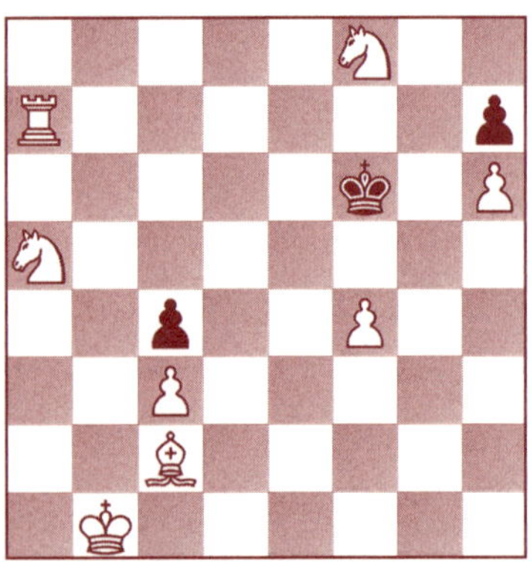

Weiß zieht und setzt in vier Zügen matt.

Ganz leicht 184

Weiß zieht und setzt in zwei Zügen matt.

Ganz schön 185

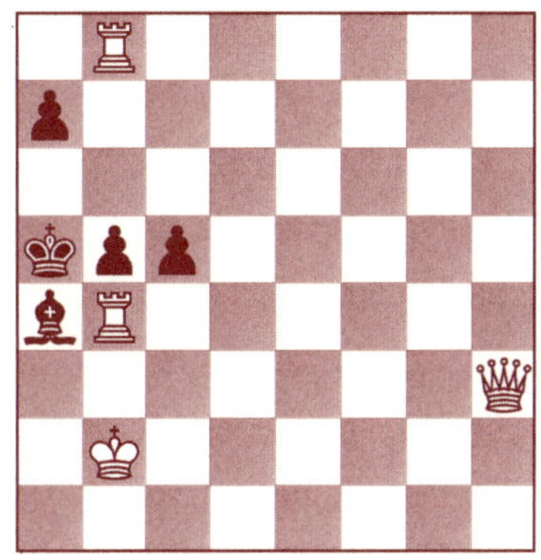

Weiß zieht und setzt in drei Zügen matt.

Ganz schön schwer 186

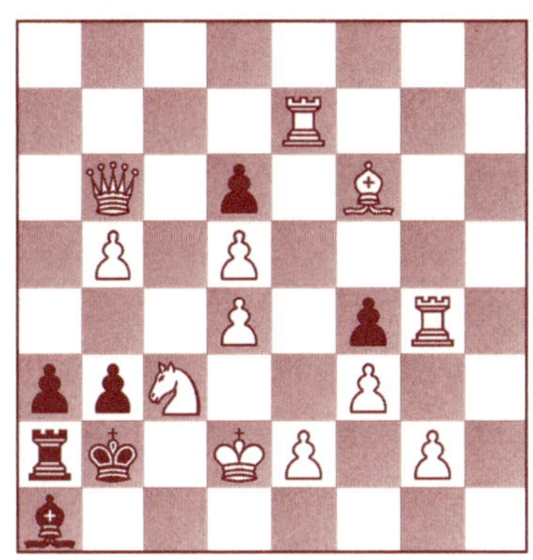

Weiß zieht und setzt in vier Zügen matt.

Ganz leicht 187

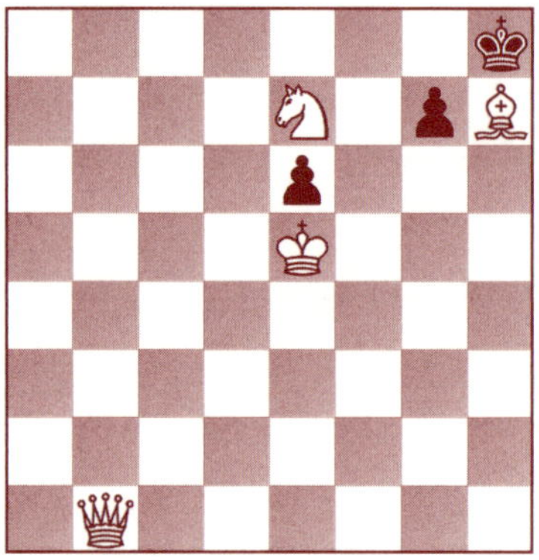

Weiß zieht und setzt in zwei Zügen matt.

Ganz schön 188

Weiß zieht und setzt in drei Zügen matt.

Ganz schön schwer 189

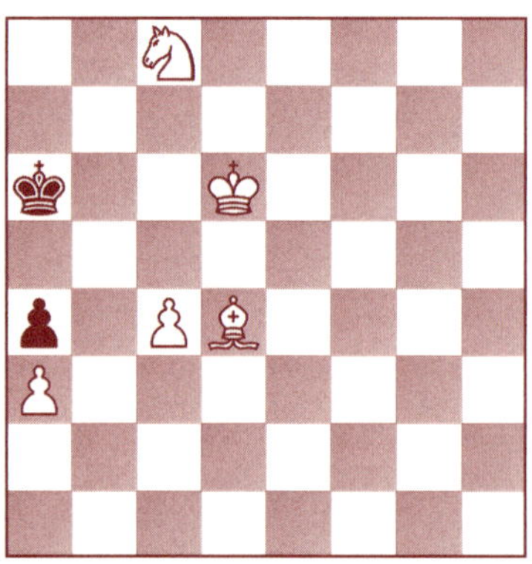

Weiß zieht und setzt in vier Zügen matt.

Ganz leicht 190

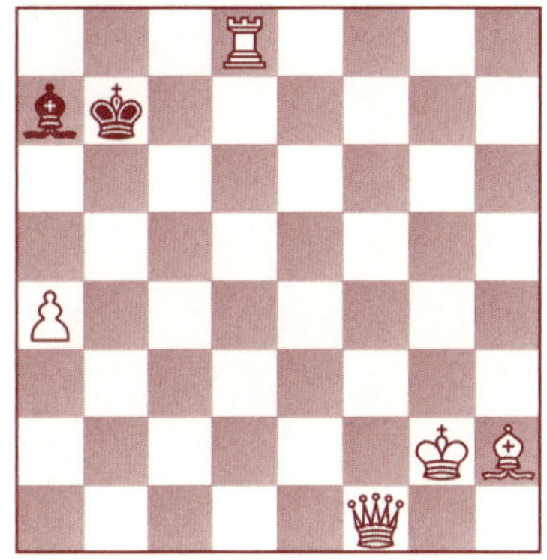

Weiß zieht und setzt in zwei Zügen matt.

Ganz schön 191

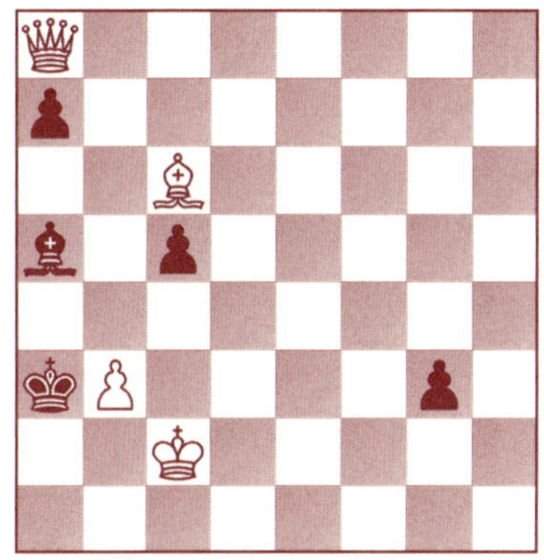

Weiß zieht und setzt in drei Zügen matt.

Ganz schön schwer 192

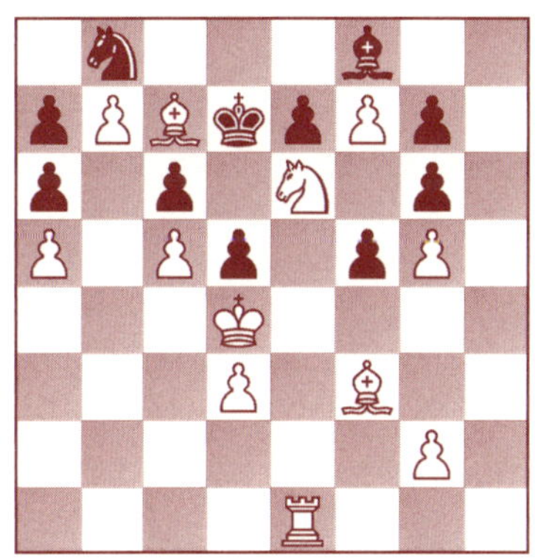

Weiß zieht und setzt in vier Zügen matt.

Ganz leicht 193

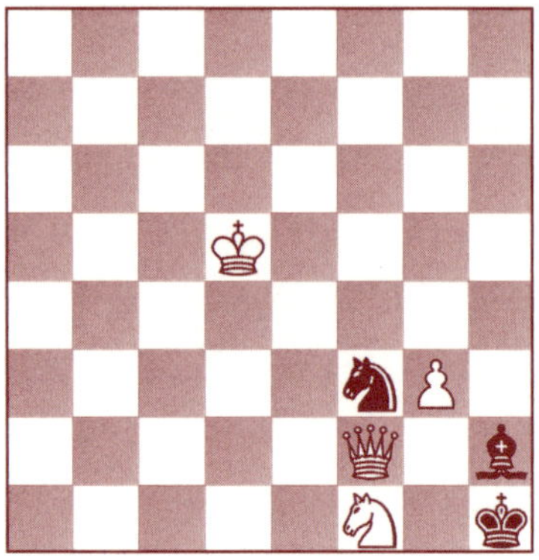

Weiß zieht und setzt in zwei Zügen matt.

Ganz schön 194

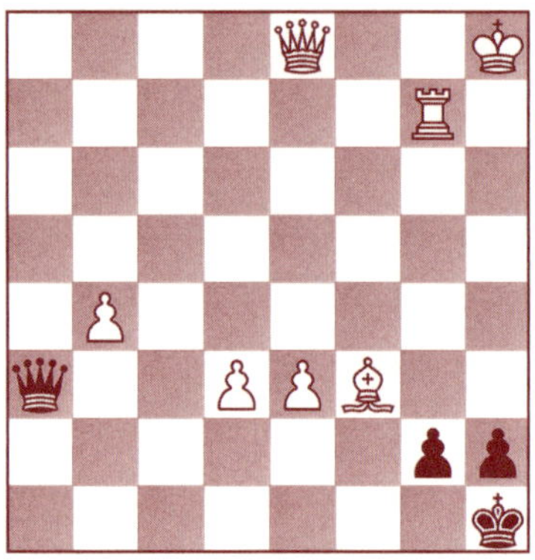

Weiß zieht und setzt in drei Zügen matt.

Ganz schön schwer 195

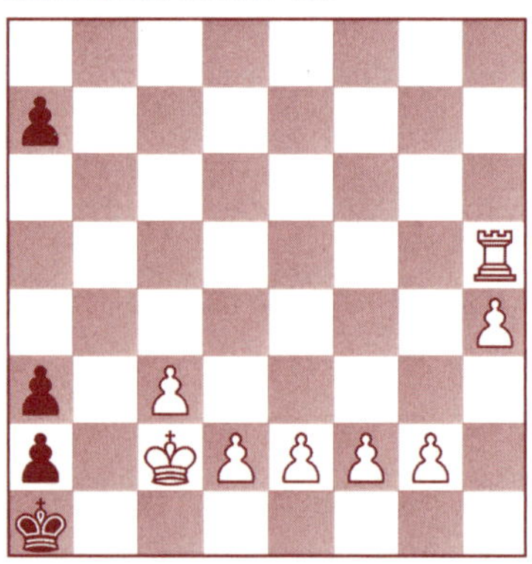

Weiß zieht und setzt in fünf Zügen matt.

Q

R

Ganz leicht 196

Weiß zieht und setzt in zwei Zügen matt.

Ganz schön 197

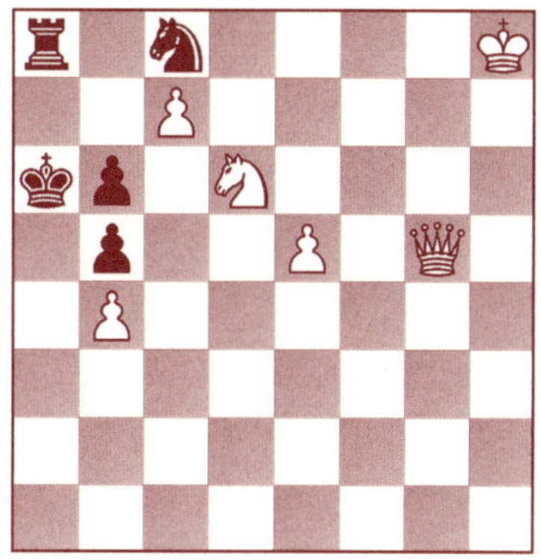

Weiß zieht und setzt in drei Zügen matt.

Ganz schön schwer 198

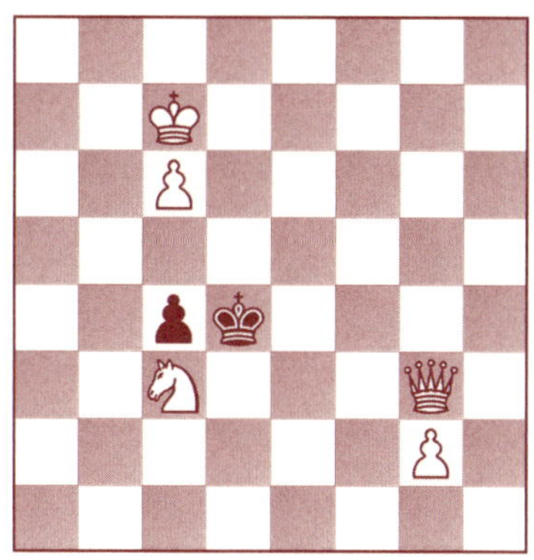

Weiß zieht und setzt in vier Zügen matt.

Ganz leicht 199

Weiß zieht und setzt in zwei Zügen matt.

Ganz schön 200

Weiß zieht und setzt in drei Zügen matt.

Ganz schön schwer 201

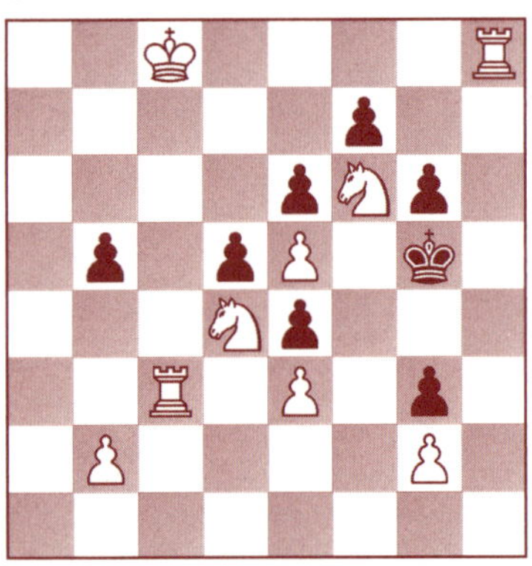

Weiß zieht und setzt in vier Zügen matt.

Ganz leicht 202

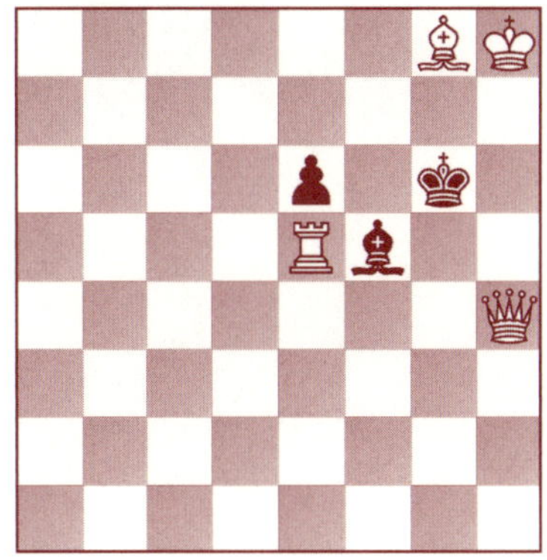

Weiß zieht und setzt in zwei Zügen matt.

Ganz schön 203

Weiß zieht und setzt in drei Zügen matt.

Ganz schön schwer 204

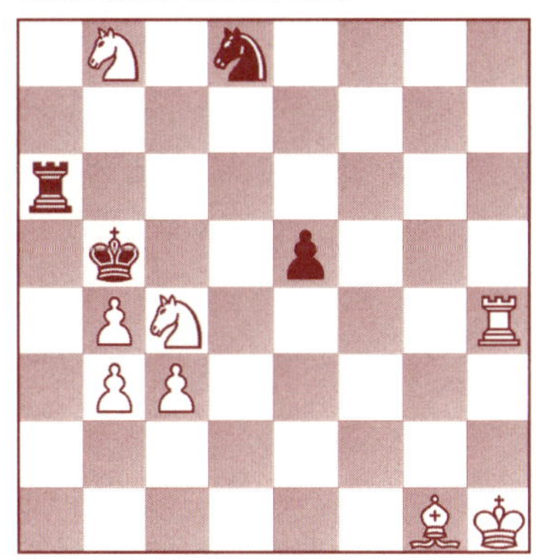

Weiß zieht und setzt in vier Zügen matt.

Ganz leicht 205

Weiß zieht und setzt in zwei Zügen matt.

Ganz schön 206

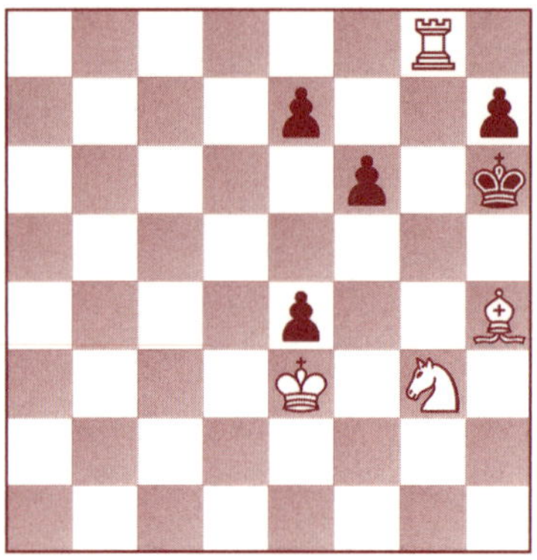

Weiß zieht und setzt in drei Zügen matt.

Ganz schön schwer 207

Weiß zieht und setzt in vier Zügen matt.

S

Ganz leicht 208

Weiß zieht und setzt in zwei Zügen matt.

Ganz schön 209

Weiß zieht und setzt in drei Zügen matt.

Ganz schön schwer 210

Weiß zieht und setzt in vier Zügen matt.

Ganz leicht 211

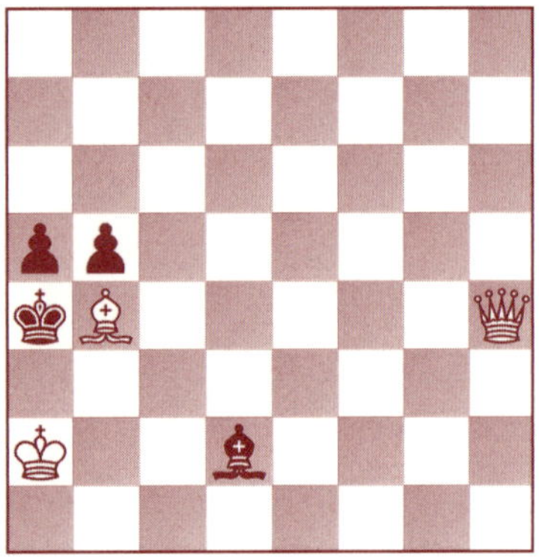

Weiß zieht und setzt in zwei Zügen matt.

Ganz schön 212

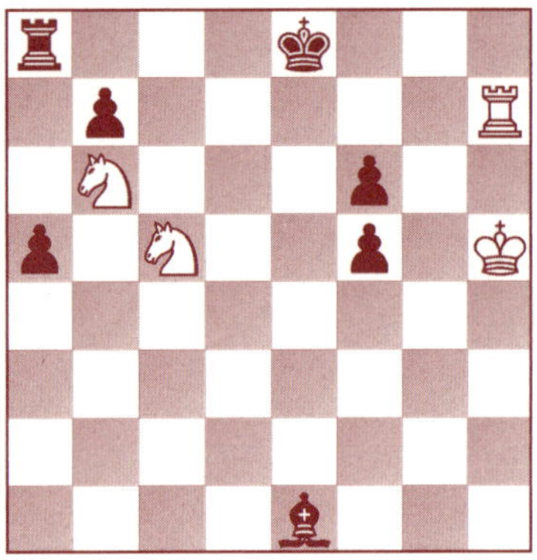

Weiß zieht und setzt in drei Zügen matt.

Ganz schön schwer 213

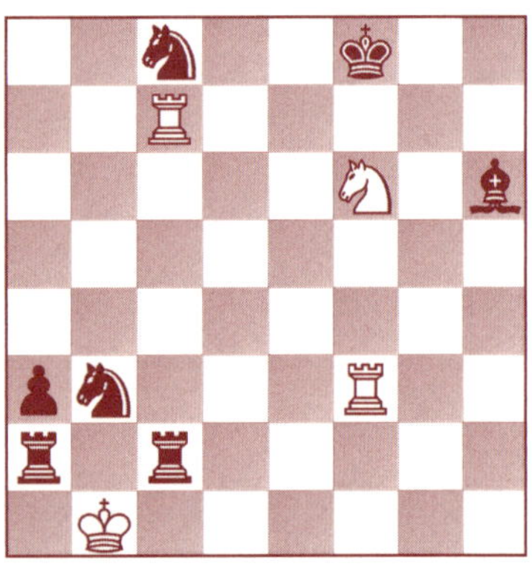

Weiß zieht und setzt in vier Zügen matt.

Ganz leicht 214

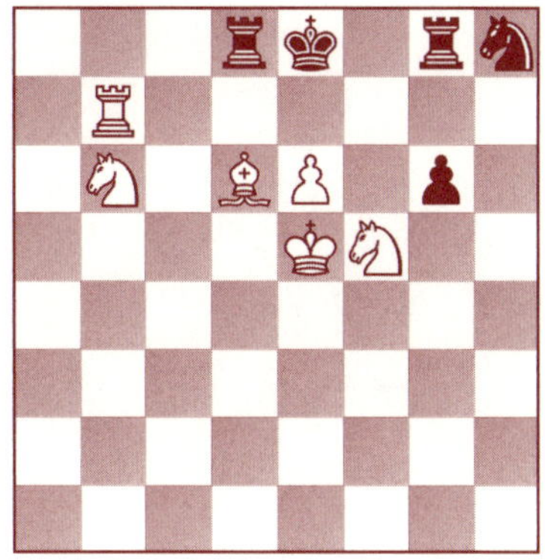

Weiß zieht und setzt in zwei Zügen matt.

Ganz schön 215

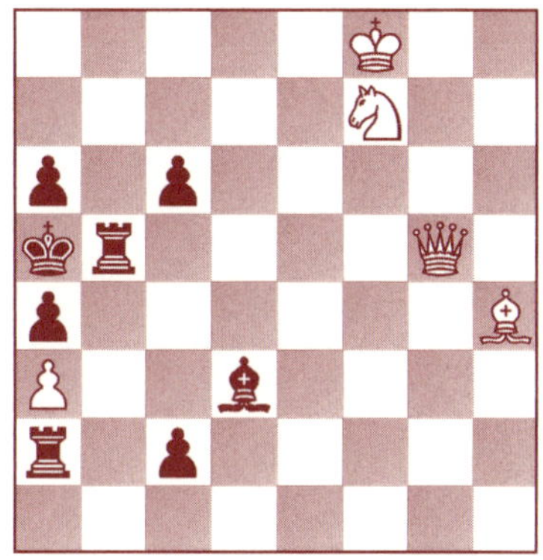

Weiß zieht und setzt in drei Zügen matt.

Ganz schön schwer 216

Weiß zieht und setzt in vier Zügen matt.

Ganz leicht 217

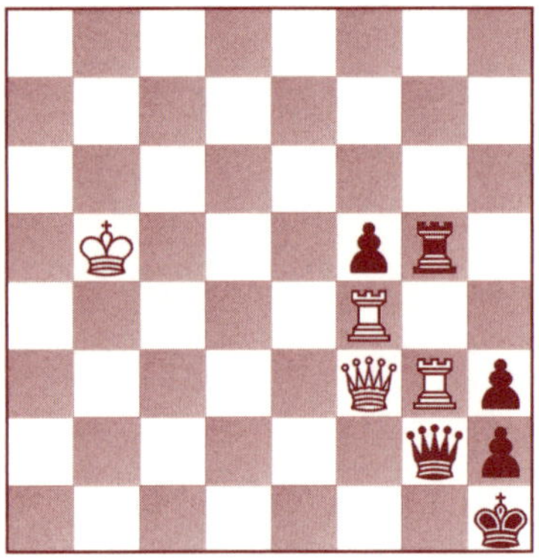

Weiß zieht und setzt in zwei Zügen matt.

Ganz schön 218

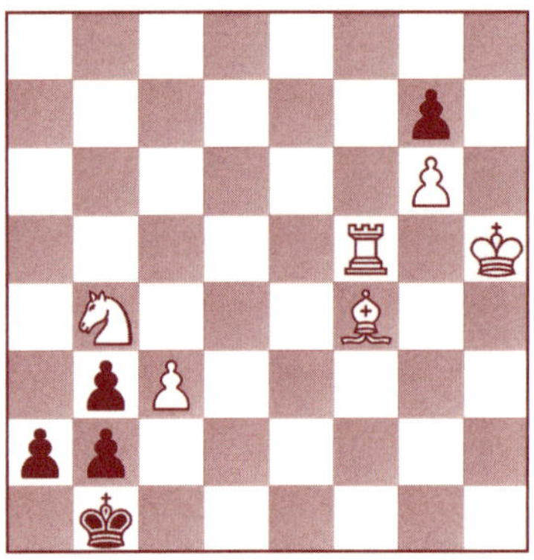

Weiß zieht und setzt in drei Zügen matt.

Ganz schön schwer 219

Weiß zieht und setzt in vier Zügen matt.

Ganz leicht 220

Weiß zieht und setzt in zwei Zügen matt.

Ganz schön 221

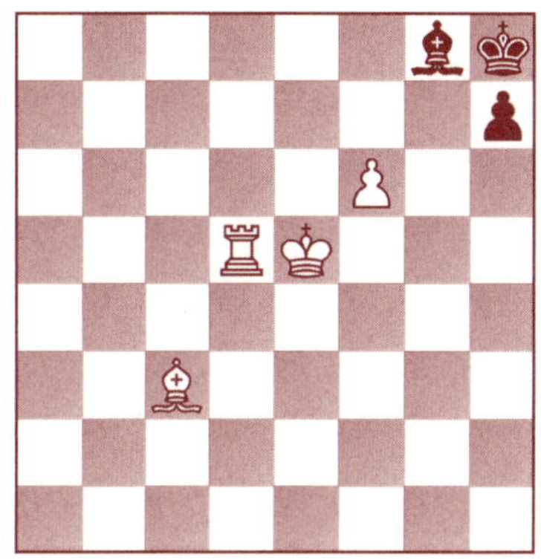

Weiß zieht und setzt in drei Zügen matt.

Ganz schön schwer 222

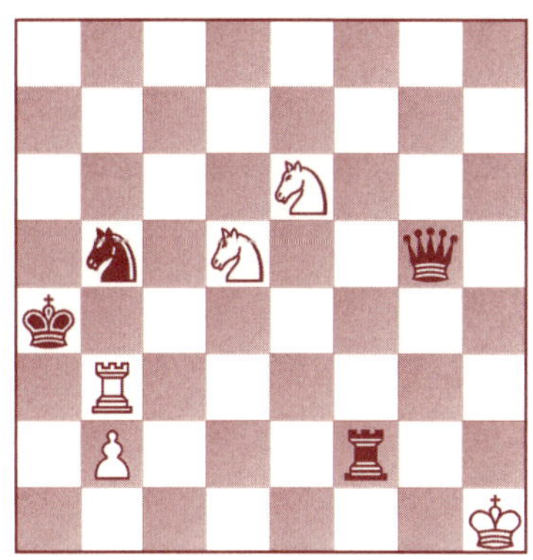

Weiß zieht und setzt in vier Zügen matt.

Ganz leicht 223

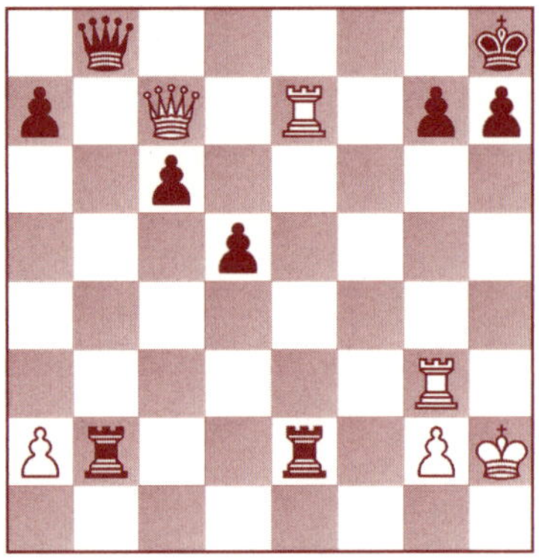

Weiß zieht und setzt in zwei Zügen matt.

Ganz schön 224

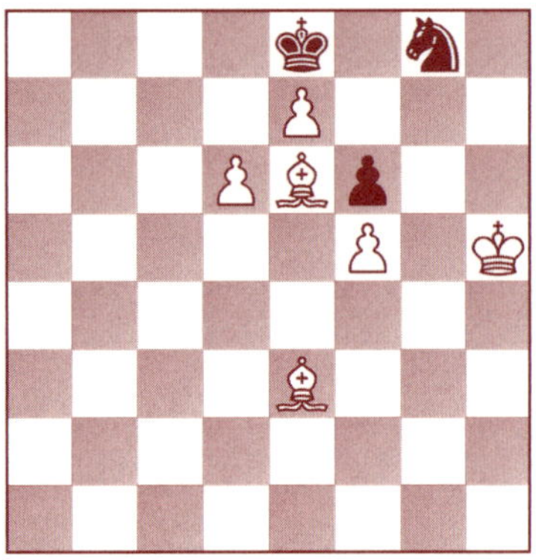

Weiß zieht und setzt in drei Zügen matt.

Ganz schön schwer 225

Weiß zieht und setzt in drei Zügen matt.

Ganz leicht 226

Weiß zieht und setzt in zwei Zügen matt.

Ganz schön 227

Weiß zieht und setzt in drei Zügen matt.

Ganz schön schwer 228

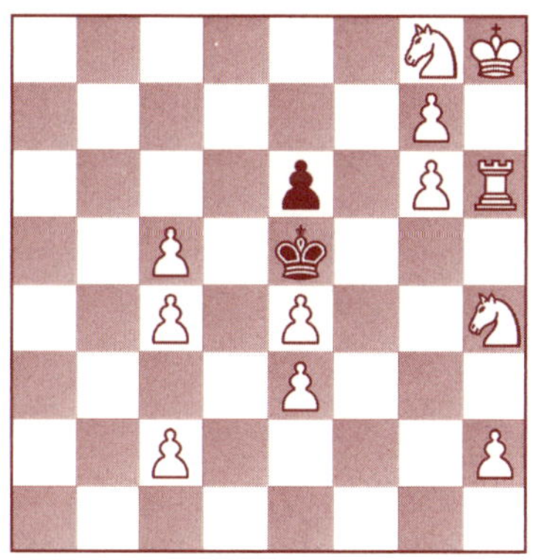

Weiß zieht und setzt in vier Zügen matt.

Ganz leicht 229

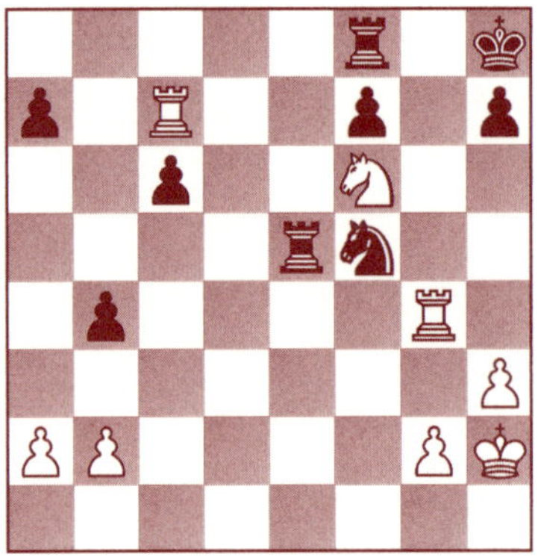

Weiß zieht und setzt in zwei Zügen matt.

Ganz schön 230

Weiß zieht und setzt in drei Zügen matt.

Ganz schön schwer 231

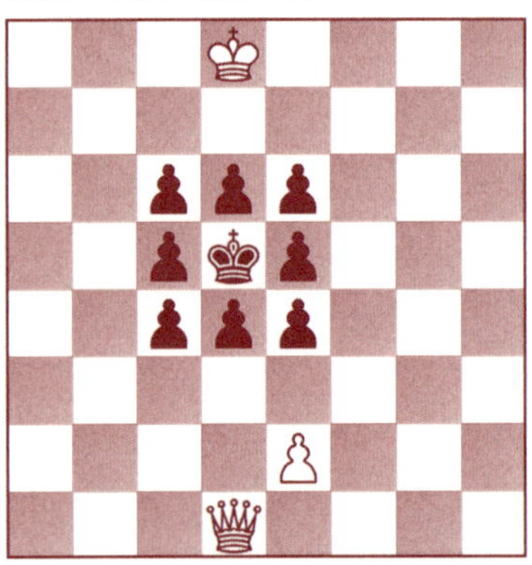

Weiß zieht und setzt in vier Zügen matt.

Ganz leicht 232

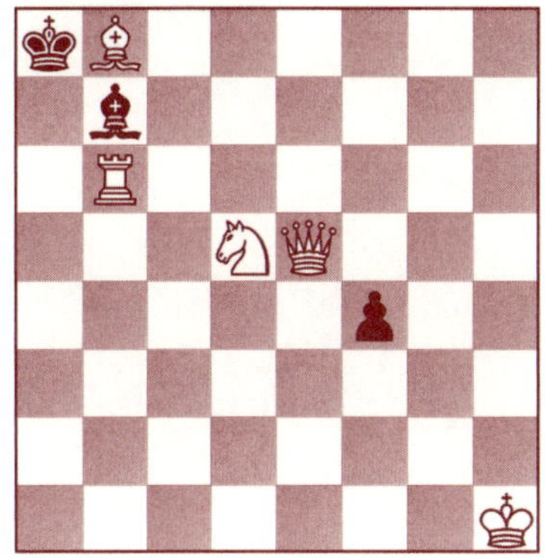

Weiß zieht und setzt in zwei Zügen matt.

Ganz schön 233

Weiß zieht und setzt in drei Zügen matt.

Ganz schön schwer 234

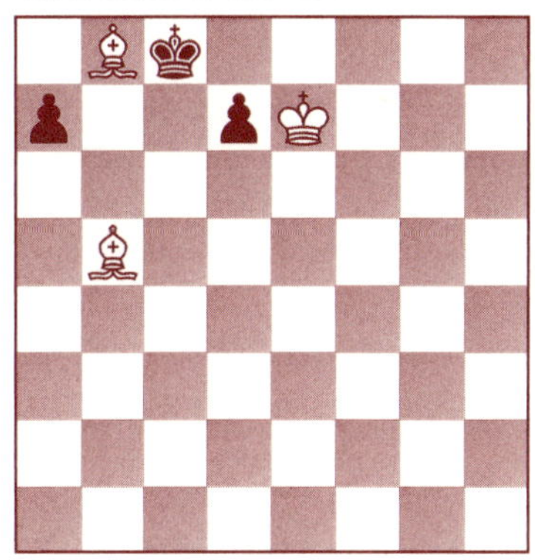

Weiß zieht und setzt in vier Zügen matt.

Ganz leicht 235

Weiß zieht und setzt in zwei Zügen matt.

Ganz schön 236

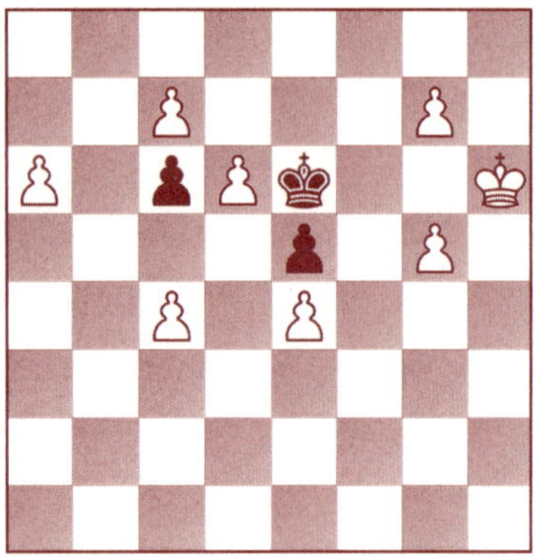

Weiß zieht und setzt in drei Zügen matt.

Ganz schön schwer 237

Weiß zieht und setzt in drei Zügen matt.

T

Ganz leicht 238

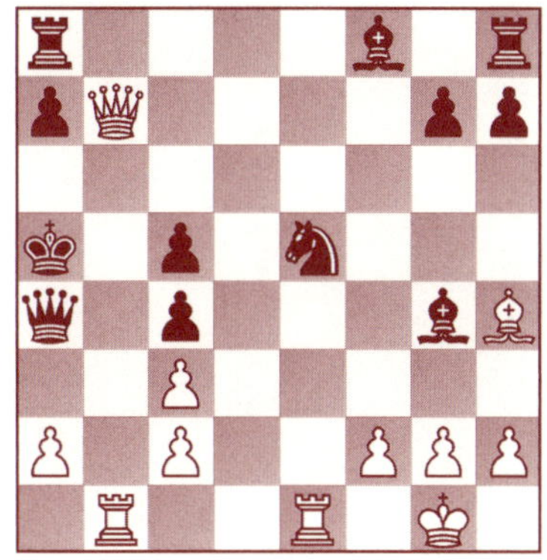

Weiß zieht und setzt in zwei Zügen matt.

Ganz schön 239

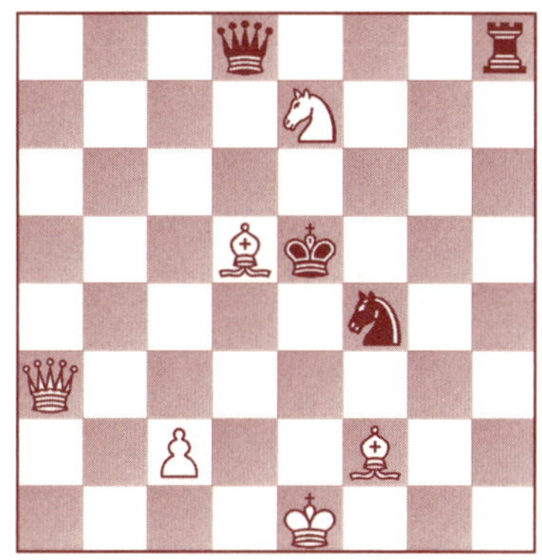

Weiß zieht und setzt in drei Zügen matt.

Ganz schön schwer 240

Weiß zieht und setzt in vier Zügen matt.

Ganz leicht 241

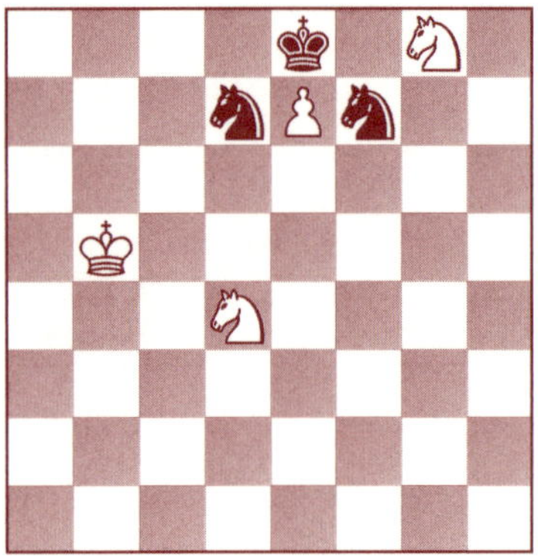

Weiß zieht und setzt in zwei Zügen matt.

Ganz schön 242

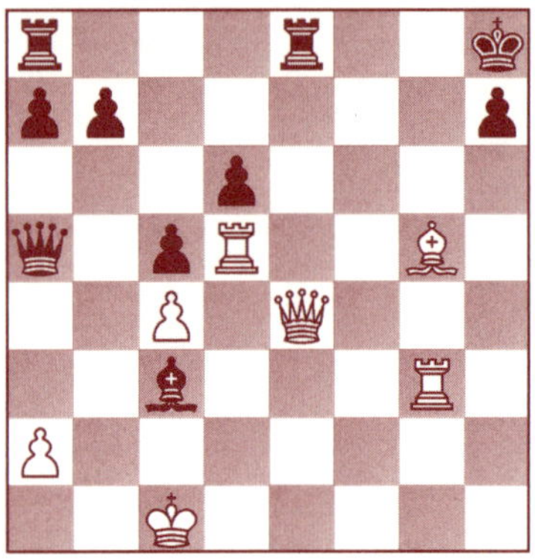

Weiß zieht und setzt in drei Zügen matt.

Ganz schön schwer 243

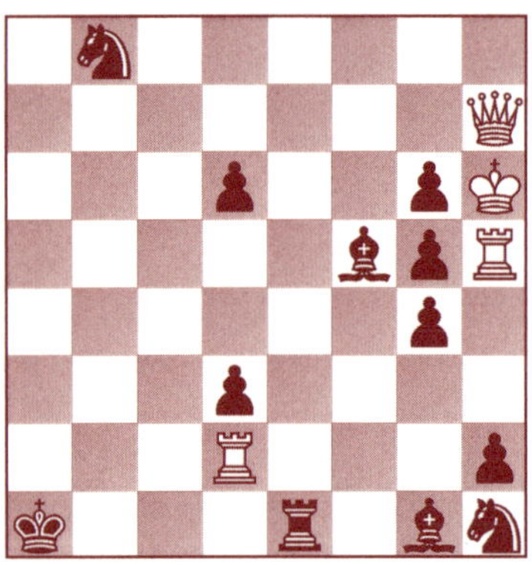

Weiß zieht und setzt in vier Zügen matt.

7. Partie Kandidatenfinale San Lorenzo 1993; vs Short, 9. Partie Kandidatenfinale San Lorenzo 1993), 7.2.93 (Short vs, 12. Partie Kandidatenfinale San Lorenzo 1993; vs Short, 13. Partie Kandidatenfinale San Lorenzo 1993), 21.3.93, 28.3.93 (Chess Base Magazin 1992), 11.4.93 (Polgar Ju. vs, Paris 1992), 2.5.93, 11.7.93, 29.8.93, 5.9.93 (Karpow vs, Moskau 1992), 12.9.93 (vs Karpow, 1. WM-Partie Zwolle 1993; Karpow vs, 2. WM-Partie Zwolle 1993), 19.9.93 (Karpow vs, 6. WM-Partie Arnheim), 26.9.93 (vs Karpow, 9. WM-Partie Amsterdam 1993), 3.10.93 (Karpow vs, 10. WM-Partie Amsterdam 1993), 24.10.93 (Karpow vs, 14. WM-Partie Djakarta 1993), 31.10.93 (vs Karpow, 15. WM-Partie Djakarta 1993; Karpow vs, 16. WM-Partie Djakarta 1993), 7.11.93 (vs Karpow, 20. WM-Partie Djakarta), 9.1.94, 13.2.94, 10.7.94 (vs Hjartarson, Reykjavik 1988), 7.8.94, 14.8.94, 9.10.94, 7.5.95, 18.6.95 (vs Waganjan, Nowgorod 1995), 27.8.95, 3.9.95 (vs Mirza), 22.10.95, 7.4.96, 28.7.96 (1990), 12.1.97 (vs Leko, Groningen 1996; vs Hodgson, Groningen 1996; vs Ivkov, Genf 1977), 9.2.97 (Nikolic vs, Wijk aan Zee 1997), 14.12.97 (vs van der Sterren, Gouda 1997), 21.12.97, 8.2.98, 1.3.98 (Salov vs, Wijk aan Zee 1998), 5.7.98 (vs Hübner, Frankfurt 1998), 20.9.98 (vs Kasparow, Prag 1998), 24.1.99, 31.1.99, 7.2.99, 22.5.99, 29.5.99 (Barejew vs, Sarajewo 1999), 5.6.99, 24.7.99 (Leko vs, Dortmund 1999), 14.8.99, 22.1.00, 29.1.00, 5.2.00 (vs van Wely, Wijk aan Zee 2000), 6.5.00, 26.8.00, 20.1.01, 27.1.01 (vs Schirow, Wijk aan Zee 2001), 3.2.01, 9.2.02 (van Wely vs, Wijk aan Zee 2002), 4.5.02, 14.12.02, 4.1.03, 25.1.03 (vs Topalov, Wijk aan Zee 2003), 1.2.03, 26.4.03, 31.1.04 (Anand vs, Wijk aan Zee 2004), 14.2.04 (Schirow vs, Biel 1995), 26.3.05 (vs Topalov, Moskau 1994)

Timmerman Gert 4.10.03

Timofeew Artyom 4.12.04

Timoschenko Gennadi 11.8.91, 2.10.94 (vs Kozul, Graz 1994), 21.9.97 (Epischin vs, Graz 1997), 21.8.04, 12.9.09

Timoschenko Georgi 8.11.98, 6.9.08 (vs Giri, Wien 2008)

Timpe Kurt 20.6.09 (1955)

Tirard Hugo 8.12.96 (Kempinski vs, Medellin 1996)

Tischbierek Raj 22.11.98, 5.1.01, 5.1.02

Tischler Jens 16.9.90 (Perruchaud vs, Biel 1990)

Tisdall Jonathan, 22.8.93 (vs Polgar Ju., Reykjavik 1988)

Tissot Samuel-Auguste 18.1.03

Tiwjakow Sergej 6.12.92, 23.1.94, 29.5.94 (Polgar Ju. vs, Madrid 1994), 3.7.94 (Adams vs, 2. Partie New York 1994), 2.4.95, 14.1.96, 10.1.99, 7.8.99, 29.1.00, 20.1.01, 27.1.01, 3.2.01, 21.1.06, 3.2.07 (Aronian vs, Wijk aan Zee 2007), 12.9.09, 30.1.10 (vs Schirow, Wijk aan Zee 2010), 6.2.10

Tjomsland Stig 24.12.09

Tkatschiev Vladislav 14.1.96, 7.8.99

Todorovic Goran 1.12.01 (Cabrilo vs, Belgrad 2001)

Tolnai Tibor 19.8.90, 2.2.92 (vs Polgar Ju., Budapest 1991), 8.10.05

Tolstoi Lew 27.2.10 (vs Fürst Ivkov, Jasna Poljana 1905)

Tomaschewski Ewgeni 7.1.06, 14.7.07

Tomasevic Milos 20.2.10 (1950)

Tonning Erik 31.5.03 (Hodge vs, London 2003)

Topalov Veselin 13.3.94, 20.3.94 (Karpow vs, Linares 1994), 20.3.94, 18.12.94 (vs Kasparow, Moskau 1994), 8.1.95, 2.4.95, 18.6.95, 14.1.96 (vs Karpow, Varna 1995), 7.4.96 (vs Short, Amsterdam 1996), 9.6.96 (Polgar Ju. vs, Dos Hermanas 1996; vs Kramnik, Dos Hermanas 1996), 18.8.96, 25.8.96 (vs Leko, Wien 1996), 13.10.96 (Adams vs, Madrid 1996; Kortschnoi vs, Wien 1996), 22.12.96 (Kramnik vs, Las Palmas 1996), 29.12.96, 23.2.97, 2.3.97 (vs Kasparow, Linares 1997; vs Kramnik, Linares 1997; Nikolic vs, Linares 1997), 15.6.97 (vs Polgar Ju., Madrid 1997), 29.6.97, 20.7.97, 21.12.97 (Piket vs, Groningen 1997), 1.2.98 (Anand vs, Wijk aan Zee 1998), 8.2.98, 8.3.98 (vs Svidler, Linares 1998), 15.3.98, 17.5.98 (Kasparow vs, Sofia 1998), 21.6.98 (Kasparow vs, 2. Partie Léon 1998; Kasparow vs, 4. Partie Léon 1998), 30.8.98, 15.11.98, 24.1.99, 31.1.99 (Kasparow vs, Wijk aan Zee 1999), 7.2.99, 6.3.99, 13.3.99, 20.3.99 (vs Iwantschuk, Linares 1999; vs Kasparow, Linares 1999), 17.4.99, 24.4.99, 22.5.99, 29.5.99, 5.6.99 (vs Morosewitsch, Sarajewo 1999), 10.7.99, 24.7.99, 14.8.99, 27.5.00 (Schirow vs, Sarajewo 2000), 3.6.00, 20.1.01 (Schirow vs, Wijk aan Zee 2001), 27.1.01 (Kasparow vs, Wijk aan Zee 2001), 3.2.01, 23.6.01 (Schirow vs, Léon 2001), 20.10.01, 11.5.02, 13.7.02

Ganz leicht 244

Weiß zieht und setzt in zwei Zügen matt.

Ganz schön 245

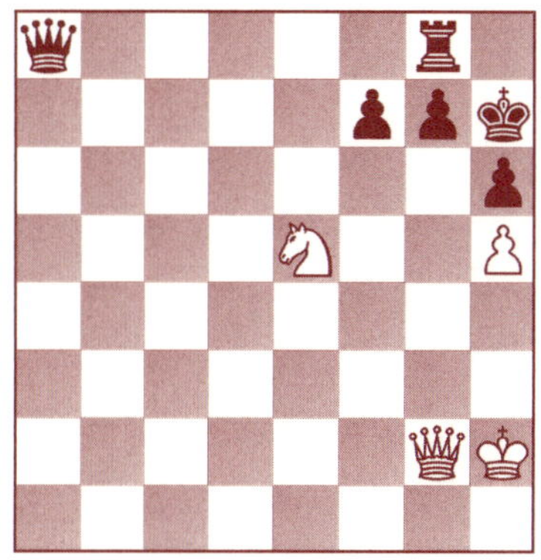

Weiß zieht und setzt in drei Zügen matt.

Ganz schön schwer 246

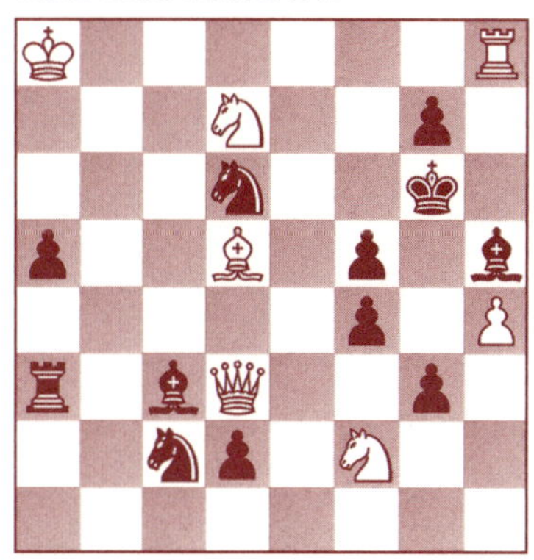

Weiß zieht und setzt in vier Zügen matt.

Ganz leicht 247

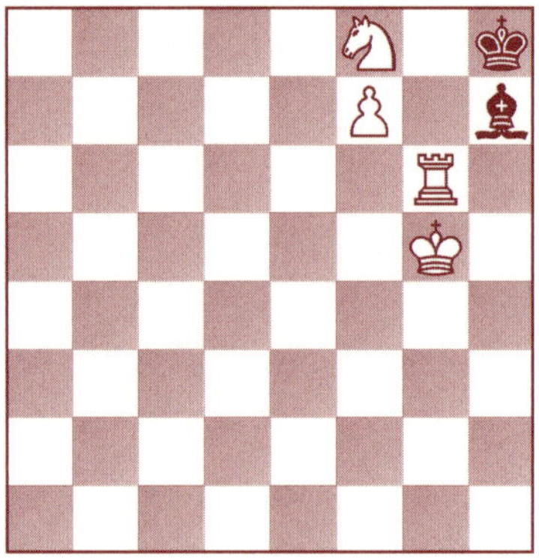

Weiß zieht und setzt in zwei Zügen matt.

Ganz schön 248

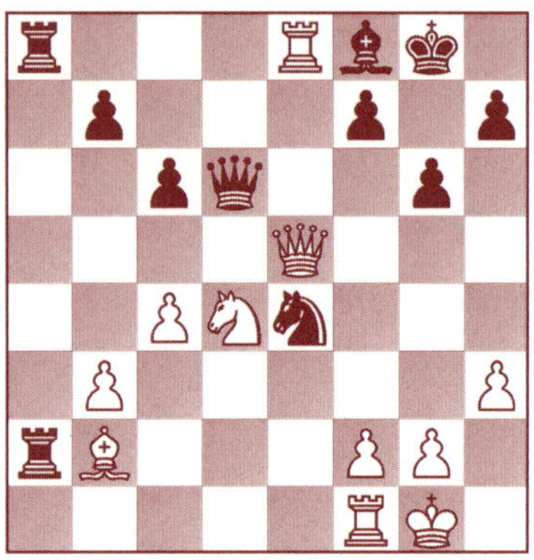

Weiß zieht und setzt in drei Zügen matt.

Ganz schön schwer 249

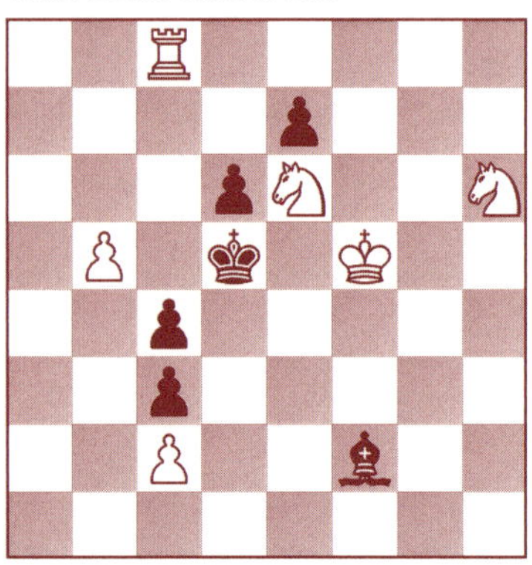

Weiß zieht und setzt in vier Zügen matt.

U

Ganz leicht 250

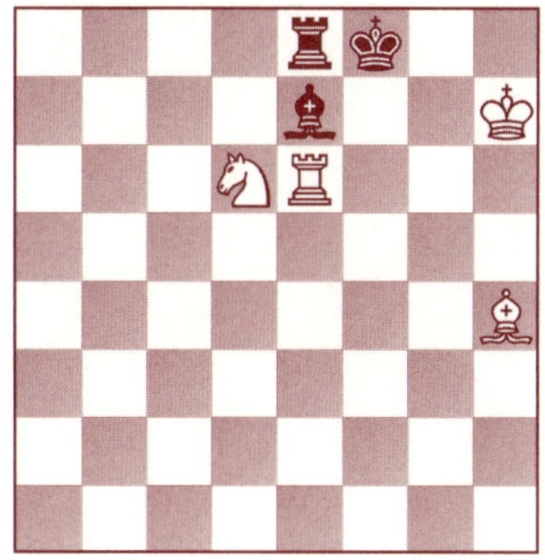

Weiß zieht und setzt in zwei Zügen matt.

Ganz schön 251

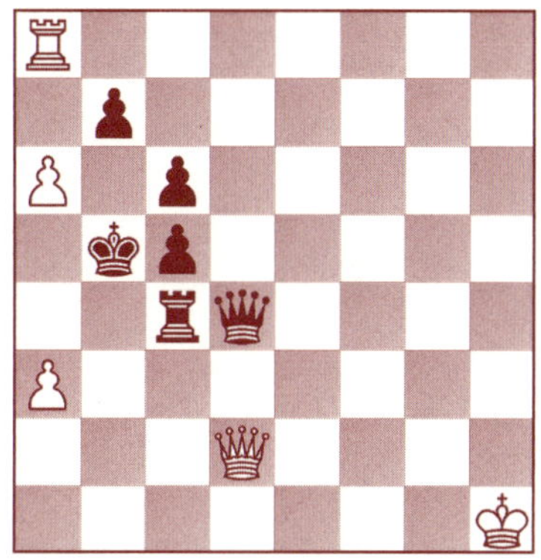

Weiß zieht und setzt in drei Zügen matt.

Ganz schön schwer 252

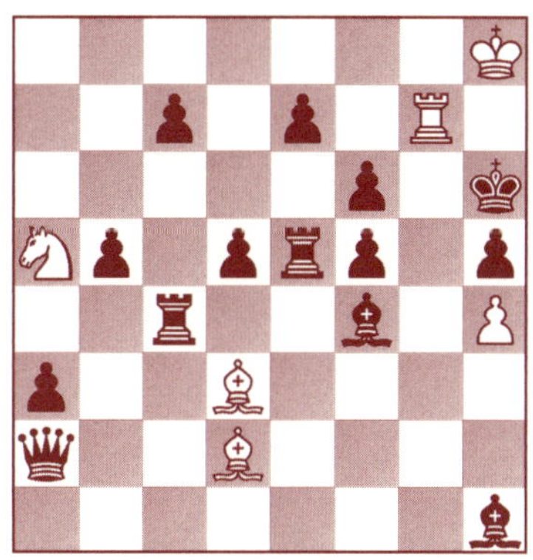

Weiß zieht und setzt in vier Zügen matt.

Ganz leicht 253

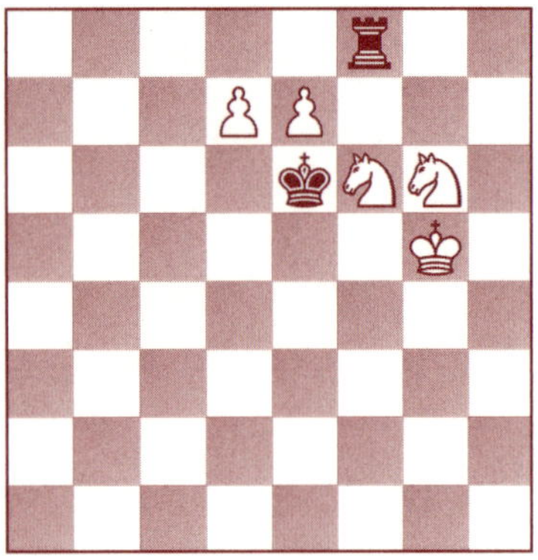

Weiß zieht und setzt in zwei Zügen matt.

Ganz schön 254

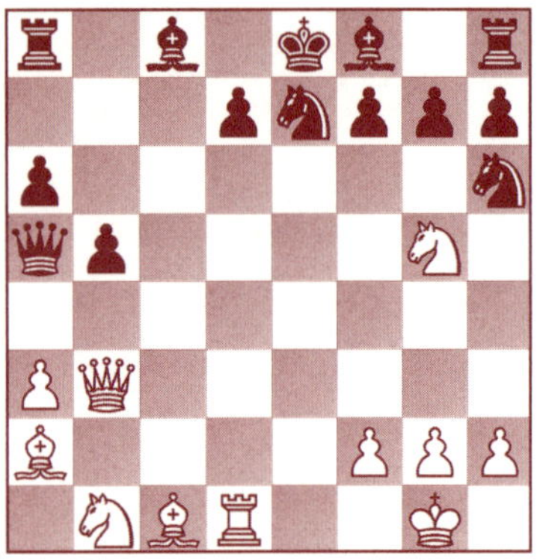

Weiß zieht und setzt in drei Zügen matt.

Ganz schön schwer 255

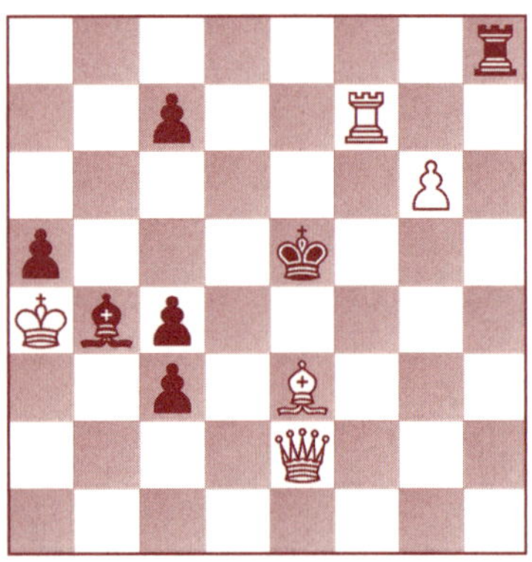

Weiß zieht und setzt in drei Zügen matt.

V

W

Ganz leicht 256

Weiß zieht und setzt in zwei Zügen matt.

Ganz schön 257

Weiß zieht und setzt in drei Zügen matt.

Ganz schön schwer 258

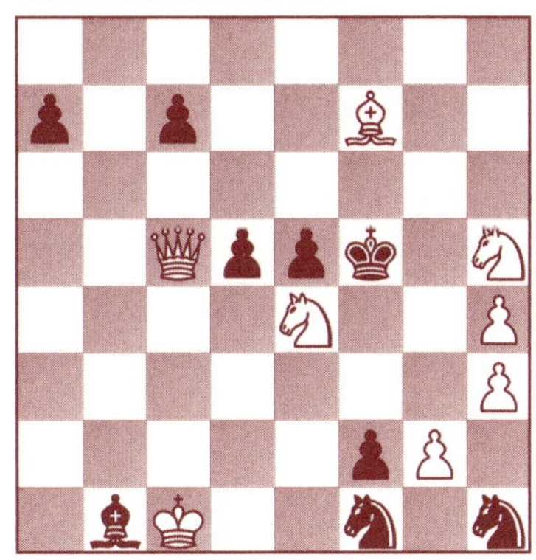

Weiß zieht und setzt in drei Zügen matt.

Ganz leicht 259

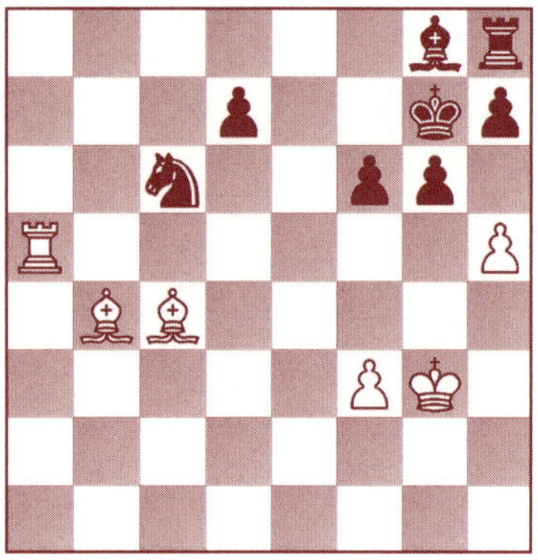

Weiß zieht und setzt in zwei Zügen matt.

Ganz schön 260

Weiß zieht und setzt in drei Zügen matt.

Ganz schön schwer 261

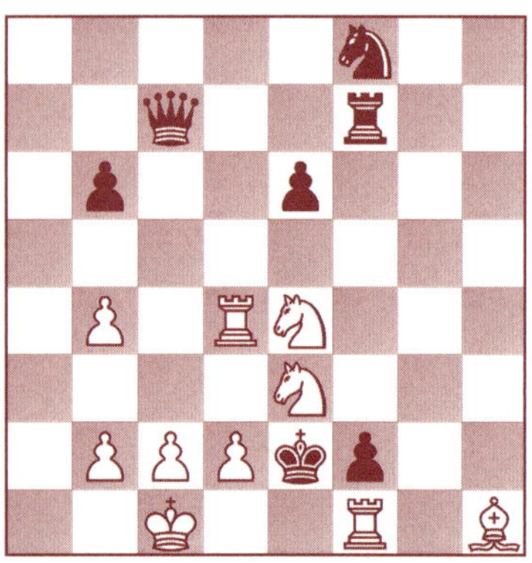

Weiß zieht und setzt in vier Zügen matt.

Wagner 17.5.92 (Malischko vs, Fernpartie 1984)
Wagner Alexander 20.2.10 (vs Caslin, Korrespondenzpartie 1910/11)
Wagner Paul Werner 5.1.01, 3.1.04
Wagner Peter 31.5.03
Wagner Wilhelm Richard 5.8.06
Wagner Richard 9.11.02
Wagner-Jauregg Karl 17.1.99
Wahls Matthias 16.9.90, 28.4.91 (Deep Thought vs, Hannover 1991), 18.8.91 (vs Wegner, Hamburg 1991), 16.2.92 (Kasparow vs, Baden-Baden 1992), 18.7.93 (Deep Thought vs, Hannover 1991), 29.10.95 (vs Kempinski, Hamburg 1995), 21.7.96, 22.11.98, 7.8.99, 27.11.04
Wahrheit, Momente der 22.3.98 (Tal); 29.3.98 (Anderssen); 5.4.98 (Najdorf); 12.4.98 (Fischer); 19.4.98 (Lasker); 26.4.98 (Bronstein); 3.5.98 (Karpow, Kasparow)
Waischenfeld 12.2.00
Waisser siehe Vaisser
Waitzkin Fred 2.10.99
Wallner Joachim 7.9.97 (Sukopp vs, Wien 1997)
Walker George 14.4.96 (Freeborough vs, London 1869), 27.3.99, 18.12.99
Walker, die Brüder 10.4.99
Walpole 19.2.00 (Koltanowski vs, Blindsimultan Keswick 1937)
Walter Max 27.10.96 (Spielmann vs, Trencianske Teplice 1928), 5.1.01 (vs Lasker Em., Mährisch-Ostrau 1923)
Walter Martin 16.12.06 6. ehrende Erwähnung Standard-Kompositionsturnier 2006)
Walzer, der 4.7.93
Wan Pin 23.6.91 (Nowikov vs, Peking 1991)
Wang Miao 14.4.91, 14.7.07
Wang Puchen 1.9.07
Wang Yue 6.9.08, 13.9.08, 31.1.09, 7.2.09, 7.3.09, 14.3.09, 4.4.09, 17.10.09 (Carlsen M. vs Nanjing 2009), 24.12.09
Ward Chris 21.6.98 (vs Asgeirsson, Reykjavik 1998), 9.10.99 (vs Farndorn, Jersey 1999)
Wardener Friedrich von 5.7.08, 31.1.09 (1953), 6.6.09 (1932)
Warschau 19.6.94, 26.5.01, 31.7.04, 9.7.05
Washington 16.6.01
Wasjukow Evgeni 4.1.03 (vs van Wely, Moskau 2002)
Watson John 10.7.04, 20.11.04, 27.11.04
Watzka Horst 9.3.97 (vs Moser G., ö. Staatsliga Wien 1997; vs Lendwai, ö. Staatsliga Wien 1997)
Watzl Leopold 13.5.00
Wayne John 30.1.94
WBCA siehe World Blitz Chess Association
WCBO siehe World Chess Boxing Organization
Webb Simon 21.6.08
Weber Gerold 31.12.99 (Nußbaumer vs, Aschach 1999)
Weber Harry 14.5.05
Weber Max 9.10.04
Wedberg Tom 9.12.90 (vs Kuczynski, Schacholympiade 1990)
Wegener Dirk 16.5.93 (vs Troyke, Deutsche Bundesliga 1993)
Weglenkung 27.7.97
Wegner Hannu 18.8.91 (Wahls vs, Hamburg 1991)
Wehmeier Stefan 30.8.98 (vs Bischoff, Lippstadt 1998)
Weibel Peter 20.10.07
Weichert P. 21.1.96 (vs Neye, Fürstenwalde 1937)
Weide siehe van der Weide
Weickhmann Christoph 4.12.99
Weill Roland 13.11.94 (Kindermann vs, Wien 1994), 5.5.96 (Kindermann vs, Wien 1994)
Weinbrenner Ludwig 21.8.94 (vs Rothschild, Wien 1874)
Weininger Otto 18.8.01, 5.4.08
Weinzettl Ernst 2.10.94, 10.9.95, 26.11.95, 8.11.98, 24.2.01 (vs Hangweyrer, Wien 2001), 10.8.02 (vs Buljubasic, Wien 2002), 16.5.09
Weiss Karl 5.6.94 (vs Chess Master 4000, Wiener Neustadt 1994)
Weiß Christian 9.3.97 (Wittmann vs, ö. Staatsliga Wien 1997), 10.1.99, 19.8.00, 27.8.05
Weiss Max 24.6.90 (Marco vs; vs Csank, Wien 1890), 21.8.94, 8.9.01
Weissel Georg 5.5.01 (vs Fischer F., Wien 1929), 12.5.01
Weissel, Schachklub 12.5.01
Weissen Georg 28.2.93 (Bernasconi vs, Disentis 1983)
Weizsäcker Richard von 27.2.94, 16.11.02
Weller Egon 15.2.98 (Geheimnisse 1960)
Wells Adam 28.6.08
Wells Peter 29.9.91, 10.5.92 (Agdestein vs, Gausdal 183), 8.11.98 (vs Glek, Wien 1998), 22.3.03, 3.12.05 (vs Habu Yoshiharu, Hoogeveen 2005), 28.7.07 (vs Yeo, England 2006)
Wels 10.4.94, 22.1.95

Ganz leicht 262

Weiß zieht und setzt in zwei Zügen matt.

Ganz schön 263

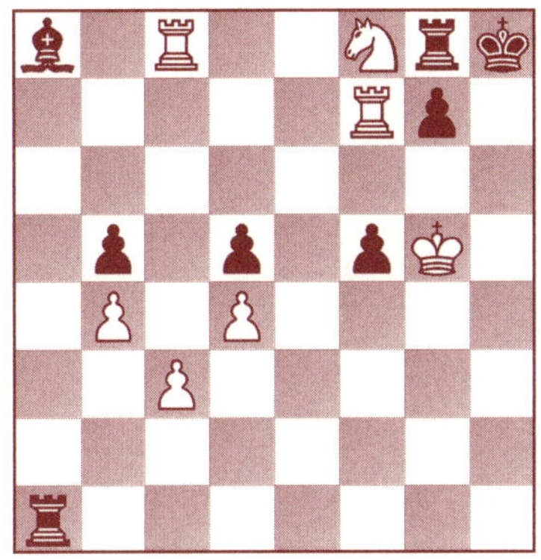

Weiß zieht und setzt in drei Zügen matt.

Ganz schön schwer 264

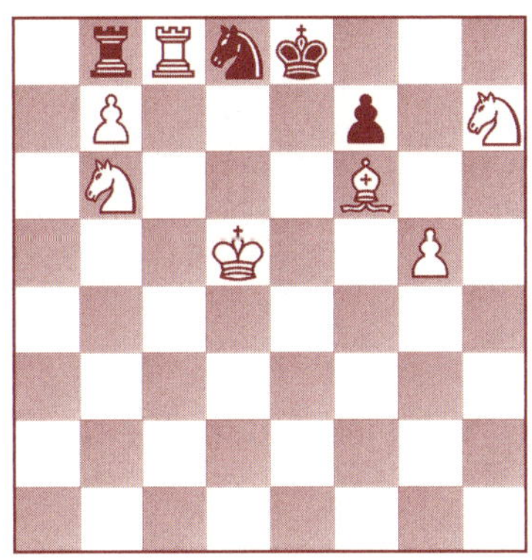

Weiß zieht und setzt in drei Zügen matt.

Ganz leicht 265

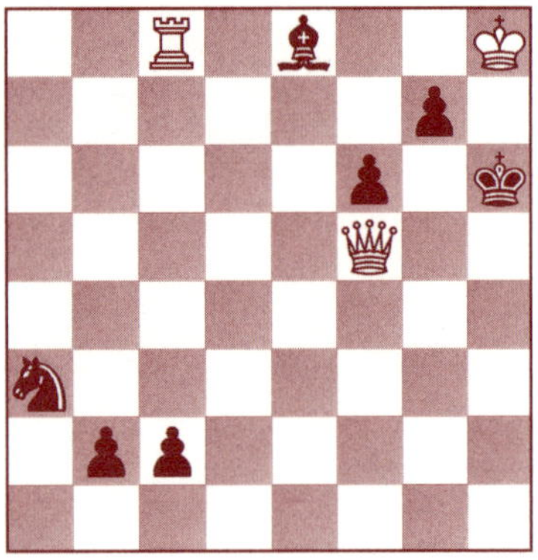

Weiß zieht und setzt in zwei Zügen matt.

Ganz schön 266

Weiß zieht und setzt in drei Zügen matt.

Ganz schön schwer 267

Weiß zieht und setzt in vier Zügen matt.

X

Y

Z

Ganz leicht 268

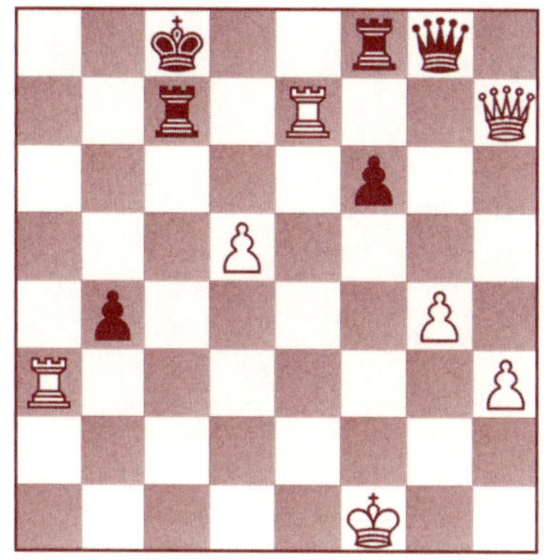

Weiß zieht und setzt in zwei Zügen matt.

Ganz schön 269

Weiß zieht und setzt in drei Zügen matt.

Ganz schön schwer 270

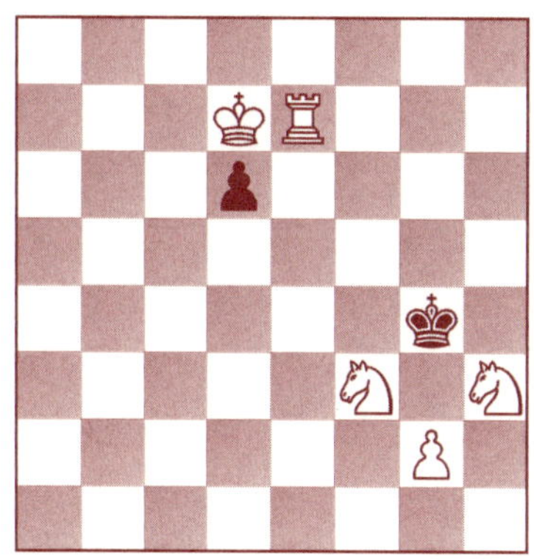

Weiß zieht und setzt in drei Zügen matt.

Ganz leicht 271

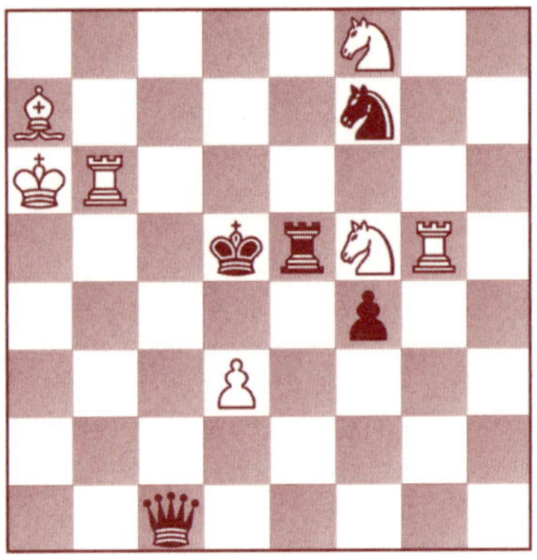

Weiß zieht und setzt in zwei Zügen matt.

Ganz schön 272

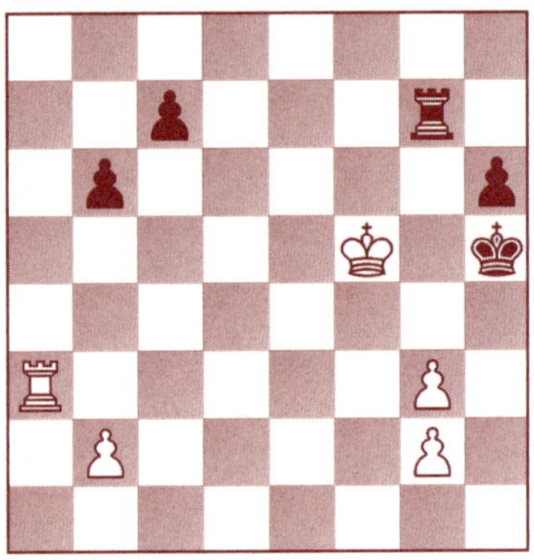

Weiß zieht und setzt in drei Zügen matt.

Ganz schön schwer 273

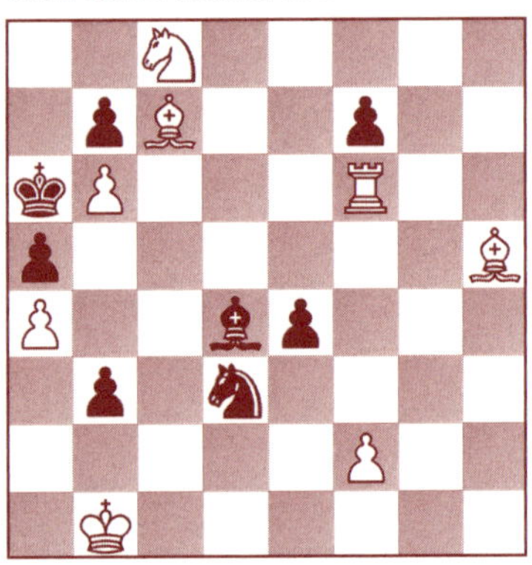

Weiß zieht und setzt in vier Zügen matt.

»Chess Fever« von Wsevolod Pudovkin & Nikolai Shpikovsky (UdSSR, 1926)

ERÖFFNUNGEN & PARTIEN

Im folgenden Partienregister sind sämtliche Schachpartien angeführt, die in »Der Standard« von 1990 bis 2010 kommentiert wurden. Als Ordnungskriterium wurde der internationale Eröffnungsschlüssel von A00 (Unregelmäßige Eröffnungen) bis E99 (Königsindische Verteidigung) verwendet. Das Datum in der linken Spalte verweist auf den Publikationszeitpunkt, die Partien können dadurch auf der beigelegten DVD nachgelesen werden.

Nach dem Verzeichnis der vollständigen Partien finden sich Partiefragmente (Unvollständige Partien, Kombinationen), die ebenfalls nach dem Datum des Erscheinens geordnet sind.

Unregelmäßige Eröffnungen [A00-A08]

Seltene erste Züge (Königsfianchetto, Grobs Eröffnung etc.) [A00]
1.Sc3, 1.a3 1.c3, 1.e3, 1.d3, 1.g4, 1.h4, 1.b4, 1.g3 etc.

4.8.91 Suttles vs Benkö, Hastings 1973/74
15.3.92 Basman vs Linton, Leicester 1990
22.3.92 Suttles vs Ostojic, Belgrad 1969
7.3.93 Réti vs Aljechin, Baden Baden 1925
5.6.94 Kasparow vs Fritz 3, Blitzpartie München 1994
29.9.96 ruf & ehn vs Genius 4, Wien 1996
13.7.97 as-Suli vs rab-Rab, Bagdad 10. Jhdt.
30.10.99 N.N. vs Abu'L-Fath, um 1100
24.12.99 Réti vs Aljechin, Baden-Baden 1925
28.4.01 Kotrc Jan vs Prohazka, Wien 1910
30.3.02 Suttles vs Benkö, Hastings 1973/74
1.6.02 Ein Ströbecker vs Silberschmidt, Ströbeck 1825
8.6.02 Grob vs Gahwiller, Fernschachzentrale der NZZ 1942
20.9.03 Suba vs Bellon, Bukarest 1978
3.4.04 Chiodini vs Paoli, Saint-Vicent 2004
21.4.07 Krejcik (ohne Dd1) vs N.N., Wien 1908
16.8.08 Réti vs Aljechin, Baden-Baden 1925
4.10.08 Haider vs Strache, Wien 2008
13.2.10 Grob vs Steinbrüchel, Fernschachzentrale 1947

Larsen-Eröffnung [A01]
1.b3

19.7.92 Tschiburdanidse vs Xie Jun, Manila 1992
22.3.03 Blatny P. vs Müller K., ö. Staatsliga 2003
17.2.07 Larsen vs Spassky, Belgrad 1970

Bird Eröffnung, Froms Gambit [A02-A03]
1.f4, 1.f4 e5

14.2.99 Tartakower vs Spielmann, Wien 1910
25.10.03 Lasker Em. vs Bauer J., Amsterdam 1889

Seltene Systeme mit 1.Sf3 [A04]
1.Sf3 f5, 1... b5, 1... g6, 1... c5

7.5.95 Kengis vs Iwantschuk, Riga 1995
24.12.04 Carlsen M. vs Dolmatow, Moskau 2004
19.2.05 Vescovi vs Volokitin, Bermuda 2005
4.10.08 Häupl vs Pröll d. Ältere, Wien 2008

Zukertort-Eröffnung [A06]
1.Sf3 d5, 1... Sf6 ohne c2-c4

12.4.98 Petrosjan T. vs Fischer R., 6. Partie Buenos Aires 1971
25.11.00 Nimzowitsch vs Rosselli, Baden-Baden 1925

Barcza-System, Königsindisch im Anzug [A07-A08]
1.Sf3 d5 2.g3, 1.Sf3 d5 2.g3 c5 3.Lg2

23.6.91 Asanow vs Miles, Peking 1991
21.1.96 Kramnik vs Beljawski, Belgrad 1995
17.3.96 Kasparjan vs Tschechower, Erewan 1936
11.5.97 Kasparow vs Deep Blue, 1. Partie New York 1997
14.9.97 Barcza vs Tal, Tallin 1971
14.8.99 Aronian vs Rozentalis, 1. Runde Las Vegas 1999
30.8.03 Lendwai vs Kurajica, Wien 2003
26.1.08 Fischer R. vs Mjagmasuren, Sousse 1967

Réti-Eröffnung [A09-A14]
1.Sf3 d5 2.c4, 1.c4 f5, 1.c4 c6 2.Sf3 d5 3.b3, 1.c4 e6 2.Sf3 d5 3.g3

17.6.90 Tartakower vs Sultan Khan, 12. Matchpartie Semmering 1931
24.2.91 Réti vs Capablanca, New York 1924
15.1.95 Shrentzel vs Georg, Zürich 1994
12.3.95 Fauland vs Sokolov I., ö. Staatsliga 1995
2.2.97 Norwood vs Polgar Zso., Bermuda 1995
9.3.97 Casagrande vs Felsberger, ö. Staatsliga Wien 1997
9.11.97 Small vs Basman, Torquay 1982
3.5.98 Kasparow vs Karpow, 24. WM-Partie Sevilla 1987
22.11.98 Hickl vs Jussupow, Bremen 1998
1.5.99 Suvrajit vs Desmukh, Nagpur 1999
4.9.99 Akopjan vs Chalifman, 1. Partie Las Vegas 1999
18.11.00 Réti vs Gruber, Wien 1923
15.6.02 Radjabow vs Kowaljow, Litohoro 1999
22.6.02 Hug vs Kortschnoi, Zürich 1978
7.8.04 Kortschnoi vs Navara, Prag 2003
17.9.05 Zukertort vs Blackburne, London 1883
24.10.09 Goletiani vs Zatonskih, St. Louis 2009

Englische Eröffnung [A15-A39]
1.c4

1.c4 Sf6 und andere Antworten [A15-A19]

5.8.90 Hübner vs Rogoff, Graz 1972
18.8.96 Kramnik vs Ehlvest, Wien 1996
5.10.97 Tschernin vs Speelman, Slough 1997
9.11.97 Kahn vs Wiezer, Görlitz 1987
25.8.01 Hjartarson vs Gretarsson, Reykjavik 1995
1.6.02 Kube vs Bade, Ströbeck 1975
10.11.07 Petschar vs Marschnigg, Wien 2007

1.c4 e5 (Sizilianisch im Anzug) [A20-A29]

19.8.90 Fauland vs Loginov, Oberwart 1990
12.7.92 Toran vs Tal, Oberhausen 1961
2.5.93 Lautier vs Karpow, Dortmund 1993
2.4.95 Lautier vs Iwantschuk, Linares 1995
3.12.95 Rechlis vs Nimzo 3, Wien 1995
12.5.96 Rechlis vs Polgar Zso., Wien 1996
19.5.96 Rechlis vs Tschernin, Wien 1996
22.9.96 ruf & ehn vs Nimzo 3, Wien 1996
10.11.96 Lautier vs Piket, Tilburg 1996
28.9.97 Kortschnoi vs Bacrot, Albert 1997
2.8.98 ruf & ehn vs Nimzo 98, Wien 1998
13.5.00 Müller H. vs Haberditz, Wien 1945
12.5.01 Gritschenberger vs Haller, Wien 1932
22.9.01 Jürgens vs Schlenker, Bielefeld 1977
24.7.04 Chasin vs Lanka, Leningrad 1977
28.8.04 Ehlvest vs Harikrishna, Hyderabad 2002
6.5.06 Efimenko vs Arizmendi, Gibraltar 2006
23.12.06 Zita vs Bronstein, Moskau 1946
14.4.07 Tahirov vs Schirow, Cañada de Calatrava 2007
24.4.10 Iwantschuk vs Jussupow, Brüssel 1991

1.c4 c5 Symmetrie-Variante [A30-A39]

1.9.91 Lautier vs Pinter, Paris 1991
7.11.93 Timman vs Karpow, 20. WM-Partie Djakarta
20.3.94 Karpow vs Topalov, Linares 1994
3.7.94 Kramnik vs Kamsky, 2. Partie New York 1994
4.12.94 Fauland vs Baumgartner, Leibnitz 1994
22.1.95 Kallisto vs Fritz 3, Wels 1995
12.2.95 Kramnik vs Anand, Monte Carlo 1994
25.5.97 Alterman vs Magem Badals, Pula 1997
2.11.97 Polugajewski vs Ftachnik, Luzern 1982
2.11.97 Bischoff vs Marin, Kalkutta 1997
1.3.98 Salov vs Timman, Wijk aan Zee 1998
13.12.98 Kasparow vs Kramnik, Moskau 1998
20.3.99 Topalov vs Iwantschuk, Linares 1999
8.1.00 Kasparow vs Ribli, Skelleftea 1989
26.2.00 Piket vs Kasparow, Finale Internet Grand Prix 2000
11.11.00 Kramnik vs Kasparow, 14. WM-Partie London 2000
17.2.01 Kortschnoi vs Ponomarjow, 8. Partie Donezk 2001
27.10.01 Kasparow vs Oral, Prag 2001
29.12.01 Kasparow vs Kramnik, 8. Partie (Blitz) Moskau 2001
10.4.04 Christoffel vs Mieses, Hastings 1945/46
26.6.04 Kasparow vs van Wely, Moskau 2004
10.7.04 van Wely vs Polgar Ju., Hoogeveen 1997
21.8.04 Polugajewski vs Ftacnik, Luzern 1982
25.6.05 Olafsson vs Levitt, Reykjavik 1990
4.2.06 Iwantschuk vs Anand, Wijk aan Zee 2006
1.7.06 Mecking vs Lupulescu, Lodi 2006
7.12.07 Miles vs Kindermann, Bad Wörishofen 1989
2.2.08 Kramnik vs Carlsen M., Wijk aan Zee 2008
17.1.09 Iwantschuk vs Leko, Schnellschach 5. Partie Mukachevo 2009
9.5.09 Aronian vs Iwantschuk, Nalchik 2009

Seltene Antworten auf 1.d4 [A40]
1... e5, 1... Sc6, 1... b5, 1... b6, 1... e6 2.c4 b6, 1... g6

9.5.93 Kumaran vs Miles, Dublin 1993
29.11.98 Kramer vs Bagirow, Grieskirchen 1998
1.4.00 Cramling P. vs Gulko, Pamplona 1996

Moderne Verteidigung ohne e4 und ohne Sf6 [A41-A42] 1.d4 d6 2.c4 g6 3.Sc3 Lg7

26.10.97 Birbrager vs Suetin, Minsk 1964
26.10.97 Robatsch vs Suttles, Nizza 1974
30.3.02 Robatsch vs Suttles, Nizza 1974
7.2.09 Iturrizaga vs Hillarp Persson, Wijk aan Zee 2009

Alt-Benoni und Pseudo-Benoni [A43-A44]
1.d4 c5 2.d5 d6, 1.d4 c5 2.d5 e5 3.e4

30.5.09 Anand vs Petschar, Wien 2009

Damenbauernspiele (Trompowsky, Bullfrog, Londoner System) [A45-A46]
1.d4 Sf6 2.Lg5, 1.d4 Sf6 2.Sf3 e6 (2... c5, 2... b5, 2... d6) 3.Lg5 (3.Lf4, 3.e3, 3.g3)

5.8.90 Gibaud vs Lazar F., Paris 1924
5.8.90 Djordjevic vs Kovacevic, Bela Crkva 1984
30.6.91 Bronstein vs Simagin, Moskau 1967
30.6.91 Drüke vs Becker, Ludwigshafen 1984
30.6.91 Ruisdonk vs Lawatsch, Fernpartie 1983/84
4.8.91 Wöll vs Schlenker, Tübingen 1982
29.9.91 Hodgson vs Plaskett, Eastbourne 1991
29.9.91 Hodgson vs Howell, Eastbourne 1991
5.1.92 Bogart vs N.N., USA 1933
25.4.93 Kortschnoi vs Polugajewski, Monaco 1993 (Blindpartie)
6.2.94 Janowsky vs Sämisch, Marienbad 1925
20.11.94 Gulko vs M-Chess-Pro, Boston 1994
13.10.96 Adams vs Topalov, Madrid 1996
9.3.97 Roth vs Pils, österreichische Staatsliga Wien 1997
30.3.97 Blanco vs Capablanca (ohne Bf7), Havanna 1941
18.1.98 Anand vs Karpow, 6. Partie Lausanne 1998
9.9.00 Brumen vs Zoler, Schwarzach 2000
7.2.04 Hübner vs Kramnik, Brissago 2004
19.11.05 ruf & ehn vs Maestro, Wien 2005
18.8.07 Bruzon vs Nijboer, Wijk aan Zee 2004

Königsindisch ohne c2-c4 [A48-A49]
1.d4 Sf6 2.Sf3 g6 3.Lg5 (3.Lf4, 3.b3, 3.e3 etc.), 1.d4 Sf6 2.Sf3 g6 3.g3

30.10.94 Kamsky vs Wolff, Philadelphia 1991
2.2.97 Frias vs Norwood, Bermuda 1995
16.3.97 Eliskases vs Najdorf, Mar del Plata 1948
31.7.04 Macieja vs Polgar Ju., Budapest 2002
28.4.07 Dergatschova vs Moser E., Dresden 2007
1.12.07 Iwantschuk vs Schirow, Blitz-WM Moskau 2007

Damenindisch ohne e7-e6 [A50]
1.d4 Sf6 2.c4 b6 3.Sc3 (3.Sf3, 3.d5)

20.2.94 Nimzowitsch vs Marshall, Kissingen 1928
19.10.97 Kaidanow vs Gurevich D., Chandler 1997
11.4.09 Bogoljubow vs Torre Repetto, Moskau 1925

Budapester Gambit, Fajarowicz-Variante [A51-A52]
1.d4 Sf6 2.c4 e5 3.dxe5 (3.d5 etc.) 3... Sg4 (3... Se4)

29.4.00 Thomsen vs Simonsen, Oyrabakki 2000
10.6.00 Bacrot vs Schirow, Sarajewo 2000
16.6.01 Berliner vs Whitaker, Washington 1945
14.7.01 Nowikov vs Blatny P., New York 2001
24.8.02 Georgiev Ki. vs Klünger, Open Mainz 2002

Alt-Indische Verteidigung [A53-A56]
1.d4 Sf6 2.c4 d6 3.Sc3 e5

21.2.93 Karpow vs Dür A., Staatsliga 1993
10.3.96 Herzog Ad. vs König, Staatsliga 1996
28.2.04 Polugajewski vs Neschmedtinow, Sotschi 1958

Wolga-Benkö-Gambit [A57-A59]
1.d4 Sf6 2.c4 c5 3.d5 b5

2.9.90 Schirow vs Alterman, Zonenturnier UdSSR
12.12.93 Körholz vs Leko, Budapest 1993
27.11.94 Nikolic vs Kasparow, Paris 1994
26.2.95 Karpow vs Gelfand, 6. Partie Sanghi Nagar 1995
15.9.96 ruf & ehn vs Fritz 4, Wien 1996
15.4.00 Sosonko vs Schüssler, Deutsche Bundesliga 1982
16.12.00 ruf & ehn vs Der Schweinehund, Wien 2000
20.11.04 Kovacs vs Benkö, Debrecen 1975
17.12.05 Cheparinov vs Iwantschuk, Chanti Mansisk 2005

Moderne Benoni-Verteidigung [A60-A79]
1.d4 Sf6 2.c4 c5 3.d5 e6

25.11.90 Petursson vs Wojtkiewicz, Wiener Open 1990
21.7.91 Petursson vs Gurevich D., Saint Martin 1991
18.8.91 Jussupow vs Maus, Hamburg 1991
22.8.93 Polgar Zsu. vs Hardicsay, Budapest 1985
24.4.94 Sheldon vs Kiss, Bratislava 1993
28.4.96 Polgar Zsu. vs Hardicsay, Budapest 1985
22.4.00 Kanko vs Westerinen, Halle 1963
9.2.02 van Wely vs Timman, Wijk aan Zee 2002
30.8.03 Krallmann vs Stanec, Wien 2003
27.9.03 Zhao Xue/Short vs Zhu Chen/Seirawan, Yong Chuan 2003
23.4.05 Karpow vs Hamarat, Wien 2005
27.1.07 Ponomarjow vs Topalov, Wijk aan Zee 2007
6.9.08 Timoschenko Geo. vs Giri, Wien 2008

Holländische Verteidigung [A80-A99]
1.d4 f5

Seltene Varianten [A80]
2.Sf3, 2.Lg5, 2.Sc3, 2.e3, 2.g4 etc.
21.7.91 Dzindzichashvili vs Legki, Saint Martin 1991
6.6.93 Münninghoff vs Saitek Risc 2500, Den Haag 1993

Staunton-Gambit [A82-A83]
2.e4 fxe4
30.7.95 Eibersberger vs Neulinger, Baden 1995

Nebenvarianten [A84-A85]
2.c4 Sf6
29.10.95 Kortschnoi vs Gleiserow, Hamburg 1995
14.2.99 Maróczy vs Tartakower, Teplitz-Schönau 1922
20.6.09 Carlsen M. vs Iwantschuk, Leon 2009

Leningrader Variante [A86-A89]
2.c4 Sf6 3.g3 g6
1.7.90 Sakaew vs Sokolow A., Simferopol 1990
15.7.90 Kasparow vs Speelman, London 1989
14.9.97 Robatsch vs Jansa, Nizza 1974
10.5.03 Jussupow vs Barejew, München 1993
10.5.03 Sher vs Beim, Biel 1990
4.10.03 Anton vs van Geet, Massow-Memorial 1996-2002
20.3.04 Gabriel vs Kindermann, Chessgate 2001
16.5.09 Hirsch vs Beim, Wien 2009

Varianten mit Lb4 [A90]
2.c4 Sf6 3.g3 e6 4.Lg2 Lb4+ (4… d5)
28.7.96 Euwe vs Aljechin, Zandvoort 1935
13.10.01 Euwe vs Aljechin, 26. WM-Partie Zandvoort 1935

Klassisches Holländisch, Abweichungen [A91]
2.c4 Sf6 3.g3 e6 4.Lg2 Le7
22.12.01 Zhu Chen vs Kostenjuk, Moskau 2001
27.4.02 Rau vs Moser E., Augsburg 2002

Stonewall [A92-A95]
2.c4 Sf6 3.g3 e6 4.Lg2 Le75.Sf3 0-0 6.0-0 d5 7.b3 c6
26.5.91 Mecking vs Nikolic, Sao Paulo 1991
15.12.91 Jussupow vs Salov, Paris 1991
19.6.94 Glücksberg vs Najdorf, Warschau 1935
1.9.96 Aljechin vs Treybal, Semmering 1926
22.1.00 Anand vs Nikolic, Wijk aan Zee 2000

Hauptvariante [A96-A99]
2.c4 Sf6 3.g3 e6 4.Lg2 Le7 5.Sf3 0-0 6.0-0 d6 7.Sc3
31.5.03 Dearing vs Palliser, London 2003

Seltene Antworten auf 1.e4
(Nimzowitsch-Verteidigung etc.) [B00]
1… b6, 1… Sc6

14.7.91 Smagin S. vs Sahovic, Biel (Open) 1990
15.3.92 Bibby vs Basman, Eastbourne 1990
21.11.93 Hiarcs vs Genius 2, Mikrocomputer-WM München 1993
28.1.96 Howell vs Miles, Isle of Man 1995
23.11.97 Afek vs Basman, London 1979
23.11.97 Karpow vs Miles, Skara 1980
26.7.98 Fritz 5 vs ruf & ehn, Wien 1998
17.11.01 Karpow vs Miles, Skara 1980
15.5.04 Brühl vs Philidor, London 1790
13.10.07 Rubinstein A. vs Gunsberg, Vorrunde St. Petersburg 1914

Skandinavische Verteidigung [B01]
1.e4 d5

14.3.93 Larsen vs Deep Blue, 4. Partie Kopenhagen 1993
14.11.93 Mieses vs Möller, Stockholm 1906
14.11.93 Mieses vs Tartakower, Karlsbad 1907
9.10.94 Iwantschuk vs Chalifman, Tilburg 1994

6.11.94 Philidor vs Brühl, London 1789
29.1.95 Castellvi vs Vinyoles, Valencia um 1490
20.8.95 Philidor (ohne Sb1) vs Brühl (ohne Bf7), London 1789
8.10.95 Kasparow vs Anand, 14. Partie New York 1995
8.12.96 Werner vs Tkeschelaschwili, Menorca 1996
15.6.97 Schirow vs Salov, Madrid 1997
1.5.99 Prasad vs Suvrajit, Nagpur 1999
20.11.99 Castellvi vs Vinyoles, Valencia um 1490
5.1.02 Schneider Al. vs Krivoshey, Aschach 2001
17.8.02 Deep Junior vs ParSOS, Maastricht 2002
24.4.04 Maugg vs Palme, Innsbruck 1972
24.4.04 Kosmo vs Smerdon, Goa 2002
5.6.04 Schirow vs Kurajica, Sarajewo 2004
21.1.06 Topalov vs Kamsky, Wijk aan Zee 2006
25.11.06 Golubev vs Kislinski, Charkow 2006
12.4.08 Hunt vs Muzychuk, Stockholm 2008
4.10. van der Bellen vs van der Bellen, Wien 2008
22.11.08 Tandy vs Rau Garcia, Dresden 2008

Aljechin-Verteidigung [B02-B05]
1.e4 Sf6

21.11.93 Ecume vs Genius 2.0, Mikrocomputer-WM München 1993
8.5.94 Adams vs Agdestein, 2. Matchpartie Oslo 1994
16.10.94 Anand vs Adams, 1. Partie Linares 1994
29.12.96 Kasparow vs Iwantschuk, Las Palmas 1996
21.9.02 Blasl vs Laqua, Schwarzach 2002
20.9.03 Nimzowitsch vs Aljechin, Semmering 1926
2.4.05 Spassky vs Fischer R., 13. WM-Partie Reykjavik 1972

Moderne Verteidigung [B06]
1.e4 g6 2.d4 Lg7, 2... d6, 2... e6

19.8.90 Illincic vs Seifert, Oberwart 1990
22.3.92 Evans vs Suttles, San Antonio 1972
5.4.92 Vukic vs Mokry, Staatsliga A 1992
22.10.95 Fischer R. vs Karpow, WM 1975 letzte und entscheidende Partie (USA 1984)
24.11.96 Short vs Asmaiparaschwili, Cap d'Agde 1996
16.11.97 Bastian vs Feustel, Nordhorn 1977
16.11.97 Böhm vs Feustel, Bad Neuenahr 1978
18.10.98 Short vs Irschanow, Elista 1998
28.8.99 Adams vs Akopjan, Semifinale Las Vegas 1999
22.9.01 Kellermann vs Schlenker, Tübingen 1978
15.12.01 Ponomarjow vs Barejew, Moskau 2001
21.6.03 Malakow vs Asmaiparaschwili, Silivri 2003
8.4.06 Lehner vs Stanec, ÖMM Ansfelden 2006
12.9.09 Kovalev vs Shoker, Wien 2009

Pirc-Verteidigung [B07-B09]
1.e4 d6 2.d4 Sf6 3.Sc3 (3.Sd2, 3.f3, 3.Ld3) 3... g6

16.2.92 Kasparow vs Wahls, Baden Baden 1992
25.7.93 Sermek vs Lechtynsky, Velden 1993
19.5.96 Polgar Zso. vs Roth, Wien 1996
2.6.96 Tal vs Simagin, Leningrad 1956
1.3.98 Tschernjaew vs van der Wiel, Wijk aan Zee 1998
31.1.99 Kasparow vs Topalov, Wijk aan Zee 1999
12.2.00 Stefanova vs Kadimowa, Tunis 1999
8.4.00 Rausis vs Hillarp Persson, Gausdal 1996
15.6.02 Kasparow vs Radjabow, Moskau 2002
31.8.02 Fischer R. vs Benkö, New York 1963/64
14.12.02 Fischer R. vs Kortschnoi, Kandidatenturnier Curaçao 1962
21.6.03 Karpow vs Asmaiparaschwili, Moskau 1983
18.9.04 Neubauer vs Felgaer, Open Decameron 2004
2.10.04 Hoeksema vs Beim, Dieren 1996
19.3.05 Kasparow vs Topalov, Wijk aan Zee 1999
27.8.05 Stanec vs Hölzl, Gmunden 2005
24.9.05 Talion vs Tigrano, ICC Bullet 2005
12.11.05 Cicak vs Galego, Figuera da Foz, 2005

Caro-Kann-Verteidigung [B10-B19]
1.e4 c6

Seltene Systeme, Vorstoßvariante [B10, B12]
2.Sf3, 2.c4, 2.d3, 2.b3, 2.Se2, 2.e5, 2.f4, 2.Sc3
23.9.90 Short vs Timman, Prag 1990
23.10.94 Cramling P. vs Kortschnoi, Biel 1984
21.5.95 Kamsky vs Karpow, Dos Hermanas 1995
4.6.95 Quest vs Nunn, Den Haag 1995
25.6.95 Zeus vs Phoenix, Hongkong 1995
14.1.96 Topalov vs Karpow, Varna 1995
12.5.96 Rechlis vs Stefanova, Wien 1996
28.2.99 Tatai vs Mariotti, Reggio Emilia 1967
31.7.99 Dwoiris vs Sandhu, Oberwart 1999
21.8.99 Schirow vs Nisipeanu, Viertelfinale Las Vegas 1999
10.3.01 Kasparow vs Karpow, Linares 2001
23.6.01 Schirow vs Anand, Léon 2001
30.6.01 Polgar Ju. vs Asrian, Ohrid 2001
1.2.03 Schirow vs Anand, Wijk aan Zee 2003
7.6.03 Granda Zuniga vs Gonzalez, Havanna 2003
22.5.04 Morosewitsch vs Bologan, Dagomis 2004
24.7.04 Tal vs Smyslow, Bled 1959
23.10.04 Kramnik vs Leko, 14. WM-Partie Brissago 2004
6.11.04 Morosewitsch vs Iwantschuk, Mallorca 2004
20.8.05 Grischuk vs Anand, 8. WM-Partie Schnellschach Mainz 2005
7.1.06 Motylew vs Barejew, Moskau 2005
5.5.07 Tal vs Smyslow, Bled 1959
10.5.08 Tartakower vs Sultan Khan, 8. Wettkampfpartie Semmering 1931
28.11.09 Carlsen M. vs Barejew, Moskau 2009

Zweispringer-Variante [B11]
2.Sc3 d5 3.Sf3 Lg4
27.10.96 Spielmann vs Walter, Trencianske Teplice 1928
26.8.06 Fischer R. vs Portisch Lajos, Stockholm 1962
9.6.07 Polgar Ju. vs Barejew, 5. Partie Elista 2007

Abtausch-Variante [B13]
2.d4 d5 3.exd5 cxd5
24.8.97 Gerbec vs Kalmar-Wolf, Wien 1931
1.9.07 Hendriks vs Simutowe, Arnheim 2007
7.6.08 Carlsen M. vs Leko, 4. Partie Miskolc 2008

Panov-Angriff [B14]
2.d4 d5 3.exd5 cxd5 4.c4 Sf6 5.Sc3
31.5.92 Saizew vs N.N., Simultanvorstellung 1970
14.6.92 Anand vs Seirawan, Amsterdam 1992
2.10.94 Ibragimow vs Stajcic, Graz 1994
23.6.96 Kamsky vs Karpow, 4. WM-Partie Elista 1996
25.8.96 Topalov vs Leko, Wien 1996
4.1.98 Anand vs Adams, Blitzpartie Groningen 1997
18.1.98 Anand vs Karpow, 4. Partie Lausanne 1998
13.7.02 Morosewitsch vs Barejew, Dortmund 2002
19.7.03 Hort vs Scotland, Bremen 1980
7.8.04 Velimirovic vs Hort, Niksic 1978
12.8.06 Shengelia vs Balinov, Wien 2006
5.12.09 Hesse vs Mahmoud, Fernpartie 2002/03

Flohr-Variante [B15]
2.d4 d5 3.Sc3 dxe4 4.Sxe4 Sf6 5.Sxf6+ exf6
4.8.96 Réti vs Tartakower, Café Central Wien 1910
27.10.96 Spielmann vs Hönlinger, Wien 1929
11.10.98 Spielmann vs Hönlinger, Wien 1929

Nimzowitsch-Verteidigung [B16]
2.d4 d5 3.Sc3 dxe4 4.Sxe4 Sf6 5.Sxf6+ gxf6
23.10.94 Tschiburdanidse vs Short, Dortmund 1983

Smyslow-Variante [B17]
2.d4 d5 3.Sc3 dxe4 4.Sxe4 Sd7
2.5.93 Kamsky vs Karpow, Dortmund 1993
12.9.93 Timman vs Karpow, 1. WM-Partie Zwolle 1993
13.3.94 Kasparow vs Karpow, Linares 1994
18.9.94 Anand vs Genius 2.0/Pentium, London 1994
23.4.95 Iwantschuk vs Karpow, Blindpartie Monaco 1995
12.1.97 Timman vs Leko, Groningen 1996
18.5. 97 Deep Blue vs Kasparow, 6. Partie New York 1997
3.3.01 Schirow vs Karpow, Linares 2001
16.8.03 Anand vs Bologan, Dortmund 2003
16.6.07 Leko vs Barejew, 3.Partie Elista 2007
4.10.08 Kapital vs Faymann, Wien 2008

Hauptvariante [B18-B19]
2.d4 d5 3.Sc3 dxe4 4.Sxe4 Lf5
6.3.99 Adams vs Leko, Linares 1999
6.5.00 Polgar Ju. vs Adianto, Bali 2000
20.7.02 Topalov vs Barejew, Semifinale Dortmund 2002
27.9.03 Xu Yuhua /Ye Jiangchuan vs Xie Jun/Barejew, Yong Chuan 2003
27.8.05 Sommer vs Hackbarth, Gmunden 2005

Sizilianische Verteidigung [B20-B99]
1.e4 c5

Seltene Züge, Flügelgambit [B20]
2.b4, 2.g3, 2.Se2, 2.c4, 2.b3 etc.
20.5.06 Philidor vs Brühl, London 1788
21.2.09 Robitsch vs Müller H., Wien 1959

Morra-Gambit, Grand Prix-Angriff [B21]
2.d4, 2.f4
5.3.95 Saint-Amant vs Staunton, 5. Partie Paris 1843
11.6.95 Potzy vs junior, ICC 1994
6.4.97 Rabinowitsch vs Rotlewi, Karlsbad 1911
27.3.99 Schachautomat (Lewis) vs Wilson, London 1819
3.7.99 Frankle vs Quinteros, Los Angeles 1984
18.8.01 Soyka vs Krejcik, Café Central Wien 1911

Alapin-Variante [B22]
2.c3
26.8.90 Dückstein vs Fauland, Carasaxa-Open Wien 1990
27.3.94 Karpow vs Polgar Ju., Linares 1994
29.5.94 Polgar Ju. vs Tiwjakow, Madrid 1994
12.3.95 Hölzl vs Wittmann, Ö. Staatsliga 1995
28.1.96 Britton vs Dan, London 1995
25.2.96 Deep Blue vs Kasparow, 1. Partie Philadelphia 1996
15.9.96 Fritz 4 vs ruf & ehn, Wien 1996
4.5.97 Deep Blue vs Kasparow, 1. Partie Philadelphia 1996
7.9.97 Saizew vs Lau, Wien 1997
12.10.97 Svidler vs Kasparow, Tilburg 1997
12.3.05 Kasimdschanow vs Anand, Linares 2005
26.11.05 Ni Hua vs Morosewitsch, Beer Sheva 2005
7.7.07 Pavasovic vs Holzer, Velden 2007
28.2.09 Jeric vs Robitsch, St. Veit 2003

Geschlossenes System [B23-B26]
2.Sc3, 3.g3
8.9.91 Short vs Gelfand, 3. Partie Brüssel 1991
18.10.92 Fischer R. vs Spassky, 17. Partie Belgrad 1992
25.10.92 Fischer R. vs Spassky, 19. Partie Belgrad 1992
25.10.92 Spassky vs Fischer R., 20. Partie Belgrad 1992
5.11.95 Thomas Sir vs Erdelyi, Klosterneuburg 1934
9.3.97 Wittmann vs Weiß C., ö. Staatsliga Wien 1997
18.10.98 Kaidanow vs Nijboer, Elista 1998
25.3.00 Neumeier vs Pilaj, ö. Staatsliga 2000
8.7.00 Najer vs Handke, Capelle la Grande 2000
20.1.01 Fedorow vs Kasparow, Wijk aan Zee 2001
3.2.01 Fedorow vs Morosewitsch, Wijk aan Zee 2001
20.10.01 Chandler vs Palliser, Scarborough 2001
29.1.05 Bruzon vs Topalov, Wijk aan Zee 2005
25.4.09 Slanovic vs Steiner, Wien 2009
30.1.10 Tiwjakow vs Schirow, Wijk aan Zee 2010

Frühes Fianchetto etc. [B27]
2.Sf3 g6, 2… Dc7, 2… b6
23.7.95 Smyslow vs Polgar Ju., Prag 1995
13.11.04 Anand vs Bacrot, Masters Korsika 2004

Frühes a7-a6 [B28]
2.Sf3 a6
29.10.95 Wahls vs Kempinski, Hamburg 1995
8.7.06 Jobava vs Schweda, Vösendorf 2006

Nimzowitsch-Verteidigung [B29]
2.Sf3 Sf6
16.5.93 Wegener vs Troyke, Deutsche Bundesliga 1993
7.4.96 Kramnik vs Seirawan, Amsterdam 1996

Rossolimo-Variante [B30-B31, B51-B52]
2.Sf3 Sc6 3.Lb5, 2.Sf3 d6 3.Lb5+
31.3.91 Iwantschuk vs Kasparow, Linares 1991
6.9.92 Cladouras vs Gurevich D., Biel (Open) 1992
4.10.92 Fischer R. vs Spassky, 11. Partie Sveti Stefan 1992
11.10.92 Fischer R. vs Spassky, 13. Partie Belgrad 1992
15.11.92 Fischer R. vs Spassky, 11. Partie Sveti Stefan 1992
4.7.93 Polgar Zso. vs Ivkov, Wien 1993
18.7.93 Jungmann vs Mephisto Portorose, Deutschland 1991
22.5.94 Hort vs Jansson, Skopje 1972
3.7.94 Adams vs Tiwjakow, 2. Partie New York 1994
11.9.94 Schirow vs Kramnik, Nowgorod 1994
15.1.95 Westerinen vs Hennigan, Wrexham 1994
5.2.95 Morosewitsch vs Arakhamia, London 1994
4.1.98 Adams vs Anand, Groningen 1997
24.12.99 Kasparow vs Die Welt, Internet 1999
20.10.01 Chandler vs Gallagher, Scarborough 2001
18.5.02 Kasparow vs Polgar Ju., Prag 2002
14.9.02 McShane vs Ramesh, Torquay 2002
21.9.02 Polgar Ju. vs Kasparow, Moskau 2002
15.3.03 Adams vs Schirow, Reykjavik 2003
2.8.03 Oral vs McShane, Qaqortoq 2003
29.11.03 Sutovsky vs Smirin, Israel 2003
21.2.04 Dworakowska vs Moser E., Dresden 2003
23.7.05 Naiditsch vs Leko, Dortmund 2005
10.9.05 Sulskis vs Markos, Wien 2005
26.11.05 Grischuk vs Zhang, Beer Sheva 2005
1.7.06 Fedortschuk vs Hossain, Lodi 2006
22.12.07 Kamsky vs Schirow, Khanty-Mansisk 2007
14.3.09 Carlsen M. vs Radjabow, Linares 2009

Lasker/Pelikan/Sweschnikow-Variante [B32-B33]
2.Sf3 Sc6 3.d4 cxd4 4.Sxd4 e5, 4... Sf6 5.Sc3 e5
11.8.91 Smagin vs Jurtaew, Hartberg 1991
2.8.92 Tschiburdanidse vs Velikhanli, Budapest 1992
16.1.94 Polgar Ju. vs Vaisser, Oviedo 1994
13.2.94 Judasin vs Kramnik, Wijk aan Zee 1994 1. Partie
26.6.94 McDonnell vs de Labourdonnais, 62. Partie London 1834
11.9.94 Kasparow vs Kramnik, Nowgorod 1994
8.1.95 Kasparow vs Lautier, Moskau 1994
22.1.95 M-Chess Professional vs Chessmaster 4000, Wels 1995
28.5.95 Gufeld vs Ivanovic, Sotschi 1979
17.11.96 Franzen vs Hamarat, Fernschach-WM 1994-96
8.2.98 Polgar Ju. vs Kramnik, Wijk aan Zee 1998
24.1.99 Kasparow vs van Wely, Wijk aan Zee 1999
15.5.99 Fritz 5.32 vs Polgar Ju., 4. Partie Budapest 1999
21.4.01 Ulibin vs Sweschnikow, Chelni 1988
21.4.01 Smagin vs Sweschnikow, Moskau 1992
23.6.01 Schirow vs Topalov, Léon 2001
29.9.01 Milos vs Radjabow, Buenos Aires 2001
24.11.01 Hamdouchi vs Tregubow, Cap d'Age 2000
20.7.02 Schirow vs Leko, Semifinale Dortmund 2002
23.11.02 Kostenko vs Mecking, Bled 2002
15.2.03 Karjakin vs Kosteniuk, 4. Partie Brissago 2003
3.5.03 Vallejo Pons vs Schirow, Ayamonte 2002
28.6.03 Polgar Ju. vs Lautier, Enghien-les-Bains 2003
7.5.05 McDonnell vs de Labourdonnais, 62. Partie London 1834
9.7.05 Iwantschuk vs Movsesian, Warschau 2005
16.7.05 Mederos/Schakel vs Dothan/Chorfi, iccf 2005
23.7.05 Naiditsch vs Sutovsky, Dortmund 2005
28.1.06 Smeets vs Carlsen, Wijk aan Zee 2006
4.3.06 Leko vs Radjabow, Morelia 2006
15.3.08 Anand vs Schirow, Linares 2008

Maroczy-Aufbau [B36-B39]
2.Sf3 Sc6 3.d4 cxd4 4.Sxd4 g6 5.c4
8.6.97 Nielsen vs Larsen, Esbjerg 1997
7.12.97 Iwantschuk vs Georgiev Ki., Belgrad 1997
4.10.98 Tartakower vs Réti, Wien 1908
3.7.99 Filippov vs Nielsen, Minsk 1996
29.12.01 Kasparow vs Kramnik, 2. Partie (Turnier) Moskau 2001
16.2.02 Awerbach vs Weressow, Moskau 1947
20.12.08 Aronian vs Iwantschuk, Nanjing 2008

Klassisches System mit e7-e6 [B40]
2.Sf3 e6 3.d4 cxd4 4.Sxd4 Sf6 5.Sc3, 5.Ld3
20.10.96 Aljechin vs Sämisch, Berlin 1923
25.9.99 Gunnarsson vs Vidarsson, Reykjavik 1999

Kan/Paulsen/Taimanov-Variante [B41-B49]
2.Sf3 e6 3.d4 cxd4 4.Sxd4 a6, 4... Sc6
24.11.91 Kasparow vs Anand, Tilburg 1991
2.2.92 Tolnai vs Polgar Ju., Budapest 1991
29.8.92 Fischer R. vs Petrosjan T., 7. Partie Buenos Aires 1971
8.11.92 Fischer R. vs Spassky, 21. Partie Belgrad 1992
29.11.92 Dwoiris vs Ribli, Europacupfinale 1992
6.6.93 Nunn vs Nimzo, Den Haag 1993
18.6.95 Kasparow vs Lautier, Amsterdam 1995
10.3.96 Almasi vs Jansa, Staatsliga 1996
21.4.96 Smyslow vs Hansen, Biel 1993
21.7.96 Anand vs Leko, Dortmund 1996
31.8.97 Dückstein vs Pachman, Varna 1962
10.1.99 Asrian vs Milov, Groningen 1998
7.2.99 Schirow vs Reinderman, Wijk aan Zee 1999
15.5.99 Polgar Ju. vs Fritz 5.32, 5. Partie Budapest 1999
15.1.00 Leko vs Chalifman, 2. Partie Budapest 2000
30.12.00 Schirow vs Anand, 3. Partie Teheran 2000
25.8.01 Olafsson vs Pilnik, Reykjavik 1957
27.10.01 Kasparow vs Mowsesian, Prag 2001
2.3.02 Kasparow vs Anand, Linares 2002
4.5.02 Ye Jiangchuan vs Polgar Ju., Prag 2002
13.7.02 Topalov vs Lutz, Dortmund 2002
27.7.02 Leko vs Topalov, 1. Finalpartie Dortmund 2002
10.8.02 Weinzettl vs Buljubasic, Wien 2002

24.8.02 Kosteniuk vs Pähtz, 8. Partie Mainz 2002
12.10.02 Calvo vs Kortschnoi, Havanna 1966
8.2.03 Deep Junior vs Kasparow, 2. Partie New York 2003
26.4.03 Short vs Lutz, Budapest 2003
13.11.04 Anand vs Rublewski, Masters Korsika 2004
29.4.06 Sumpter vs King, Sydney 1965
10.3.07 Topalov vs Iwantschuk, Linares 2007
7.4.07 Polgar Ju. vs Maskova, Novi Sad 1990
26.5.07 Topalov vs Mamedyarov, 5. Runde Sofia 2007
29.3.08 Ragger vs Lanka, ö. Bundesliga 2008
24.5.08 Cheparinov vs Iwantschuk, Sofia 2008
6.12.08 Jačkova vs Karpow, Mariánské Lazne 2008
31.1.09 Karjakin vs Morosewitsch, Wijk aan Zee 2009
15.8.09 Kafka vs Rotpeter Prag 1908
2.1.10 Nyzhnyk vs Itkis, Kiew 2009

Verschiedene Systeme mit d7-d6 [B50]
2.Sf3 d6 3.Sc3, 3.c3, 3.d3, 3.b4 etc.
13.10.96 Kortschnoi vs Topalov, Wien 1996

Ungarische Variante [B53]
2.Sf3 d6 3.d4 cxd4 4.Dxd4
21.5.95 Anand vs Kasparow, Riga 1995
9.6.96 Polgar Ju. vs Topalov, Dos Hermanas 1996
4.1.03 Wasjukow vs van Wely, Moskau 2002
6.12.03 List vs Shredder, Computer-WM Graz 2003

Rausers Anti-Drachen-Variante [B54- B55]
2.Sf3 d6 3.d4 cxd4 4.Sxd4 Sf6 5.f3
10.2.91 Aljechin & Frank vs Bogoljubow & Stolzyk, Warschau 1941
26.7.03 Gelfand vs Polgar Ju., 1. Wettkampfpartie Paks 2003

Richter-Rauser-Angriff [B60-B69]
2.Sf3 d6 3.d4 cxd4 4.Sxd4 Sf6 5.Sc3 Sc6 6.Lg5
12.8.90 Short vs Torre E., Manila 1990
10.11.91 Fedorowicz vs Wolff, Los Angeles 1991
24.1.93 Short vs Timman, 4. Partie Kandidatenfinale San Lorenzo 1993
23.1.94 Anand vs Serper, Groningen 1993
2.10.94 Timoschenko Gen. vs Kozul, Graz 1994
10.9.95 Polugajewski vs Osnos, Alma Ata 1969
10.12.95 Anand vs Kasparow, Paris 1995
3.3.96 Xie Jun vs Polgar Zsu., 4. Partie Jaén 1996
6.10.96 Kasparow vs Hracek, Erewan 1996
8.2.98 Nijboer vs Anand, Wijk aan Zee 1998
15.3.98 Iwantschuk vs Anand, Linares 1998
14.8.99 Xie Jun vs Galliamova, 2. Partie Kasan 1999
2.9.00 Nimzo vs SOS, London 2000
30.6.01 Sutovsky vs Blehm, Ohrid 2001
31.1.04 Anand vs Timman, Wijk aan Zee 2004
4.12.04 Morosewitsch vs Drejew, Moskau 2004

Drachenvariante [B70-B79]
2.Sf3 d6 3.d4 cxd4 4.Sxd4 Sf6 5.Sc3 g6
15.9.91 ruf & ehn vs Kishon Chesster, Wien 1991
17.11.91 Xie Jun vs Tschiburdanidse, 11. WM-Partie Manila 1991
31.5.92 Tal vs N.N., Stuttgart Simultanvorstellung 1958
24.4.94 Schlusznik vs Gara, Szombathely 1994
5.6.94 Nunn vs Saitec Risc 2500, Den Haag 1994
10.7.94 Timman vs Hjartarson, Reykjavik 1988
16.10.94 Short vs Kamsky, 2. Partie Linares 1994
8.10.95 Anand vs Kasparow, 11. Partie New York 1995
8.10.95 Anand vs Kasparow, 13. Partie New York 1995
15.10.95 Anand vs Kasparow, 17. Partie New York 1995
10.11.96 Balinov vs Rotstein, Wien 1996
12.1.97 Timman vs Hodgson, Groningen 1996
16.2.97 Ponce Sala vs Parpal, Barcelona 1950
4.3.00 Karsten vs Schneider, Budapest 1989
4.3.00 Nieuwenhuis vs van Roosemalen, Fernpartie 1991
3.6.00 Morosewitsch vs Georgiev Ki., Sarajewo 2000
16.2.02 Chasin vs Awerbach, Moskau 1964
25.5.02 Kosteniuk vs Gara, Baile Herculane 1994
30.11.02 Lian Ann Tan vs Mecking, Manila 1976
8.5.04 Lasker Em. vs Voright, Philadelphia 1902
22.5.04 Fedorow vs Morosewitsch Wijk aan Zee 2001
16.4.05 Larsen vs Petrosjan T., Santa Monica 1966
16.7.05 Boas vs Duchamp, Fernschacholympiade 1937
5.7.08 Nisipeanu vs Carlsen M., Foros 2008
20.9.08 Topalov vs Carlsen M., Bilbao 2008
7.3.09 Dominguez Leinier vs Carlsen M., Linares 2009

Scheveningener System [B80-B85]
2.Sf3 d6 3.d4 cxd4 4.Sxd4 Sf6 5.Sc3 e6
26.8.90 Sinowjew vs Fauland, Carasaxa-Open Wien 1990
8.11.92 Fischer R. vs Spassky, 25. Partie Belgrad 1992
4.7.93 Geller vs Polgar Zso., Wien 1993
25.7.93 Kengis vs Espig, Zell am Ziller 1993
5.9.93 Short vs Kasparow, Debrecen 1992
1.5.94 Anand vs Polgar Ju., Blindpartie Monaco 1994
13.11.94 Staudner vs Buben, Wien 1994
18.12.94 Topalov vs Kasparow, Moskau 1994
27.8.95 Gallagher vs Vehi Bach, Biel 1995
17.9.95 Anand vs Kasparow, 1. Partie New York 1995
24.9.95 Anand vs Kasparow, 3. Partie New York 1995
1.10.95 Anand vs Kasparow, 9. Partie New York 1995
9.3.97 Watzka vs Lendwai, ö. Staatsliga Wien 1997
10.5.98 Tal vs Larsen, Bled 1965
31.5.98 Sutovsky vs Kasparow, Tel Aviv 1998
13.3.99 Anand vs Kasparow, Linares 1999
20.3.99 Topalov vs Kasparow, Linares 1999
17.4.99 Polgar Ju. vs Anand, Dos Hermanas 1999
29.1.00 Kasparow vs van Wely, Wijk aan Zee 2000
12.8.00 Svidler vs van Wely, Biel 2000
20.1.01 Schirow vs Topalov, Wijk aan Zee 2001
3.3.01 Schirow vs Kasparow, Linares 2001
6.10.01 Suetin vs Jimenez, Havanna 1969
28.9.02 Uschenina vs Karjakin, Sudak 2002
5.4.03 Kramnik vs Topalov, Blindpartie Monte Carlo 2003
31.1.04 Adams vs Kramnik, Wijk aan Zee 2004
27.3.04 Short vs Kasparow, Finale Reykjavik 2004
17.4.04 Lasker Ed. vs Rossolimo, Havanna 1952
4.12.04 Tscheschkowski vs Kasparow, Moskau 2004
30.4.05 Karpow vs Hort, Moskau 1971
8.10.05 Polgar Ju. vs Kasimdschanow, San Luis 2005

21.1.06 Adams vs Topalov, Wijk aan Zee 2006
5.1.07 Schirow vs Illescas Cordoba, Pamplona 2006
16.6.07 Grischuk vs Rublewski, 1. Partie Elista 2007
8.9.07 Ni Hua vs Jakovenko, Nischni Nowgorod 2007
2.5.09 Winiwarter vs Ozbilen, Velden 2009
6.6.09 Anand vs Ftacnik, Biel 1993
16.1.10 Giri vs Brandenburg, Dieren 2009

Sosin-Angriff [B57], [B86-B89]
2.Sf3 d6 3.d4 cxd4 4.Sxd4 Sf6 5.Sc3 Sc6 6.Lc4, 5… e6 6.Lc4
9.5.93 Adams vs Sadler, Dublin 1993
26.9.93 Short vs Kasparow, 6. WM-Partie London 1993
3.10.93 Short vs Kasparow, 8. WM-Partie London 1993
10.10.93 Short vs Kasparow, 10. WM-Partie London 1993
10.10.93 Short vs Kasparow, 12. WM-Partie London 1993
17.10.93 Short vs Kasparow, 14. WM-Partie London 1993
17.10.93 Short vs Kasparow, 16. WM-Partie London 1993
24.10.93 Short vs Kasparow 18. WM-Partie London 1993
31.10.93 Short vs Kasparow, 20. WM-Partie London 1993
14.5.95 Padevski vs Botwinnik, Moskau 1956
22.10.95 Steinitz vs Tal, USA 1985
7.4.96 Topalov vs Short, Amsterdam 1996
26.5.96 Ljubojevic vs Kramnik, Monaco 1996
9.6.96 Topalov vs Kramnik, Dos Hermanas 1996
10.5.98 Fischer R. vs Geller, Skopje 1967
24.1.99 Reinderman vs Anand, Wijk aan Zee 1999
30.9.00 Robatsch vs Tal, Leipzig 1960
24.3.01 Ye Jiangchuan vs Gulko, Seattle 2001
24.11.01 Chorfi vs de Vries, Buenos Aires 1978
3.7.04 Mifsud vs Camilleri, Valletta 1994
26.8.06 Byrne R. vs Fischer R., Sousse 1967
22.3.08 Nunn vs Murshed, London 1985
10.1.09 Rublewski vs Jefimenko, Russland 2008

Najdorf-Variante [B90-B99]
2.Sf3 d6 3.d4 cxd4 4.Sxd4 Sf6 5.Sc3 a6 6.g3, 6.Le2, 6.f4, 6.Lg5
11.7.93 Kasparow vs Kamsky, Linares 1993
8.8.93 Tschiburdanidse vs Dwoiris, Moskau 1980
19.9.93 Short vs Kasparow, 4. WM-Partie London 1993
13.3.94 Anand vs Kamsky, Linares 1994
20.11.94 W-Chess vs Wolff, Boston 1994
16.4.95 Stein vs Tal, Moskau 1962
23.4.95 Polgar Ju. vs Iwantschuk, Blindpartie Monaco 1995
11.6.95 Stingray vs KingLoek, ICC 1994
10.9.95 Neschmedtinow vs Polugajewski, Baku 1961
21.1.96 Adams vs Kramnik, Belgrad 1995
26.5.96 Schirow vs Kramnik, Moskau 1996
17.11.96 Hamarat vs Boll, Fernschach-WM 1994-96
8.6.97 Alexander vs Larsen, Hastings 1956/57
31.8.97 Dückstein vs Euwe, Chaumont de Neusenburg 1958;
30.11.97 Maschine/Mensch (Jungmann)? vs Mensch/Maschine (MM5)?
8.3.98 Schirow vs Svidler, Linares 1998
17.5.98 Kasparow vs Topalov, Sofia 1998
31.5.98 Kasparow vs Huzman, Tel Aviv 1998
28.6.98 Anand vs Kasparow, Frankfurt 1998
6.3.99 Iwantschuk vs Kasparow, Linares 1999
24.4.99 Adams vs Svidler, Dos Hermanas 1999
22.5.99 Leko vs Schirow, Sarajewo 1999
26.6.99 Zugzwang (Computer) vs Nimzo, Paderborn 1999
3.7.99 Nunn vs Sadler, London 1993
24.7.99 Schirow vs Polgar Ju., 1. Partie Prag 1999
5.2.00 Kasparow vs Polgar Ju., Wijk aan Zee 2000
5.2.00 Timman vs van Wely, Wijk aan Zee 2000
11.3.00 Anand vs Kasparow, Linares 2000
3.6.00 Movsesian vs Kasparow, Sarajewo 2000
10.6.00 Kasparow vs Georgiev Ki., Sarajewo 2000
27.1.01 Kasparow vs Topalov, Wijk aan Zee 2001
10.3.01 Polgar Ju. vs Kasparow, Linares 2001
26.5.01 Arakhamia-Grant vs Peng Zhao Qin, Warschau 2001
9.2.02 Chalifman vs van Wely, Wijk aan Zee 2002
23.2.02 Grischuk vs Dwoiris, Moskau 2002
13.4.02 Ponomarjow vs Zhu Chen, Dubai 2002
22.6.02 Kortschnoi vs ruf & ehn, Simultan Basel 2002
10.8.02 Steiner B. vs Kilgus, Oberwart 2002
26.4.03 Acs vs Polgar Ju., Budapest 2003
10.1.04 Polgar Ju. vs Anand, Mainz 2003
12.2.05 Kramnik vs Topalov, Wijk aan Zee 2005
15.10.05 Svidler vs Topalov, San Luis 2005
28.1.06 Anand vs Leko, Wijk aan Zee 2006
16.9.06 Svidler vs Topalov, San Luis 2005
27.1.07 Motylew vs Anand, Wijk aan Zee 2007
14.4.07 Schirow vs Guliew, Cañada de Calatrava
6.10.07 Anand vs Morosewitsch, Mexiko City 2007
15.12.07 Karjakin vs Alekseew, Khanty-Mansisk 2007
1.3.08 Topalov vs Iwantschuk, Morelia 2008
30.8.08 Fischer R. vs Bolbochan, Stockholm 1962
29.11.08 Ragger vs Adly, Dresden 2008
31.1.09 Dominguez vs Morosewitsch, Wijk aan Zee 2009
13.3.10 Kaidanow vs Polgar Ju., Hilton Head 2010

Französische Verteidigung [C00-C19]
1.e4 e6

Seltene Fortsetzungen, Flügelgambit, Alapin [C00]
2.d3, 2.De2, 2.Sf3, 2.Se2, 2.b3 etc.
1.9.91 Dubois vs Juglard, Paris 1991
19.4.92 Wohl vs Goldsmith, Melbourne 1992
5.2.95 Morosewitsch vs Sermek, Moskau 1994
16.7.95 Anderssen vs Staunton, London 1851
3.4.99 Sturmer vs Schachautomat (Mouret), London 1820
3.4.99 Mr. V. vs Schachautomat (Schlumberger), Philadelphia 1827
29.7.00 Benjamin vs Tate, Philadelphia 2000
26.5.01 Moser E. vs Zielinska, Warschau 2001
23.2.02 Brustkern vs Trkulja, Wien 2002
20.4.02 Rosenthal vs de Vere, Paris 1867
24.3.07 Sturmer vs Der Türke (Mouret), London 1820

Abtauschvariante [C01]
2.d4 d5 3.exd5
30.9.90 Klinger vs Glek, Tenneck 1990
5.1.92 Koltanowski vs Bogart Humphrey, USA 1951

31.5.92 Petrow vs Schimanski, Warschau 1847
28.6.03 Bird vs Mason, New York 1876
12.7.03 Koltanowski vs Bogart, San Francisco 1952

Vorstoßvariante [C02]
2.d4 d5 3.e5
24.11.91 Short vs Barejew, Tilburg 1991
22.11.92 Sweschnikow vs Timman, Tilburg 1992
4.8.96 Krejcik (ohne Dd1) vs Hirschhorn, Café Central Wien 1908
21.4.07 Krejcik (ohne Dd1) vs Hirschhorn, Wien 1909

Tarrasch-Variante [C03-C09]
2.d4 d5 3.Sd2
27.10.91 Karpow vs Speelman, Reykjavik 1991
8.12.91 Bialas vs Uhlmann, Leipzig 1951
19.1.92 Kasparow vs Anand, Reggio Emilia 1991/92
5.7.92 Keres vs Eliskases, Noordwijk 1938
28.11.93 Eingorn vs Drejew, Luzern 1993
15.5.94 Euwe vs Hrdlicka, Wien 1948
13.11.94 Popovic vs Kindermann, Wien 1994
22.9.96 Nimzo 3 vs ruf & ehn, Wien 1996
30.8.98 McShane vs Kindermann, Lippstadt 1998
28.2.99 Tal vs Waganjan, Dubna 1973
22.5.99 Adams vs Short, Sarajewo 1999
22.4.00 Westerinen vs Keene, Dortmund 1975
6.5.00 Zaw Win Lay vs Chalifman, Bali 2000
31.3.01 Kasparow vs Barejew, Cannes 2001
19.1.02 Ponomarjow Ruslan vs Drozdovsky, Artek 1999
17.8.02 Brutus vs Xinix, Maastricht 2002
26.10.02 Spielmann vs Stoltz, Stockholm 1931
17.5.03 Rublewski vs Lputjan, Poikowski 2003
31.5.03 Hodge vs Tonning, London 2003
14.8.04 Rozentalis vs Nikolic, Moskau 1994
12.12.09 Euwe vs Hrdlicka, Wien 1948

Rubinstein-Variante [C10-C11]
2.d4 d5 3.Sc3 dxe4, 3.Sc3 Sf6 4.Lg5 dxe4
14.12.97 Schirow vs Schurawlev, Riga 1983
27.5.00 Kasparow vs Gurevich M., Sarajewo 2000
27.5.00 Schirow vs Topalov, Sarajewo 2000
10.2.01 Richter vs Alexandrescu, München 1936
5.5.01 Weissel vs Fischer F., Wien 1929
12.5.01 Bauer vs Roller, Wien 1929
26.1.02 Ponomarjow vs Iwantschuk, 1. WM-Partie Moskau 2002
16.3.02 Kasparow vs Ponomarjow, Linares 2002
15.11.03 Smyslow vs Stahlberg, Neuhausen-Zürich 1953
9.7.05 Nisipeanu vs Milov, Warschau 2005

MacCutcheon-Variante [C12]
2.d4 d5 3.Sc3 Sf6 4.Lg5 Lb4
19.5.91 Kamsky vs Lautier, New York Open 1991
24.3.96 Hector vs Agdestein, Reykjavik 1996
8.11.98 Wells vs Glek, Wien 1998

Klassisches System [C13-C14]
2.d4 d5 3.Sc3 Sf6 4.Lg5 Le7
1.11.92 Aljechin vs Feldt, Tarnopol 1916 Blindsimultan
5.6.99 Topalov vs Morosewitsch, Sarajewo 1999
24.7.99 Polgar Ju. vs Schirow, 2. Partie Prag 1999
21.8.99 Schirow vs Short, Achtelfinale Las Vegas 1999
15.1.00 Leko vs Chalifman, 4. Partie Budapest 2000
1.7.00 Schirow vs Morosewitsch, Giants Frankfurt 2000
23.9.00 Anand vs Barejew, Shenyang 2000
30.12.00 Anand vs Schirow, 4. Partie Teheran 2000
25.1.03 Schirow Alexei vs Barejew, Wijk aan Zee 2003
8.3.03 Kramnik vs Radjabow, Linares 2003
13.8.05 Unzicker vs Czerniak, Amsterdam 1954

Winawer-Variante [C15-C19]
2.d4 d5 3.Sc3 Lb4
12.5.91 Limbos vs Bogart, Stanleyville 1951
8.12.91 Bronstein vs Uhlmann, Tallinn 1977
9.2.92 van der Wiel vs Romero Holmes, Wijk aan Zee 1992
22.8.92 Fischer R. vs Larsen, 1. Partie Denver 1971
11.4.93 Polgar Ju. vs Gdanski, Budapest 1993
18.4.93 Fine vs Flohr, Amsterdam 1938
3.4.94 Sundin vs Andersson G., Fernschach-Weltturnier 1964
25.9.94 Kasparow vs Nikolic, Horgen 1994
12.2.95 Kasparow vs Nikolic, Paris 1994
16.4.95 Stein vs Petrosjan T., Moskau 1961
19.11.95 Kasparow vs Iwantschuk, Horgen 1995
1.12.96 Almasi Z. vs Kortschnoi, Budapest 1996
13.4.97 Fischer R. vs Larsen, Denver 1971
29.6.97 Kasparow vs Short, Nowgorod 1997
21.12.97 Anand vs Nikolic, Groningen 1997
2.3.02 Ponomarjow vs Iwantschuk, Linares 2002
3.5.03 Short vs Iwantschuk, Horgen 1995
9.8.03 Morosewitsch vs Pelletier, Biel 2003
3.1.09 Planinc vs Baretic, Čateške Toplice 1968

Königsbauereröffnung, seltene Züge [C20]
1.e4 e5 2.c3, 2.Se2, 2.g3, 2.d3 etc.

5.8.90 Amillano vs Loeffler, Mar del Plata 1972
1.12.91 Schachautomat vs Napoleon, Schönbrunn 1809
14.9.97 Ruschakow vs Werlinski, Moskau 1947
27.3.99 Allgaier (Schachautomat) vs Napoleon, Wien 1809

Nordisches Gambit, Mittelgambit [C21-C22]
2.d4 exd4 3.c3, 3.Dxd4

31.5.92 N.N. vs Blackburne, Bradford 1901
20.12.98 Aljechin vs Molina, Buenos Aires 1926
5.10.02 Feilitzsch vs Keres, Fernturnier der Deutschen Schachzeitung 1932
15.4.06 Aljechin vs Supico, Lissabon 1941
20.2. Tolstoi vs Fürst Ivkov, Jasna Poljana 1907

Läuferspiel [C23-C24]
2.Lc4 Lc5, 2… c6 2… f5 etc.

10.3.91 Soliman vs Der Türke, Wien um 1790
4.12.94 McDonnell vs de Labourdonnais, 47. Partie London 1834
13.8.95 Brühl vs Philidor (blind), London 1783
11.12.99 Brühl vs Philidor, London 1783
29.12.01 ehn vs ruf, Wien 2001
24.6.06 de Labourdonnais vs McDonnell, 1. Wettkampf, 21.Partie London 1834
31.3.07 Shredder vs Rybka, WBEC 13 Premier Division 2006
18.10.08 Burn vs Whitehead, Liverpool 1896

Wiener Partie [C25-C29]
2.Sc3 Sc6

8.7.90 Larsen vs Davies, London 1989
22.12.91 Paulsen vs Rosenthal, Wien 1873
7.8.99 Corzo vs Capablanca, Havanna 1901
17.3.01 Heidenfeld vs Roele, Amsterdam 1954
25.5.02 Kosteniuk vs Bezgodova, Elista 1997
10.4.04 Mieses vs Snosko-Borowski, Ostende 1907
14.6.08 Lasker Em. vs Lipke, Hauptturnier Breslau 1889
31.10.09 Tschigorin vs Caro, Wien 1898

Königsgambit [C30-C39]
1.e4 e5 2.f4

Abgelehntes Königsgambit, seltene Fortsetzungen [C30-C32]
2… Lc5, 2… Sf6, 2… d6 2… d5
29.7.90 N.N. vs Greco, Italien um 1620
12.5.07 Marco vs Janowsky, 6. Wettkampfpartie Auf See 1904
9.8.08 Tartakower vs Schlechter, St. Petersburg 1909

Angenommenes Königsgambit, Läufergambit und andere 3.Züge [C33]
2.f4 exf4 3.Lc4, 3.Le2, 3.d4 etc.
9.6.91 Charousek vs Lasker, Nürnberg 1896
3.5.92 Reshevsky vs Doery, Berlin 1920
24.5.98 de Lionne vs Auzout, Paris 1680
5.10.02 Keres vs Földsepp, Korrespondenzwettkampf 1931
7.12.02 Jago vs Littlewood, England 1964
21.5.05 Tschigorin/Teichmann vs Lasker Em./Metger, Hamburg 1904

Angenommenes Königsgambit, Königsspringer-Gambit [C34–C39]
2.f4 exf4 3.Sf3 Sf6 3… d6 3… Se7 3… f5
8.3.92 Spielmann vs Réti, Abbazia 1912
6.3.94 Bronstein vs Dubinin, Leningrad 1947
1.5.94 Clerc vs Rothschild, Paris 1884
5.3.95 Staunton vs Amateur, London 1845
10.12.95 Morosewitsch vs Kasparow, Paris 1995
14.4.96 Beskrowny vs Besborodski, Charkow 1877
14.4.96 Freeborough vs Walker, London 1869
15.12.96 Rosanes vs Anderssen, Breslau 1863
20.9.98 Wimmer vs Allgaier, Wien um 1803
20.9.98 Wimmer vs Allgaier, Wien um 1803
12.6.99 Niemzowitsch S. vs Neumann, Riga 1899
4.12.99 Greco vs Unbekannt, Italien um 1620
17.3.01 Mongredien vs Anderssen, Manchester 1857
9.11.02 Schmidt Al. vs Schmidt Ar., 15.02.1949
12.4.03 Pillsbury vs Tschigorin, Wien 1903
12.4.03 Schlechter vs Teichmann, Wien 1903
31.10.03 von Heydebrand und der Lasa vs Bledow, Berlin 1838
31.12.05 Mozart vs Kempelen, Wien 1768
17.2.07 Spassky vs Bronstein, Leningrad 1960
16.2.08 Huber vs Grob, Fernpartie 1946/47
26.7.08 Matschego vs Falkbeer, Wien 1853
8.8.09 Bonpland vs Humboldt, Am Orinoko 1800

Lettisches Gambit [C40]
1.e4 e5 2.Sf3 f5

1.9.96 Spielmann vs Nimzowitsch, Semmering 1926
17.1.04 Grava vs Strautins, Fernpartie 1973
17.1.04 Parraga vs Ortiz, Fernpartie 1969

Philidor-Verteidigung [C41]
1.e4 e5 2.Sf3 d6

11.7.93 Polgar Ju. vs Rivas, Sevilla 1993
10.1.99 Balinov vs Moser E., Aschach 1998
17.1.99 Döry N. vs Marco, Wien 1911
18.12.99 Bird vs Morphy, London 1858
21.3.09 Clarke vs N.N., London 1950
21.3.09 Rick vs Kronsbein, Frankfurt 1938

Russische Verteidigung, Cochrane Gambit [C42-C43]
1.e4 e5 2.Sf3 Sf6

11.11.90 Kasparow vs Karpow, 10. WM-Partie New York 1990
23.6.96 Kamsky vs Karpow, 6. WM-Partie Elista 1996
21.7.96 Pivetta vs Eggink, Velden 1996
7.6.98 Schirow vs Kramnik, 4. Partie Cazorla 1998
15.11.98 Anand vs Kramnik, Tilburg 1998
10.4.99 Schachautomat (Stanley) vs Zerega, New York 1845
24.7.99 Leko vs Timman, Dortmund 1999
25.9.99 Thorhallson vs Hardarson, Reykjavik 1999
3.2.01 Kasparow vs Schirow, Wijk aan Zee 2001
8.12.01 Anand vs Touzane, Moskau 2001
15.12.01 Anand vs Schirow, Moskau 2001
22.12.01 Svidler vs Ponomarjow, Moskau 2001
19.1.02 Iwantschuk vs Schirow, Monaco 2000
9.3.02 Kasparow vs Adams, Linares 2002
11.5.02 Anand vs Karpow, Prag 2002
2.11.02 Anand vs Kasimdschanow, Hyderabad 2002
28.12.02 Kasparow vs Karpow, 2. Partie New York 2002
15.3.03 Leko vs Anand, Linares 2003
5.4.03 Schirow vs Gelfand, Blindpartie Monte Carlo 2003
25.10.03 Polgar Ju. vs Karpow, Essent 2003

7.2.04 Kramnik vs Dautov, Brissago 2004
4.9.04 Kotronias vs Kalesis, Karditsa 1994
11.9.04 Bromberger vs Bartos, Pardubice 2004
8.1.05 Maschine vs Mensch, England 1953
2.7.05 Hydra vs Adams, 1. Partie London 2005
22.4.06 Topalov vs Kramnik, Linares 1999
15.12.07 Kamsky vs Carlsen M., Khanty-Mansisk 2007
9.2.08 Adams vs Polgar Ju., Wijk aan Zee 2008
12.7.08 Naiditsch vs Kramnik, Dortmund 2008
18.7.09 Naiditsch vs Kramnik, Dortmund 2009
6.3.10 Topalov vs Gelfand, Linares 2010

Schottische Partie [C44-C45, C47]
1.e4 e5 2.Sf3 Sc6 3.d4, 3.Sc3 Sf6 4.d4

2.12.90 Kasparow vs Karpow, 14. WM-Partie Lyon 1990
9.12.90 Kasparow vs Karpow, 16. WM-Partie Lyon 1990
27.10.91 Iwantschuk vs Gulko, Reykjavik 1991
10.10.93 Kasparow vs Short, 11. WM-Partie London 1993
2.7.95 Miles vs Sorin, Matanzas 1995
23.7.95 Hort vs Xie Jun, Prag 1995
3.3.96 Polgar Zsu. vs Xie Jun, 5. Partie Jaén 1996
23.2.97 Kasparow vs Nikolic, Linares 1997
28.2.99 Chasin vs Lilienthal, Moskau 1955
5.6.99 Kasparow vs Adams, Sarajewo 1999
26.2.00 Kasparow vs Adams, Internet Grand Prix 2000
8.9.01 Tschigorin vs Bird, New York 1889
28.9.02 Karjakin vs Malinin, Sudak 2002
19.10.02 Deep Fritz vs Kramnik, 3. Partie Manama 2002
24.5.03 Bogoljubow vs Schmid, Bad Pyrmont 1949
15.5.10 Koblenz vs Lilienthal, Moskau 1945
29.5.10 Morphy vs Anderssen, 9. Matchpartie Paris 1858

Vierspringerspiel [C46], [C48-C49]
1.e4 e5 2.Sf3 Sc6 3.Sc3 Sf6

14.2.93 Spielmann vs Vidmar, Mannheim 1914
14.3.93 Larsen vs Deep Blue, 1. Partie Kopenhagen 1993
1.12.96 Glek vs Judasin, Budapest 1996
11.10.98 Spielmann vs Rubinstein A., Karlsbad 1911
8.5.99 Maróczy vs Bird, London 1899
1.10.05 Kosintseva vs Lahno, Chisinau 2005

Italienische Partie, Evans-Gambit [C50-C54]
1.e4 e5 2.Sf3 Sc6 3.Lc4 Lc5 4.b4, 4.c3, 4.d3

20.1.91 Becker vs Mattison, Karlsbad 1929
9.6.91 Porges vs Meyrink, Prag 1899
6.10.91 Tschigorin vs Steinitz, Telegraphischer Wettkampf 1890/91
7.3.93 N.N. vs Blackburne, London 1880
4.4.93 Steinitz vs von Bardeleben, Hastings 1895
19.2.95 Steinitz vs von Bardeleben, Hastings 1895
7.5.95 Kasparow vs Anand, Riga 1995
16.2.97 Hirschfeld vs Anderssen, Berlin 1860
6.7.97 Guida vs Leo XIII., Rom 1857
24.8.97 Daunke vs Kalmar-Wolf, Wien 1926
24.5.98 Greco vs N.N., Italien um 1620
13.9.98 Polerio vs Lorenzo, Sora um 1570
13.9.98 Greco vs Unbekannt, Italien um 1620
27.9.98 Steinitz vs Pilhal, Wien 1862
27.11.99 Polerio vs Lorenzo, Madrid 1575
4.12.99 Greco vs Unbekannt, Italien 1620
18.12.99 Steinitz vs von Bardeleben, Hastings 1895
8.9.01 Mason vs Gunsberg, New York 1889
13.10.01 Tartakower vs Euwe, Venedig 1948
14.2.04 Schiffers vs Jurjevic, St. Petersburg 1892
14.2.04 Schirow vs Timman, Biel 1995
10.7.04 Erkel vs Szen, Pest 1855
11.12.04 Anderssen vs Steinitz, Baden-Baden 1870
5.11.05 Einstein vs Lasker Em., CodePa 2005
21.3.09 Barker vs Owen, Fernpartie 1907
29.8.09 Schönberg vs Mann, Los Angeles 1947

Zweispringerspiel [C55-C59]
1.e4 e5 2.Sf3 Sc6 3.Lc4 Sf6

6.10.91 Steinitz vs Tschigorin, Telegraphischer Wettkampf 1890/91
19.12.93 Schlesinger vs Grünfeld, Wien 15.11.1915
9.1.94 Kamsky vs Jussupow, Tilburg 1993
6.9.98 Moser E. vs Deep Blue Junior, Wien 1998
21.2.99 Bronstein vs Rojahn, Moskau 1956
22.5.99 Morosewitsch vs Sokolov I., Sarajewo 1999
19.2.00 Koltanowski vs Burnett, Blindsimultan Edinburgh 1937
18.1.03 Reshevsky vs Jacobs, Boston 1921
29.10.05 Tarrasch vs Lasker Em., Berlin 1916
31.5.08 Brown vs Gibbs, London 1918

Spanische Eröffnung [C60-C99]
1.e4 e5 2.Sf3 Sc6 3.Lb5

Ohne a7-a6 (Jänisch-, Schliemann-, Bird-Verteidigung) [C60-C63]
3… g6, 3… Sd4, 3… d6, 3… f5
24.6.90 Marco vs Weiss M., Wien 1890
28.7.91 Fischer R. vs Matulovic, Herceg Novi 1970
12.4.92 Leko vs Klaric, Kecskement 1992
30.7.95 Dwoiris vs Dobrovolsky, Oberwart 1995
13.12.98 Fischer R. vs Matulovic, Blitzturnier Herceg Novi 1970
26.2.05 Fischer R. vs Matulovic, Blitzpartie Herceg Novi 1970

Cordel-Verteidigung [C64]
3… Lc5
20.10.96 Mampel vs Aljechin, Gijon 1945
20.1.07 Leko vs Sokolov I., ACP World Rapid Cup Odessa 2007

Berliner Verteidigung [C65]
3.Lb5 Sf6
7.10.90 Karpow vs Miles, Biel 1990
6.9.98 Deep Blue Junior vs Stanec, Wien 1998
1.7.00 Anand vs Leko, Frankfurt Giants 2000

14.10.00 Kasparow vs Kramnik, 1. WM-Partie London 2000
23.12.00 Schirow vs Grischuk, New Delhi 2000
13.1.01 Leko vs Kramnik, Schnellschach 8. Partie Budapest 2001
9.6.01 Kasparow vs Kramnik, Kasachstan 2001
18.5.02 Hracek vs Kramnik, Prag 2002
23.8.03 Brutus vs Brenke, Lippstadt 2003
7.10.06 Gunsberg vs Schallopp E., London 1886
23.2.08 Reshevsky vs Griffith, London 1920
11.7.09 Carlsen M. vs Naiditsch, Dortmund 2009
5.6.10 Rybka vs Shredder, Pamplona 2009

Steinitz-Verteidigung [C66]
3.Lb5 Sf6 4.0-0 d6
24.2.91 Nimzowitsch vs Capablanca, St. Petersburg 1914
17.4.94 Lasker Em. vs Steinitz, 7. WM-Partie New York 1894
17.4.94 Lasker Em. vs Steinitz, 9. WM-Partie Philadelphia 1894
5.11.95 Thomas Sir George Alan vs Müller, London 1911
22.2.98 Schlechter vs Lasker Em., 5. WM-Partie Wien 1910
26.9.09 Lasker Em. vs Blackburne London 1899
23.1.10 Schlechter vs Lasker Em., 5. WM Partie Wien 1910

Offener Spanier (Rio de Janeiro-Variante) [C67]
3.Lb5 Sf6 4.0-.0 Sxe4
24.6.90 Weiss M. vs Csank Adolf, Wien 1890
20.4.02 de Vere vs Steinitz, Dundee 1867
8.3.08 Iwantschuk vs Carlsen M., Linares 2008

Spanisch mit a7-a6, Abtauschvariante [C68-C69]
3.Lb5 a6 4.Lxc6 dxc6
27.9.92 Fischer R. vs Spassky, 9. Partie Sveti Stefan 1992
31.1.93 Timman vs Short, 7. Partie Kandidatenfinale San Lorenzo 1993
31.1.93 Timman vs Short, 9. Partie Kandidatenfinale San Lorenzo 1993
19.4.98 Lasker Em. vs Capablanca, St. Petersburg 1914

Abweichungen im 4. Zug [C70]
4.La4 b5, 4… f5, 4… Sge7, 4… Lc5
15.11.08 Pérez Domínguez vs Morosewitsch, Almaty 2008

Moderne Steinitz-Verteidigung [C71-C76]
3.Lb5 a6 4.La4 d6
13.2.94 Anand vs Jussupow, 5. Partie Wijk aan Zee 1994
5.5.96 Kindermann vs Weill, Wien 1994
14.9.97 Mohrlock vs Kramer, Warna 1962
28.8.04 Euwe vs Keres, Moskau 1948
23.12.06 Bronstein vs Simagin, Moskau 1947

Anderssen-Variante [C77]
3.Lb5 a6 4.La4 Sf6 5.d3, 5.De2
19.5.91 Shirazi vs Kamsky, New York Open 1991
5.7.92 Aljechin vs Réti, Wien 1922
2.7.95 Hoffman vs Garcia, Matanzas 1995
29.3.98 Anderssen vs Paulsen, Baden-Baden 1870
30.8.98 Smyslow vs Jenni, Zürich 1998
24.3.01 Xie Jun vs Ivanov, Seattle 2001
17.9.05 Rosenthal vs Zukertort, Paris 1878

5.4.08 Hou Yifan vs Betul Cemre, Istanbul 2008
13.12.08 Fritz 11 vs Khalifman, Bilbao 2005

Archangelsk-, Möller-Variante [C78]
3.Lb5 a6 4.La4 Sf6 5.0-0 b5, 5… Lc5
19.3.95 Anand vs Kamsky G., 3. Partie Las Palmas 1995
22.12.96 Anand vs Iwantschuk, Las Palmas 1996
11.1.98 Anand vs Karpow, 2. Partie Lausanne 1998
1.2.98 Anand vs Topalov, Wijk aan Zee 1998
4.10.98 Schlechter vs Albin, Wien 1913
15.7.00 Anand vs Piket, Dortmund 2000
23.12.00 Anand vs Adams, New Delhi 2000
2.11.02 Xu Yuhua vs Stefanova, Finale Hyderabad 2002
12.6.04 Kowalewskaja vs Stefanova, Finale K.O.-WM Elista 2004
26.6.04 Baumegger vs Neubauer, Wien 2004

Offene Verteidigung [C80-C83]
3.Lb5 a6 4.La4 Sf6 5.0-0 Sxe4
7.2.93 Short vs Timman, 12. Partie Kandidatenfinale San Lorenzo 1993
24.9.95 Kasparow vs Anand, 6. Partie New York 1995
1.10.95 Kasparow vs Anand, 10. Partie New York 1995
1.6.97 Almasi vs Kortschnoi, Linz 1997
2.12.00 Breyer vs Tarrasch, Mannheim 1914
17.2.01 Ponomarjow vs Kortschnoi, 3. Partie Donezk 2001
1.9.01 Boleslawski vs Ragosin, Moskau 1942
10.1.04 Polgar Ju. vs Mamedyarow, Bled 2002
23.8.08 Kasparow vs Anand, 10. Partie PCA-WM New York 1995

Spanisches Mittelgambit [C84]
3.Lb5 a6 4.La4 Sf6 5.0-0 Le7 6.d4
27.4.97 Aljechin vs Bogoljubow, Bad Pystian 1922
3.8.97 Mason vs Janowsky, Monte Carlo 1902
17.8.97 Janowsky vs Schlechter, London 1899
23.8.98 Sarapu vs Purdy, Auckland 1952
18.6.05 Aljechin vs Prils/Blaut, Antwerpen 1923
2.6.07 Carlsen M. vs Aronian, 1. Partie Elista 2007

Steenwijker Variante [C 85]
3.Lb5 a6 4.La4 Sf6 5.0-0 Le7 6.Lxc6
19.4.92 Wohl vs Solomon, Melbourne 1992

Worrall-Angriff [C86]
3.Lb5 a6 4.La4 Sf6 5.0-0 Le7 6.De2
10.5.92 Short vs Karpow, 6. Partie Kandidatenhalbfinale Linares 1992
20.10.07 Poole Frank vs HAL 9000, Weltraum 2001

Russische Variante [C87]
3.Lb5 a6 4.La4 Sf6 5.0-0 Le7 6.Te1 d6
6.9.03 Snosko-Borowski vs Aljechin, Paris 1933

Geschlossenes System, Anti-Marshall [C88]
3.Lb5 a6 4.La4 Sf6 5.0-0 Le7 6.Te1 b5 7.Lb3 0-0 8.a4
12.9.93 Kasparow vs Short, 1. WM-Partie London 1993
19.9.93 Kasparow vs Short, 3. WM-Partie London 1993

26.9.93 Kasparow vs Short, 7.WM-Partie London 1993
10.4.94 Genius 2.0 vs Hiarcs 2.1, Wels 1994
26.6.99 Fritz vs Shredder, Paderborn 1999
9.3.02 Iwantschuk vs Adams, Linares 2002
13.9.03 King vs Howell, London 2003
17.12.05 Grischuk vs Kamsky, Chanti Mansisk 2005
24.12.05 Ponomarjow vs Aronian, Chanti Mansisk 2005
27.5.06 Topalov vs Ponomarjow, Sofia 2006
3.6.06 Kamsky vs Ponomarjow, Sofia 2006
29.9.07 Anand vs Grischuk, Mexico City 2007

Marshall-Angriff [C89]
3.Lb5 a6 4.La4 Sf6 5.0-0 Le7 6.Te1 b5 7.Lb3 0-0 8.c3 d5
14.8.94 Anand vs Kamsky, 1. Partie Sanghi Nagar 1994
12.7.98 Leko vs Svidler, Dortmund 1998
24.4.99 Polgar Ju. vs Adams, Dos Hermanas 1999
16.8.03 Bologan vs Naiditsch, Dortmund 2003
16.10.04 Kramnik vs Leko, 8. WM-Partie Brissago 2004

Tschigorin-, Smyslow-, Breyer-, Saizew-Variante [C90-C99]
3.Lb5 a6 4.La4 Sf6 5.0-0 Le7 6.Te1 b5 7.Lb3
0-0 8.c3 d6 9.d3, 9.d4, 9.h3
21.10.90 Kasparow vs Karpow, 2. WM-Partie New York 1990
28.10.90 Kasparow vs Karpow, 4. WM-Partie New York 1990
4.11.90 Kasparow vs Karpow, 6. WM-Partie New York 1990
11.11.90 Kasparow vs Karpow, 8. WM-Partie New York 1990
18.11.90 Kasparow vs Karpow, 12. WM-Partie New York 1990
16.12.90 Kasparow vs Karpow, 18. WM-Partie Lyon 1990
23.12.90 Kasparow vs Karpow, 20. WM-Partie Lyon 1990
17.11.91 Xie Jun vs Tschiburdanidse, 3. WM-Partie Manila 1991
13.9.92 Fischer R. vs Spassky, 1. Partie Sveti Stefan 1992
13.9.92 Fischer R. vs Spassky, 3. Partie Sveti Stefan 1992
20.9.92 Fischer R. vs Spassky, 5. Partie Sveti Stefan 1992
27.9.92 Fischer R. vs Spassky, 7. Partie Sveti Stefan 1992
17.1.93 Short vs Timman, 2. Partie Kandidatenfinale San Lorenzo 1993
28.2.93 Polgar Ju. vs Spassky, 8. Partie Budapest 1993
28.2.93 Polgar Ju. vs Spassky, 2. Partie Budapest 1993
15.8.93 Xie Jun vs Tschiburdanidse, 3. Partie WM Manila 1991
27.2.94 Najdorf vs Che Guevara, Havanna 1962
19.3.95 Anand vs Kamsky G., 1. Partie Las Palmas 1995
26.3.95 Anand vs Kamsky G., 5. Partie Las Palmas 1995
26.3.95 Anand vs Kamsky G., 9. Partie Las Palmas 1995
9.3.97 Stanec vs van der Wiel, ö. Staatsliga Wien 1997
11.5.97 Deep Blue vs Kasparow, 2. Partie New York 1997
28.12.97 Svidler vs Adams, Groningen 1997
22.3.98 Tal vs Panno, Portoroz 1958
25.3.00 Lanka vs Almasi, ö. Staatsliga 2000
17.6.00 Tal (ehn) vs Hjartarson (ruf), Reykjavik/Wien 1987 – 2000
12.1.02 Fressinet vs Moreno Carnero, Pamplona 2001/02
26.1.02 Ponomarjow vs Iwantschuk, 5. WM-Partie Moskau 2002
24.1.04 Hamarat vs Sevecek, Fernschach-WM 1999-2004
17.4.04 Lasker Ed. vs Réti, New York 1924
5.6.04 Schirow vs Atalik, Sarajewo 2004
15.1.05 Carlsen M. vs Schirow, Drammen 2005
29.1.05 Kramnik vs Sokolov I., Wijk aan Zee 2005
5.2.05 Leko vs Bruzon, Wijk aan Zee 2005
5.2.05 Polga Ju. vs Sokolov I., Wijk aan Zee 2005
2.7.05 Hydra vs Adams, 3. Partie London 2005
13.8.05 Unzicker vs Keres, Moskau 1956
25.3.06 Fischer R. vs Cholmow, Havanna 1965
17.3.07 Anand vs Carlsen, Linares 2007
7.7.07 Ragger vs Kalkhof, Velden 2007
18.8.07 Dominguez Leinier vs Vazquez, Holguin 2002

Damenbauernspiele (Colle, Weresow, London, Torre, Blackmar-Diemer-Gambit) [D00-D05]
1.d4 d5 2.Sc3 (2.Lg5, 2.Lf4, 2.e3, 2.e4, 2.Sd2), 2.Sc3 Sf6 3.Lg5, 2.Sf3 Sf6 3.Lf4, 3.Lg5, 3.e3

23.9.90 Havel vs Kok, Prag 1990
30.9.90 Klinger vs Neckar, Tenneck 1990
13.1.91 Diemer vs Wohlmannstetter, Rastatt 1953
17.2.91 Landau vs Böök, Kemeri 1937
16.6.91 Höi vs Larsen, Kopenhagen 1991
14.10.90 Andersson U. vs Kamsky, Tilburg 1990
22.7.90 Torre C. vs Lasker Em., Moskau 1925
28.6.92 Salov vs Polgar Ju., Madrid 1992
22.11.92 Adams vs Sweschnikow, Tilburg 1992
26.9.93 Timman vs Karpow, 9. WM-Partie Amsterdam 1993
27.2.94 Havel vs Kok, Prag 1990
6.11.94 Delius vs Ravel, Mousset 1913
6.8.95 Torre C. vs Lasker Em., Moskau 1925
21.4.96 Gerassimow vs Smyslow, Moskau 1935
28.2.99 Popov vs Benderov, Sofia 1943
8.5.99 Blackburne vs Lasker, London 1899
12.2.00 Stefanova vs Naiditsch, Waischenfeld 2000
22.7.00 Kramnik vs Deep Junior 6, Dortmund 2000
27.1.01 Timman vs Schirow, Wijk aan Zee 2001
10.2.01 Richter vs Baratz, Prag 1931
19.5.01 Deep Fritz vs Deep Junior, 15. Partie Cadaques 2001
6.10.01 Smyslow vs Suetin, Rostow am Don 1971
8.6.02 Leuthold/Schlumpf vs Grob, Fernschachzentrale der NZZ 1941
21.12.02 Torre C. vs Werlinski, Moskau 1925
17.7.04 Vidmar vs Euwe, Karlsbad 1929
4.9.04 Georghiou vs Alexandrou, Nikosia 1995
11.2.06 Koltanowski vs Peters, Blindsimultan New York 1943
8.4.06 Klinger vs Ragger ÖMM Ansfelden 2006
21.4.07 Krejcik (ohne Dd1) vs Hirschhorn, Wien 1909
4.8.07 Capablanca vs Corzo y Prinzipe, 11. Wettkampfpartie Havanna 1902
22.8.09 Freud vs Freud, Wien 1910
10.4.10 Keres vs Smyslow, Zürich 1953

Damengambit [D06-D69]
1.d4 d5 2.c4

Seltene Züge [D06]
2… Lf5, 2… c5, 2… Sf6, 2… g6 etc.
13.5.00 Rautenberg vs Haberditz, Wien 1945
28.4.01 Schara vs König I. Wien 1918

Tschigorin-Verteidigung [D07]
2.c4 Sc6
16.6.91 Larsen vs Kristiansen, Kopenhagen 1991

Slawisch [D10-D19]
2.c4 c6
12.8.90 Gelfand vs Nikolic, Manila 1990
28.7.91 Browne vs Tal, San Francisco 1991
4.6.95 Kasparow vs Genius 3.0, Köln 1995
25.6.95 Dark Thought vs Frenchess, Hongkong 1995
3.9.95 Karpow vs Gavrikov, Baden-Baden 1995
9.3.97 Watzka vs Moser G., ö. Staatsliga Wien 1997
7.9.97 Sukopp vs Wallner, Wien 1997
21.9.97 Zifroni vs Burmakin, Graz 1997
8.11.98 Beckhuis vs Posch, Wien 1998
2.12.00 Breyer vs Havasi, Budapest 1918
29.9.01 Karpow vs Mecking, Buenos Aires 2001
6.4.02 Robitsek vs Glass, Wien 1932
16.11.02 Sasikiran vs Kasparow, Bled 2002
25.10.03 Asmaiparaschwili vs Kasparow, Schnellp. Geropotamos 2003
11.3.06 Bacrot vs Topalov, Linares 2006
3.6.06 Topalov vs Kamsky G., Sofia 2006
30.9.06 Topalov vs Kramnik, 2. WM-Partie Elista 2006
21.10.06 Topalov vs Kramnik, WM 3. Playoff-Partie Elista 2006
21.7.07 Capablanca vs Villegas, Buenos Aires 1914
1.12.07 Kramnik vs Anand, Blitz-WM Moskau 2007
13.9.08 Jussupow vs Caruana, Amsterdam 2008
17.10.09 Carlsen M. vs Wang Yue Nanjing 2009

Angenommenes Damengambit [D20-D29]
2.c4 dxc4
28.4.91 Grünberg vs Deep Thought II, Hannover 1991
3.5.92 Lasker Em. vs Reshevsky, Nottingham 1936
21.6.92 Christiansen vs Hübner Deutsche Bundesliga 1992
20.9.92 Spassky vs Fischer R., 4. Partie Sveti Stefan 1992
20.9.92 Spassky vs Fischer R., 6. Partie Sveti Stefan 1992
11.10.92 Spassky vs Fischer R., 14. Partie Belgrad 1992
6.2.94 Janowsky vs Schallopp, Nürnberg 1896
18.9.94 Kasparow vs Genius 2.0/Pentium, London 1994
30.7.95 Zoler vs Kelecevic, Velden 1995
19.1.97 Capablanca vs Bogoljubow, Moskau 1925
14.9.97 Gligoric vs Mjagmarsuren, Havanna 1966
29.5.99 Barejew vs Timman, Sarajewo 1999
10.7.99 Kramnik vs Karpow, Frankfurt 1999
18.3.00 Kramnik vs Kasparow, Linares 2000
21.10.00 Kramnik vs Kasparow, 4. WM-Partie London 2000
28.10.00 Kramnik vs Kasparow, 6. WM-Partie London 2000
19.5.01 Kramnik vs Kasparow, Zürich 2001
7.7.01 Kramnik vs Anand, 5. Partie Mainz 2001
12.1.02 Harikrishna vs Krush, Hastings 2001/02
6.7.02 Kramnik vs Anand, 3. Partie Léon 2002
24.8.02 Anand vs Ponomarjow, 8. Partie Mainz 2002
18.1.03 Nielsen vs Karjakin, Hastings 2002/03
7.6.03 Ikonnikov vs Granda, Havanna 2003
11.12.04 Beljawski vs Kortschnoi, Pula 1997
20.8.05 Kortschnoi vs Spassky, Mainz 2005
23.9.06 Moser E. vs Freitag, Köflach 2006

Damengambit ohne Sc3 [D30]
2.c4 e6 3.Sf3, 3.e3, 3.g3 etc.
25.12.94 Aljechin vs Bogoljubow, Freiburg 1934
25.2.96 Kasparow vs Deep Blue, 6. Partie Philadelphia 1996
15.11.98 Kramnik vs Lautier, Tilburg 1998
6.12.03 Jonny vs Brutus, Computer-WM Graz 2003

Semi-Slawische Verteidigung [D31, D46]
2.c4 e6 3.Sc3 c6, 3.Sc3 Sf6 4.Sf3 c6 5.e3 Sbd7 6.Ld3
1.3.92 Breyer vs Esser, Budapest 1917
19.12.93 Grünfeld vs Schenkein, Amateurturnier des Wiener Schach-Klubs 1915
8.9.96 Hort vs Joseliani, London 1996
6.4.02 Glass vs Michell, Folkestone 1933
18.3.06 Aronian vs Vallejo Pons, Linares 2006
28.3.09 Georgiev Ki. vs Levin, österr. Bundesliga 2009
3.10.09 Kasparow vs Karpow, Valencia 2009

Tarrasch-Verteidigung [D32-D34]
2.c4 e6 3.Sc3 c5
14.7.91 Wojtkiewicz vs Skembris, Novi Sad 1990
9.2.92 van Wely vs Piket, Wijk aan Zee 1992
16.3.97 Eliskases vs Hölzl, Innsbruck 1929
17.8.97 Janowsky vs Rubinstein A., Prag 1908
3.1.04 Pillsbury vs Lasker Em., St. Petersburg 1895
19.6.04 Janowsky vs Marshall, Cambridge Springs 1904
15.1.05 Kortschnoi vs Carlsen M., Drammen 2005
26.2.05 Kasparow vs Larsen, Blitzpartie Brüssel 1987
11.8.07 Tal vs Brinck Clausen, Havanna 1966
13.6.09 Polugajewski vs Pfleger, Buenos Aires 1978
25.7.09 Rubinstein A. vs Lasker Em., St. Petersburg 1909
3.4.10 Nimzowitsch vs Tarrasch, St. Petersburg 1914

Abtauschvariante [D35-D36]
3.Sc3 Sf6 4.cxd5
7.2.93 Timman vs Short, 13. Partie Kandidatenfinale San Lorenzo 1993
17.10.93 Kasparow vs Short, 15. WM-Partie London 1993
12.12.93 Dao Thien Hai vs Rabiega, Budapest 1993
21.8.94 Weinbrenner vs Rothschild, Wien 1874
3.12.95 Nimzo 3 vs Schach 3, Paderborn 1995
2.3.97 Topalov vs Kasparow, Linares 1997
19.7.98 ruf & ehn vs Chess System Tal, Wien 1998
19.8.06 Botwinnik vs Robatsch, Amsterdam 1966
25.8.07 Carlsen M. vs Carlsen H., Tromsø 2007
9.1.10 Huber vs Varga, Mureck 2007

Damengambit mit 5.Lf4 und 5.Dc2 [D37]
3.Sc3 Sf6 4.Sf3 Le7 5.Lf4, 5.Dc2
31.3.91 Gelfand vs Beljawski, Linares 1991
14.6.92 Seirawan vs Short, Amsterdam 1992
18.8.96 Ehlvest vs Jussupow, Wien 1996
29.1.00 Kramnik vs Short, Wijk aan Zee 2000
9.10.04 Leko vs Kramnik, 5. WM-Partie Brissago 2004
26.3.05 Topalov vs Kasimdschanow, Linares 2005

Wiener Verteidigung, Ragosin-Variante [D38-D39]
3.Sc3 Sf6 4.Sf3 Lb4

23.9.90 Ftacnik vs Smejkal, Prag 1990
19.9.93 Karpow vs Timman, 6. WM-Partie Arnheim
24.10.93 Karpow vs Timman, 14. WM-Partie Djakarta 1993
1.6.97 Bacrot vs Rogers, Linz 1997
15.6.97 Topalov vs Polgar Ju., Madrid 1997
21.12.97 Piket vs Topalov, Groningen 1997

Verbesserte Tarrasch-Verteidigung [D40-D42]
3.Sc3 Sf6 4.Sf3 c5 5.e3

14.8.94 Gelfand vs Kramnik, 4. Partie Sanghi Nagar 1994
24.12.95 Rotlewi vs Rubinstein A., Lodz 26.12.1907

Anti-Meraner Varianten, Botwinnik-System [D43-D45]
3.Sc3 Sf6 4.Sf3 c6 5.Lg5

12.1.92 Beljawski vs Anand, Reggio Emilia 1992
28.6.92 Karpow vs Polgar Zsu., Madrid 1992
29.8.93 van Wely vs Kramnik, Interzonenturnier Biel 1993
28.11.93 Kamsky vs Schirow, Luzern 1993
23.1.94 Romanischin vs Ljubojevic, Groningen 1993
20.3.94 Kasparow vs Iwantschuk, Linares 1994
3.9.95 Karpow vs Lautier, Dortmund 1995
17.12.95 Cifuentes vs Zvjaginsev, Wijk aan Zee 1995
31.3.96 Iwantschuk vs Schirow, Wijk aan Zee 1996
9.2.97 Nikolic vs Timman, Wijk aan Ze 1997
7.12.97 Kramnik vs Anand, Belgrad 1997
18.1.98 Karpow vs Anand, 5. Partie Lausanne 1998
29.11.98 Uhlmann vs Archangelski, Grieskirchen 1998
1.2.03 Kasparow vs Deep Junior, 1. Partie New York 2003
8.2.03 Kasparow vs Deep Junior, 3. Partie New York 2003
14.6.03 Radjabow vs Dizdarevic, Sarajewo 2003
22.11.03 Kasparow vs Fritz X3D, 3. Partie New York 2003
20.12.03 Bermadinger vs Pingitzer, Open Wien 1995
6.3.04 Kasparow vs Vallejo Pons, Linares 2004
27.11.04 Kasparow vs Drejew, Moskau 2004
4.3.06 Topalov vs Vallejo Pons, Morelia 2006
3.3.07 Carlsen M. vs Topalov, Morelia 2007
19.5.07 Mamedyarov vs Topalov, Sofia 2007
19.5.07 Aronian vs Kramnik, 4. Partie Jerewan 2007
8.9.07 Huang Qian vs Tairowa, Nischni Nowgorod 2007
22.9.07 Aronian vs Anand, Mexico City 2007
19.1.08 Rychagow vs Grischuk, Moskau 2007
18.4.09 Cramling P. vs Shen, Istanbul 2009
9.1.10 Uksini vs Krenn, Graz 2009
20.3.10 Carlsen M. vs Anand, Linares 2009

Meraner Variante [D47-D49]
3.Sc3 Sf6 4.Sf3 c6 5.e3 Sbd7 6.Ld3 dxc4

1.8.93 Menchik vs Graf, Semmering 1937
29.8.93 Gelfand vs Anand, Interzonenturnier Biel 1993
27.8.95 Sinkovics vs Bex, Biel 1995
6.7.97 Johannes Paul I. vs Lorenzo, Rom 1958
11.1.98 Karpow vs Anand, 1. Partie Lausanne 1998
11.1.98 Karpow vs Anand, 3. Partie Lausanne 1998
17.5.98 Karpow vs Kramnik, Monte Carlo 1998
27.9.98 Steinitz vs Marco, Wien 1898
2.10.99 Buhmann vs Pridoroschni, Litohoro 1999
8.4.00 Hillarp Persson vs Heurtebize, St. Helier 2000
15.6.02 Radjabow vs Akopjan, Moskau 2002
17.5.03 Obodschuk vs Lautier, Poikowski 2003
3.4.04 Kotow vs Paoli, Venedig 1950
12.3.05 Kasimdschanow vs Kasparow, Linares 2005
3.9.05 Braun vs Siebrecht, Wien 2005
3.12.05 Wells vs Habu, Hoogeveen 2005
21.10.06 Kramnik vs Topalov, WM 4. Playoff-Partie 2006
3.2.07 Kramnik vs van Wely, Wijk aan Zee 2007
25.10.08 Kramnik vs Anand, 3. WM-Partie Bonn 2008
25.10.08 Kramnik vs Anand, 5.WM-Partie Bonn 2008
14.2.09 Eliskases vs Robitsch, Wien 1939

Canal/Prins-Variante [D50]
3.Sc3 Sf6 4.Lg5 c5

15.7.06 Pillsbury vs Lasker Em., Cambridge Springs 1904

Cambridge Springs-Variante [D51-D52]
3.Sc3 Sf6 4.Lg5 Sbd7 5.e3 (5.Sf3) 5… c6

8.3.92 Spielmann vs Mieses, Regensburg 1910
12.6.99 Aljechin vs Vidmar jun., Ljubljana 1930
5.5.01 Davidmann vs Neumann, Wien 1932
5.1.02 Teske vs Benedikt, Aschach 2001
9.4.05 ruf vs ehn, die WM-Partie im Augarten 2005
17.6.06 Kramnik vs Bruzon, Turin 2006

Hauptvariante Abweichungen [D53-D54]
3.Sc3 Sf6 4.Lg5 Le7 5.e3 (5.Sf3) 5… 0-0, 5… h6, 5… Sbd7, 5… Se4

18.2.06 Winter vs Tartakower, London 1927

Lasker Verteidigung [D55-D57]
3.Sc3 Sf6 4.Lg5 Le7 5.e3 0-0 6.Sf3 h6
(6… b6, 6… Se4) 7.Lxf6, 7.Lh4 Se4

9.4.95 Polgar Zsu. vs Tschiburdanidse, 3. Partie St. Petersburg 1995
7.10.00 Kramnik vs Kasparow, Las Palmas 1996
10.2.07 Marshall vs Lasker Em., 3. WM-Partie New York 1907

Tartakower-Variante [D58-D59]
3.Sc3 Sf6 4.Lg5 Le7 5.e3 0-0 6.Sf3 h6 7.Lh4 b6

9.8.92 Fischer R. vs Spassky, 6. WM-Partie Reykjavik 1972
17.1.93 Timman vs Short, 1. Partie Kandidatenfinale San Lorenzo 1993
24.1.93 Timman vs Short, 3. Partie Kandidatenfinale San Lorenzo 1993
22.5.94 Hort vs Karpow, Amsterdam 1981
19.2.95 Pillsbury vs Burn, Hastings 1895
12.7.98 Kramnik vs Jussupow, Dortmund 1998

Hauptvariante mit Dc2 [D61-D62]
3.Sc3 Sf6 4.Lg5 Le7 5.e3 0-0 6.Sf3 Sbd7 7.Dc2

18.11.00 Réti vs Spielmann, Trencianske Teplice 1928

Tempokampfvariante [D64-D65]
3.Sc3 Sf6 4.Lg5 Le7 5.e3 0-0 6.Sf3 Sbd7 7.Tc1 c6 8.Dc2

5.1.01 Euwe vs Lasker, Zürich 1934
8.11.03 Marshall vs Capablanca, New York 1918

Erweitertes Fianchetto [D66]
3.Sc3 Sf6 4.Lg5 Le75.e3 0-0 6.Sf3 Sbd7 7.Tc1 c6 8.Ld3 dxc4 9.Lxc4 b5
26.2.95 Kamsky vs Salov, 3. Partie Sanghi Nagar 1995

Capablancas Entlastungsvariante [D67-D69]
3.Sc3 Sf6 4.Lg5 Le7 5.e3 0-0 6.Sf3 Sbd7 7.Tc1
c6 8.Ld3 dxc4 9.Lxc4 Sd5
14.8.04 Mikenas vs Lebedew, Tbilisi 1941

Grünfeld-Indische Verteidigung [D70-D99]
1.d4 Sf6 2.c4 g6 3.Sc3 d5

Abweichungen, Systeme mit 3.g3 [D70-D79]
3.g3, 3.f3, 3.Sf3
10.5.92 Jussupow vs Timman, Kandidatenhalbfinale (1) Linares 1992
26.4.98 Botwinnik vs Bronstein, 23. Partie Moskau 1951
14.6.98 Kramnik vs Schirow, 7. Partie Cazorla 1998
14.6.98 Kramnik vs Schirow, 9. Partie Cazorla 1998
21.6.98 Kasparow vs Topalov, 2. Partie Léon 1998
2.10.99 Postny vs Atakisi, Litohoro 1999
1.9.01 Smyslow vs Lilienthal, Moskau 1942
31.8.02 Byrne R. vs Fischer R., New York 1963/64
25.2.06 Seres vs Pribyl, Liechtenstein 2000
26.1.08 Byrne R. vs Fischer R., New York 1963
29.11.08 Moser E. vs Topel, Dresden 2008

Systeme mit 4.Lg5 [D80]
3.Sc3 d5 4.Lg5
30.1.94 Aljechin vs Grünfeld, Wien 1922
28.9.97 Sorin vs Kasparow, Buenos Aires 1997
12.8.06 Jobava vs Svidler, Dortmund 2006
4.7.09 Iwantschuk vs Schirow Bazna 2009

Systeme mit 4.Lf4 [D82-D84]
3.Sc3 d5 4.Lf4
16.8.92 Byrne D. vs Fischer R., New York 1956
25.9.94 Jussupow vs Gavrikov, Horgen 1994
28.6.98 Kramnik vs Kasparow, Frankfurt 1998
28.12.02 Karpow vs Kasparow, 1. Partie New York 2002

Hauptsystem [D85-D89]
3.Sc3 d5 4.cxd5 Sxd5 5.e4, 5.Se4, 5.Ld2
11.11.90 Karpow vs Kasparow, 9. WM-Partie New York 1990
2.12.90 Karpow vs Kasparow, 13. WM-Partie Lyon 1990
9.12.90 Karpow vs Kasparow, 15. WM-Partie Lyon 1990
16.12.90 Karpow vs Kasparow, 17. WM-Partie Lyon 1990
18.8.91 Cramling P. vs Kindermann, Hamburg 1991
21.2.93 Kramnik vs Horvath, Staatsliga 1993
5.9.93 Karpow vs Timman, Moskau 1992
3.10.93 Karpow vs Timman, 10. WM-Partie Amsterdam 1993
10.4.94 Socrates 3 vs Hiarcs 2.1, Wels 1994
8.3.98 Topalov vs Svidler, Linares 1998
7.6.98 Kramnik vs Schirow, 5. Partie Cazorla 1998
16.8.98 Rebel 10 vs Anand, Blitzpartie Ischia 1998
1.11.98 Gelfand vs Schirow, Polanica Zdroj 1998
14.10.00 Kramnik vs Kasparow, 2. WM-Partie London 2000
13.1.01 Kramnik vs Leko, 1. Partie Schnellschach Budapest 2001
28.2.04 Neschmedtinow vs Lusikal, Kasan 1951
5.1.07 Morosewitsch vs Schirow, Pamplona 2006
2.8.08 Geller vs Smyslow, 5. Partie Moskau 1965

Geschlossenes System [D94-D95]
3.Sc3 d5 4.Sf3 Lg7 5.e3
23.8.98 Cochrane vs Moheschunder Bannerjee, Kalkutta 1855
5.7.03 Petrosjan T. vs Botwinnik, 5. Partie Moskau 1963
31.7.04 Rubinstein A. vs Bogoljubow, Wien 1922

Russisches System [D96-D99]
3.Sc3 d5 4.Sf3 Lg7 5.Db3
3.3.91 Speelman vs Short, 1. Partie Kandidatenwettkampf London 1991
16.6.96 Karpow vs Kamsky, 1. WM-Partie Elista 1996
30.6.96 Karpow vs Kamsky, 9. WM-Partie Elista 1996
7.2.99 Kasparow vs Svidler, Wijk aan Zee 1999

Katalanische Eröffnung [E00-E09]
1.d4 Sf6 2.c4 e6 3.g3 d5

18.10.92 Fischer R. vs Spassky, 15. Partie Belgrad 1992
27.3.94 Karpow vs Beljawski, Linares 1994
18.12.94 Hulak vs O'Donnell, Moskau 1994
2.3.97 Topalov vs Kramnik, Linares 1997
9.3.97 Tscholowitsch vs Detter, ö. Staatsliga Wien 1997
15.3.98 Kramnik vs Svidler, Linares 1998
6.12.98 Réti vs Bogoljubow, New York 1924
19.6.99 Karpow vs Anand, 1. Partie Léon 1999
7.8.99 Nogueiras vs Robatsch, Graz 1984
28.8.99 Chalifman vs Nisipeanu, Semifinale Las Vegas 1999
29.4.00 Rødgaard vs Olsen, Oyrabakki 2000
11.11.00 Kasparow vs Kramnik, 15. WM-Partie London 2000
8.12.01 Nielsen vs Goldin, Moskau 2001
23.8.03 Romanischin vs Brutus, Lippstadt 2003
29.5.04 Arencibia vs Dominguez, Havanna 2004
18.12.04 Tartakower vs Font, Barcelona 1929
18.12.04 Moskalenko vs Felgaer, Barcelona 2004
19.2.05 Gelfand vs Harikrishna, Bermuda 2005
14.10.06 Kramnik vs Topalov, 10. WM-Partie Elista 2006
14.7.07 Kramnik vs Carlsen, Dortmund 2007
22.9.07 Kramnik vs Morosewitsch, Mexico City 2007
27.10.07 Sämisch vs Nimzowitsch, Kopenhagen 1923
24.11.07 Kramnik vs Schirow, Moskau 2007
4.4.09 Aronian vs Morosewitsch, Nizza 2009
6.2.10 Carlsen M. vs Kramnik, Wijk aan Zee 2010
8.5.10 Anand vs Topalov, 7. WM-Partie, Sofia 2010

Bogoljubow-Indische Verteidigung [E11]
1.d4 Sf6 2.c4 e6 3.Sf3 Lb4+

16.9.90 Polugajewski vs Hort, Biel 1990
2.8.92 Polgar Zsu. vs Voiska, 30 Min. Partie Budapest
8.7.00 Tartakower vs Romih, Paris 1930
6.11.04 Gelfand vs Georgiev Ki., Mallorca 2004

Damenindische Verteidigung [E12-E19]
1.d4 Sf6 2.c4 e6 3.Sf3 b6

3.2.91 Colle vs Grünfeld, Budapest 1926
10.11.91 Seirawan vs Iwanov, Los Angeles 1991
6.9.92 Karpow vs Kortschnoi, Biel 1992
29.11.92 Ribli vs Dwoiris, Europacupfinale 1992
6.12.92 Fauland vs Blatny P., Staatsliga 1992
12.9.93 Karpow vs Timman, 2. WM-Partie Zwolle 1993
9.1.94 Karpow vs Jussupow, Tilburg 1993
7.8.94 Karpow vs Kortschnoi, Dortmund 1994
9.10.94 Kurajica vs Karpow, Tilburg 1994
11.12.94 Sämisch vs Nimzowitsch, Kopenhagen 1923
24.9.95 Eingorn vs Palac, Graz 1995
15.10.95 Kasparow vs Portisch, Niksic 1983
26.11.95 Tschernin vs Kortschnoi, Wien 1995
30.6.96 Kamsky vs Karpow, 10. WM-Partie Elista 1996
7.7.96 Karpow vs Kamsky, 13. WM-Partie Elista 1996
14.7.96 Kamsky vs Karpow, 16. WM-Partie Elista 1996
3.11.96 Rubinstein S. vs Keller, Wien 1937
24.11.96 van Wely vs Karpow, Blitz Cap d'Agde 1996
21.9.97 Epischin vs Timoschenko, Graz 1997
19.10.97 Yermolinsky vs Ivanov I., Chandler 1997
1.2.98 Salov vs Karpow, Wijk aan Zee 1998
5.4.98 Najdorf vs Audrada, Sao Paulo 1947
16.8.98 Rebel 10 vs Anand, Turnierpartie Ischia 1998
22.11.98 Hertneck vs Enders, Bremen 1998
17.1.99 Grünfeld vs Döry L., Klosterneuburg 1923
19.6.99 Karpow vs Anand, 3. Partie Léon 1999
19.6.99 Karpow vs Anand, 5. Partie Léon 1999
26.6.99 Junior vs Nimzo, Paderborn 1999
31.3.01 Bacrot vs Adams, Cannes 2001
3.11.01 van Wely vs Polgar Ju., Hoogeveen 2001
17.11.01 Miles vs Spassky, Montilla 1978
2.2.02 Barejew vs Leko, Wijk aan Zee 2002
19.10.02 Kramnik vs Deep Fritz, 6. Partie Manama 2002
23.11.02 Mecking vs ruf & ehn, Wien 2002
25.1.03 Karpow vs Polgar Ju., Wijk aan Zee 2003
8.3.03 Kasparow vs Ponomarjow, Linares 2003
13.9.03 Speelman vs King D., London 2003
12.6.04 Koneru vs Xu Yuhua, Elista 2004
3.7.04 Kasparow vs Marjanovic, Valletta 1980
8.1.05 Mensch (Ponomarjow)/Maschine? vs Mensch/Maschine (Hydra) 2004
28.5.05 Topalov vs Anand, Sofia 2005
4.2.06 Topalov vs Aronian, Wijk aan Zee 2006
1.4.06 Galliamova vs Xu Yuhua, 3. WM-Partie Jekaterinenburg 2006
16.9.06 Topalov vs Aronian, Wijk aan Zee 2006
3.2.07 Aronian vs Tiwjakow, Wijk aan Zee 2007
9.6.07 Carlsen M. vs Aronian, 5. Partie Elista 2007
5.1.08 Gelfand vs Morosewitsch, Mexico City 2007
26.4.08 Ioseliani vs Kortschnoi, Amsterdam 2001
3.5.08 Colle vs Grünfeld, Berlin 1926
17.5.08 Kramnik vs Anand, Nizza 2008
24.1.09 Karpow vs Polgar Ju., Vitoria Gasteiz 2007

Nimzoindische Verteidigung [E20-E59]
1.d4 Sf6 2.c4 e6 3.Sc3 Lb4

Seltene Fortsetzungen [E20]
4.f3, 4.g3, 4.Ld2, 4.Dd3 etc.
17.7.94 Duchamp vs Kahn V., Paris 1932
31.7.94 Duchamp vs Folkmann, Fernpartie 1934
31.3.96 Iwantschuk vs Csom, Erewan 1989
13.12.03 Moiseenko vs Zarnicki, Santo Domingo 2003
27.12.08 Landau vs Klein, Bournemouth 1939

System mit 4.Sf3 [E21] 4.Sf3
29.5.99 Kasparow vs Short, Sarajewo 1999
20.1.07 Gelfand vs Leko, ACP World Rapid Cup Odessa 2007
31.10.08 Kramnik vs Anand, 10. WM-Partie Bonn 2008

Sämisch-Variante [E24-E29]
4.a3 Lxc3+ 5.bxc3
3.3.91 Drejew vs Anand, 1. Partie Kandidatenwettkampf Madras 1991
15.12.91 Timman vs Kasparow, Paris 1991
11.8.96 Lilienthal vs Capablanca, Hastings 1934/35
21.2.99 Bronstein vs Geller, Baku 1961

Leningrader Variante [E30-E31]
4.Lg5
18.1.03 Euwe vs Fischer R., New York 1957

Capablanca-Variante [E32-E39]
4.Dc2
22.9.91 Keres vs Botwinnik, Leningrad/Moskau 1941
4.10.92 Spassky vs Fischer R., 10. Partie Sveti Stefan 1992
3.10.93 Kasparow vs Short, 9. WM-Partie London 1993
31.10.93 Timman vs Karpow, 15. WM-Partie Djakarta 1993
17.9.95 Kasparow vs Anand, 2. Partie New York 1995
29.12.96 Kasparow vs Karpow, Las Palmas 1996
10.7.99 Kasparow vs Karpow, Frankfurt 1999
26.8.00 Gurevich M. vs Milov, Amsterdam 2000
28.10.00 Kramnik vs Kasparow, 8. WM-Partie London 2000
4.5.02 Seirawan vs Gelfand, Prag 2002
11.5.02 Karpow vs Short, Prag 2002
29.6.02 Agdestein vs Horvath Cs., Groningen 1984
5.3.05 Topalov vs Adams, Linares 2005
5.3.05 Kasparow vs Adams, Linares 2005
10.9.05 Braun vs Sulskis, Wien 2005
17.6.06 Sokolov I. vs Aronian, Turin 2006
4.11.06 Topalov vs Polgar Ju., Hoogeveen 2006
18.11.06 Gasland vs Carlsen M., Oslo 2001
19.7.08 Baburin vs Grooten, Vaduz 1995
27.9.08 Uschenina vs Kosteniuk, Naltschik 2008
14.11.09 Karpow vs Anand, 4. Matchpartie Ajaccio 2009
21.11.09 Morosewitsch vs Kramnik, Moskau 2009

Rubinstein-Variante [E40-E59]
4.e3
26.5.91 Visier Segovia vs Mecking, Las Palmas 1975

8.9.91 Jussupow vs Iwantschuk, 8. Partie Brüssel 1991
22.9.91 Botwinnik vs Capablanca, Amsterdam 1938
24.7.94 Rüster vs Duchamp, Fernpartie 1933
30.10.94 Kamsky vs Short, 5. Partie Linares 1994
14.5.95 Botwinnik vs Keres, Den Haag 1948
5.5.96 Stanec vs Grillitsch, ö. Staatsliga 1995
6.10.96 Barejew vs Renet, Erewan 1996
23.2.97 Kasparow vs Kramnik, Linares 1997
5.10.97 Kasparow vs Polgar Ju., Tilburg 1997
5.7.98 Portisch vs Beljawski, Frankfurt 1998
9.8.98 Kortschnoi vs Dautov, Bad Homburg 1998
31.7.99 Zöbisch vs Krpelan, Wien Laaerbergbad 1980
11.3.00 Chalifman vs Kramnik, Linares 2000
4.11.00 Kramnik vs Kasparow, 10. WM-Partie London 2000
4.11.00 Kramnik vs Kasparow, 12. WM-Partie London 2000
25.11.00 Johner H. vs Nimzowitsch, Dresden 1926
14.7.01 Krush Irina vs Shahade, New York 2001
15.2.03 Kasparow vs Deep Junior, 5. Partie New York 2003
22.3.03 Pachman vs Fischer R., Santiago de Chile 1959
4.10.03 Bang vs Umansky, Massow-Memorial 1996-2002
13.12.03 Milov vs Campora, Santo Domingo 2003
21.8.04 Plachetka vs Rodriguez, Malta 1980
10.6.06 Matanovic vs Taimanow, Saltsjöbaden 1952
19.8.06 Botwinnik vs Cholmow, Moskau 1969
5.9.09 Che Guevara vs Borges Havanna 1961
19.9.09 Aronian vs Karjakin, Bilbao 2009

Königsindische Verteidigung [E60-E99]
1.d4 Sf6 2.c4 g6 3.Sc3 Lg7

Nebenvarianten (ohne Sc3) [E60-E62]
3.Sf3
16.5.93 Fahnenschmidt vs Stohl, Deutsche Bundesliga 1993
8.5.94 Agdestein vs Adams, Oslo 1. Matchpartie 1994
21.6.98 Kasparow vs Topalov, 4. Partie Léon 1998
5.7.98 Timman vs Hübner, Frankfurt 1998
2.9.06 Portisch vs Tal, Amsterdam 1964
29.9.07 Morosewitsch vs Kramnik, Mexico City 2007
27.6.09 Euwe vs Najdorf Zürich 1953
7.11.09 Ebralidze vs Ragosin, Tiflis 1937

Fianchetto-Variante [E64-E69]
3.Sc3 Lg7 4.Sf3 d6 5.g3
11.8.91 Cvitan vs Vigh, Hartberg 1991
17.5.92 Hübner vs Kasparow, Dortmund 1992
9.4.95 Tschiburdanidse vs Polgar Zsu., 4. Partie St. Petersburg 1995
29.9.96 Genius 4.0 vs ruf & ehn, Wien 1996
5.4.98 Najdorf vs Magalhaes, Sao Paulo 1947
19.2.00 Rubinstein A. vs Koltanowski, Antwerpen 1931
14.9.02 Koneru vs Hebden, Torquay 2002
14.5.05 Foltys vs Kovacs, Wien 1949
24.2.07 Carlsen M. vs Morosewitsch, Morelia 2007
21.6.08 Shengelia vs Scharrer, Vösendorf 2008
17.4.10 Botwinnik vs Tal, 6. WM-Partie Moskau 1960

Hauptsystem, Abweichungen im 5. Zug [E70-E72]
3.Sc3 Lg7 4.e4 d6 5.Lg5, 5.Ld3, 5.Sge2, 5.Lf4, 5.h3, 5.g3
18.10.92 Spassky vs Fischer R., 16. Partie Belgrad 1992
15.11.92 Spassky vs Fischer R., 16. Partie Belgrad 1992
19.11.95 Psachis vs Onoprienko, Baden 1995
6.12.98 Johner H. vs Mieses, Berlin 1924
5.8.00 Nielsen vs McShane, Kopenhagen 2000
14.6.03 Sokolov I. vs Radjabow, Sarajewo 2003
17.7.04 Beljawski vs Strikovic, Cacak 1996
3.9.05 Markos vs Beckhuis, Wien 2005

Awerbach-Angriff [E73-E75]
3.Sc3 Lg7 4.e4 d6 5.Le2 , 6.Lg5
7.6.92 Tukmakow vs Kasparow, Frunse 1981

Vierbauernangriff [E76-E79]
3.Sc3 Lg7 4.e4 d6 5.f4
29.6.02 Soos vs Geller, Warna 1962
1.3.03 Teschner vs Gligoric, Helsinki 1952

Sämisch-Angriff [E80-E89]
3.Sc3 Lg7 4.e4 d6 5.f3
7.10.90 Psachis vs Kasparow, 1. Wettkampfpartie Murcia 1990
14.10.90 Karpow vs Kasparow, 1. WM Partie New York 1990
14.4.91 Achscharumova vs Xie Jun, Interzonenturnier Gentin 1990
28.4.91 Deep Thought II vs Wahls, Hannover 1991
3.11.91 Christiansen vs Nunn, Wien 1991
29.3.92 Timman vs Kasparow, Linares 1992
19.7.92 Kamsky vs Kasparow, Manila 1992
13.9.92 Spassky vs Fischer R., 2. Partie Sveti Stefan 1992
27.9.92 Spassky vs Fischer R., 8. Partie Sveti Stefan 1992
11.10.92 Spassky vs Fischer R., 12. Partie Belgrad 1992
15.11.92 Spassky vs Fischer R., 12. Partie Belgrad 1992
21.3.93 Karpow vs Kasparow, Linares 1993
18.7.93 Deep Thought vs Wahls, Hannover 1991
31.10.93 Karpow vs Timman, 16. WM-Partie Djakarta 1993
15.5.94 Karpow vs Hrdlicka, Wien 1980
27.11.94 Arbakow vs Kasparow, Paris 1994
28.5.95 Bagirow vs Gufeld, Kirowobad 1973
14.1.96 Karpow vs Hansen, Groningen 1995
8.9.96 Portisch vs Arakhamia, London 1996
8.12.96 Pähtz vs Jawakischwili, Menorca 1996
20.11.04 Benkö vs Fischer R., Portoroz 1958
26.3.05 Timman vs Topalov, Moskau 1994

Klassisches System [E90-E99]
3.Sc3 Lg7 4.e4 d6 5.Sf3
16.9.90 Perruchaud vs Tischler, Biel 1990
30.9.90 Zlatilov vs Glek, 3. Runde Tenneck 1990
7.10.90 Karpow vs Kasparow, Weltclub Skelleftea 1989
21.10.90 Karpow vs Kasparow, 3. WM-Partie New York 1990
28.10.90 Karpow vs Kasparow, 5. WM-Partie New York 1990
4.11.90 Karpow vs Kasparow, 7. WM-Partie New York 1990
18.11.90 Karpow vs Kasparow, 11. WM-Partie New York 1990
23.12.90 Karpow vs Kasparow, 19. WM-Partie Lyon 1990
17.3.91 Waganjan vs Gelfand, Odessa 1989
14.4.91 Maric vs Xie Jun, 1. Partie Belgrad 1991

23.6.91 Eingorn vs Asanow, Peking 1991
3.11.91 Epischin vs Polgar Ju., Wien 1991
16.2.92 Lobron vs Kasparow, Baden Baden 1992
17.5.92 Kamsky vs Kasparow, Dortmund 1992
7.6.92 Taimanow vs Najdorf, Neuhausen-Zürich 1953
21.6.92 Schirow vs Nunn, Deutsche Bundesliga 1992
8.11.92 Spassky vs Fischer R., 26. Partie Belgrad 1992
21.3.93 Ljubojevic vs Kasparow, Linares 1993
30.5.93 Moscatelli vs Liedl, 12. Hietzing-Memphisturnier
5.12.93 Joseliani vs Xie Jun, 1. WM-Partie Monaco 1993
5.12.93 Joseliani vs Xie Jun, 5. WM-Partie Monaco 1993
29.5.94 Schirow vs Polgar Ju., Madrid 1994
18.6.95 Gulko vs Kasparow, Nowgorod 1995
24.3.96 Bronstein vs Gretarsson, Reykjavik 1996
25.8.96 Komarow vs Smirin, Wien 1996
22.12.96 Kramnik vs Topalov, Las Palmas 1996
25.5.97 Alexandrow vs Kotronias, Pula 1997
29.6.97 Kramnik vs Kasparow, Nowgorod 1997
12.10.97 Kramnik vs Schirow, Tilburg 1997
30.11.97 Kasparow vs ICC-Team, London 1997
28.12.97 Anand vs Almasi, Groningen 1997
25.1.98 Kramnik vs Gelfand, Belgrad 1997
4.9.99 Chalifman vs Akopjan, 4. Partie Las Vegas 1999
11.9.99 Taimanow vs Fischer R., 3. Partie Vancouver 1971
11.9.99 Evans vs Taimanow, New York 1953
22.1.00 Lputjan vs Piket, Wijk aan Zee 2000
19.8.00 Danner vs Stanec, Frohnleiten 2000
6.3.04 Schirow vs Radjabow, Linares 2004
27.3.04 Kasparow vs Carlsen M., Vorrunde Reykjavik 2004
9.9.06 Kramnik vs Kasparow, Nowgorod 1997
22.11.08 Akanga Bongo vs Jus Lopez, Dresden 2008
24.12.09 Carlsen M. vs McShane, London 2009
27.3.10 Aronian vs Carlsen M., Nizza 2010

Partiefragmente
(Unvollständige Partien, Kombinationen)

1990

17.6.90 Sultan Khan Mir vs Capablanca, Hastings 1929
24. 6.90 Kolisch vs Loyd, Paris 1876
1.7.90 Suetin vs Hulak, Lublin 1976
8.7.90 Evans vs Larsen, Dallas 1957
15.7.90 Beljawski vs Hjartarson, Moskau 1990
12.8.90 Illescas vs Kamsky , Manila 1990
19.8.90 Klinger vs Luther, Oberwart 1990
19.8.90 Klinger vs Raffalt, Aufstiegsturnier Staatsliga
26.8.90 Brauchart vs Felsberger, Carasaxa-Open Wien 1990
2.9.90 Tabatadse vs Schirow, Frunse 1989
16.9.90 Polgar Ju. vs Mathe, „WM der Jüngsten" 1990
30.9.90 Dschandschgawa vs Chandler,
14. Lloyds Bank Open England
14.10.90 Cooper vs Muir, Eastbourne 1990
21.10.90 Schwarz vs Paulsen, Frankfurt 1879
28.10.90 Vidmar vs Teichmann, Karlsbad 1907
4.11.90 Bernei vs Schneider A., Budapest 1976
18.11.90 Sämisch vs Reimann, Bremen 1927
25.11.90 Stanisic vs Regenfelder, Wiener Open 1990
2.12.90 Polgar Ju. vs Hansen, Politiken-Cup 1989
9.12.90 Wedberg vs Kuczynski, Schacholympiade 1990
16.12.90 Pfeiffer vs Hanel, Wiener Open 1989
23.12.90 Gausel vs Ginting, Olympiade Novi Sad 1990

1991

6.1.91 Karpow vs Kasparow, 21. WM-Partie Lyon 1990
6.1.91 Kasparow vs Karpow, 22. WM-Partie Lyon 1990
6.1.91 Karpow vs Kasparow, 23. WM-Partie Lyon 1990
13.1.91 Diemer vs Locher, 1946
20.1.91 Becker vs Fuß, Wien 1933
3.2.91 Grünfeld vs Herzog F., Mährisch-Ostrau 1933
10.2.91 Aljechin vs Lacasa, Saragossa 1944
24.2.91 Bernstein vs Capablanca, Moskau 1914
3.3.91 Karpow vs Gurevich M., Reggio Emilia 1991
17.3.91 Ljubojevic vs Gelfand, Novi Sad 1990
24.3.91 Gerassimow vs Smyslow, Moskau 1935
31.3.91 Iwantschuk vs Karpow, Linares 1991
7.4.91 Fazekas vs Spielmann, Prag 1938
7.4.91 Schiffers vs Tschigorin, St. Petersburg 1878
7.4.91 Bonsch Osmolovsky vs Baranow, Moskau 1953
14.4.91 Maric vs Xie Jun, 3. Wettkampfpartie Belgrad 1991
28.4.91 Deep Thought I vs Cooke, Long Beach 1990
5.5.91 Minic vs Honfi, Vrnacka Banja 1966
5.5.91 Malmberg vs Nordström, Schweden 1964
5.5.91 Jepson vs Hector, Dänemark 1991
12.5.91 Limbos vs, Ferry, Brügge 1961
26.5.91 de Freitas vs Mecking, Sao Paulo 1965
2.6.91 Smyslow vs Lilienthal, Moskau 1941
2.6.91 Kondrakow vs Glukowsky, UdSSR 1965
2.6.91 Mädler vs Uhlmann, Leipzig 1963
2.6.91 Mikenas vs Bronstein, Tallinn 1965
9.6.91 Charousek vs Wollner, Kaschau 1893
16.6.91 Nielsen vs Hansen, Kopenhagen 1991
23.6.91 Nowikov vs Wang Pin, Peking 1991
30.6.91 Wolf vs Frauensohn, Straßburg 1974/75
14.7.91 Oslouhow vs Nedobora, UdSSR 1990
21.7.91 Iwanov vs Petursson, Saint Martin 1991
28.7.91 Browne vs Rohde, Las Vegas 1989
4.8.91 Baker vs Schlenker, Hastings 1978/79
11.8.91 Insam vs Sermek, Hartberg 1991
18.8.91 Wahls vs Wegner, Hamburg 1991
25.8.91 Hertog vs Leman, Barcelona 1936
1.9.91 Chabanon vs Kosten, Paris 1991
8.9.91 Jussupow vs Iwantschuk, 2. Partie Brüssel 1991
22.9.91 Stolberg vs Botwinnik, Moskau 1940
29.9. 91 Dishman vs Westra, Eastbourne 1991
6.10.91 Steinitz vs Unbekannt, Wien 1861
20.10.91 Korn vs Pitschak, Brno 1936
20.10.91 Buben vs Simon, Wien 1990
20.10.91 Reshevsky vs Geller, Neuhausen-Zürich 1953
27.10.91 Ehlvest vs Chalifman, Reykjavik 1991
3.11.91 Ribli vs Mokry, Wien 1991
10.11.91 Akopjan vs Garcia, Los Angeles 1991
17.11.91 Tschiburdanidse vs Xie Jun, 8. WM-Partie Manila 1991
24.11.91 Short vs Timman, Tilburg 1991

1.12.91 Napoleon (Kennedy) vs Bertrand (Owen)
8.12.91 Enders vs Uhlmann, Jüterborg 1985
15.12.91 Barejew vs Kasparow, Paris 1991
22.12.91 Schwarz vs Paulsen, Frankfurt 1879
22.12.91 Paulsen vs Pitschel, Frankfurt 1879

1992

5.1.92 Christie vs Kurzdorfer, New York 1986
12.1.92 Karpow vs Geller, Moskau 1983
19.1.92 Salov vs Gurevich M., Reggio Emilia 1991/92
2.2.92 Greenfeld vs Polgar Ju., Haifa 1989
9.2.92 Fedina vs Gulak, Fernpartie 1980
23.2.92 Fahrni vs Hess, Stuttgart 1925
23.2.92 Pachman vs Balanel, Prag 1956
1.3.92 Euwe vs Breyer, Wien 1921
8.3.92 Spielmann vs Hönlinger, Wien 1929
15.3.92 Basman vs Corkett, Sutton 1990
22.3.92 Suttles vs Smith, San Antonio 1972
29.3.92 Short vs Beljawski, Linares 1992
5.4.92 Bredewout vs van der Wiel, Niederlande 1981
12.4.92 Leko vs van der Sterren, Nettetal 1992
19.4.92 Miles vs Wohl, Melbourne 1992
3.5.92 Reshevsky vs Yanofsky, Lugano 1968
10.5.92 Agdestein vs Wells, Gausdal 1983
17.5.92 Malischko vs Wagner, Fernpartie 1984
31.5.92 Bagirow vs Cholmow, Baku 1961
7.6.92 Herberger vs Stahmann, München 1962
14.6.92 Gurevich M. vs Curdo, USA 1992
21.6.92 Maus vs Waganjan, Deutsche Bundesliga 1992
28.6.92 Kriwitscha vs Hara, Kuldiga 1984
5.7.92 Atkin vs Bartolitsch, St. Petersburg 1902
12.7.92 Tal vs Solmanis, UdSSR 1970
19.7.92 Lanka vs Roisman, Minsk 1978
2.8.92 Torma vs Polgar Zso., Budapest 1982
9.8.92 Spassky vs Fischer R., 5. WM-Partie Reykjavik 1972
16.8.92 Fischer R. vs Sanchez, Santiago 1959
22.8.92 Acevedo vs Fischer R., Siegen 1970
29.8.92 Rivera vs Fischer R., Varna 1962
6.9.92 Santo Roman vs Sosonko, Cannes 1992
1.11.92 Aljechin vs Supico, Teneriffa 1945
15.11.92 Fischer R. vs Spassky, 1. Partie Sveti Stefan 1992
15.11.92 Fischer R. vs Spassky, 19. Partie Belgrad 1992
22.11.92 Aljechin vs Colle, Paris 1925
29.11.92 Illi vs Lurje, Zürich 1982
6.12.92 Nasarkin vs Dewin, Saratow 1981
13.12.92 Fichtl vs Blatny F., Bratislava 1956
13.12.92 Enigk vs Effel, Fernpartie 1957
13.12.92 Golz vs Szabo J., Dresden 1959
13.12.92 Drimer vs Ciocaltea, Bukarest 1955
20.12.92 Rasumow vs Belogriwi, Klaipeda 1981

1993

10.1.93 Spielmann vs Rubinstein A., St. Petersburg 1909
10.1.93 Réti vs Rubinstein A., Göteborg 1920
10.1.93 Rubinstein A. vs Grünfeld, Semmering 1926
17.1.93 Loginov vs Sideif-Zade, Taschkent 1983
24.1.93 Guljaev vs Mikadse, Schafirkan 1983
31.1.93 Fiorito vs Grün, Fernpartie 1983
7.2.93 Sigurjonsson vs Jakobsen, Dänemark 1983
14.2.93 Domuls vs Pojakov, Lettland 1980
21.2.93 Doche vs Blacher, Fernpartie 1980
28.2.93 Bernasconi vs Weissen, Disentis 1983
7.3.93 Schiffers vs Tschigorin, St. Petersburg 1897
14.3.93 Hirschowitz vs Andre, Durban 1978
21.3.93 Karpow vs Salov, Linares 1993
28.3.93 Ratjanis vs Geller, Fernpartie 1983
4.4.93 Steinitz vs Pilhal, Wien 1862
11.4.93 Polgar Ju. vs Timman, Paris 1992
18.4.93 N.N. vs Fine, USA 1937
9.5.93 Miles vs Summerscale, Dublin 1993
16.5.93 Spielmann vs Menchik, Margate 1938
22.5.93 Seirawan vs Kasparow, Niksic 1983
30.5.93 Arnold vs Kaloussis, Korfu 1991
6.6.93 Aljechin vs Freeman, Blindsimultan New York 1924
4.7.93 Tschiburdanidse vs Larsen, Wien 1993
11.7.93 Schneider vs Johnson, Reykjavik 1984
25.7.93 Felsberger vs Bartsch, Velden 1993
1.8.93 Stahlberg vs Menchik, Moskau 1935
8.8.93 Paltschinskaja vs Tschiburdanidse, Kischinew 1973
15.8.93 Bertholee vs Polgar Ju., Amsterdam 1990
22.8.93 Tisdall vs Polgar Ju., Reykjavik 1988
29.8.93 Gurevich M. vs Adams, Interzonenturnier Biel 1993
5.9.93 Kasparow vs Smirin, Moskau 1983
7.11.93 Schuleschko vs Gaponow, Daugavpils 1984
14.11.93 Reggio vs Mieses, Monte Carlo 1903
21.11.93 King vs Nimzo Guernica, Mikrocomputer-WM München 1993
28.11.93 Short vs Kasparow, 4. Schnellpartie London 1993
5.12.93 Bhend vs Kaiser, Lugano 1982
12.12.93 Sadler vs Loginov, Budapest 1993

1994

9.1.94 Hjartason vs Georgadse, Tilburg 1993
16.1.94 Bichsel vs Desancic, Allschwil 1984
23.1.94 Lobron vs Hodgson, Groningen 1993
30.1.94 Ambelang vs Kurucsai, Budapest 1983
6.2.94 Janowsky vs David, Paris 1891
13.2.94 Borner vs Faure, Baden 1983
20.2.94 Battell vs Smith, New York 1968
27.2.94 Politiker vs N.N., Österreich 1994
6.3.94 Barcza vs Bronstein, Budapest-Moskau 1949
13.3.94 Kärrman vs Andersson U., Schweden 1983
20.3.94 Jandarbiev vs Sacharewitsch, Brjansk 1982
27.3.94 Karpow vs Barejew, Linares 1994
27.3.94 Karpow vs Kortschnoi, Baguio City 1978
3.4.94 Lerner vs Priedniek, Klaipeda 1981
10.4.94 Iwanowski vs Kirillow, Ekavpils 1983
17.4.94 Porubszky vs Markovics, Budapest 1979
24.4.94 Short vs Parameswaran, Brighton 1984
1.5.94 Kamsky vs Seirawan, Monaco 1994
8.5.94 Hase vs Agdestein, Luzern 1982
15.5.94 van der Wiel vs Ribli, Wijk aan Zee 1983
22.5.94 Hort vs Chandler M., Wijk aan Zee 1982
29.5.94 Polgar Ju. vs Jagerflung, Göteborg 1990
5.6.94 Weiß vs Chess Master 4000, Wr. Neustadt 1994

19.6.94 Loiterstein vs Najdorf, Mar del Plata 1994
26.6.94 McDonnell vs de Labourdonnais, 53. Partie London 1843
3.7.94 Rupp vs Krivun, Fernpartie 1981
10.7.94 Hjartarson vs Sigurjonsson, Gausdal 1987
7.8.94 Kortschnoi vs Ljubojevic, Tilburg 1987
14.8.94 Schüssler vs Murey, La Valletta 1980
21.8.94 Kaulla vs Rothschild, Wien 1887
28.8.94 Filip vs Darga, Oberhausen 1961
28.8.94 Jelen vs Larsen, Ljubljana 1971
28.8.94 Prawda vs Tal, 1981
28.8.94 Petrosjan T. vs Pachman, Bled 1961
4.9.94 Ljubojevic vs Oll, Antwerpen 1994
4.9.94 Hodgson vs Hellers, Leeuwarden 1994
4.9.94 Henriksen vs Bronstein, Gausdal 1994
4.9.94 Speelman vs Stangl, Altensteig 1994
4.9.94 Herzlich vs Ritscher, Wien 1994
11.9.94 Lerner vs Makaritschew, Frunse 1979
18.9.94 Sznapik vs Panczyk, Warschau 1981
25.9.94 Claesson vs Eksmyr, Malmö 1981
2.10.94 Frosch vs Nickl, Graz 1994
9.10.94 Swerin vs Lindkvist, Stockholm 1980
23.10.94 Polgar Ju. vs Singh, Hastings 1988/89
30.10.94 Kamsky vs Markos, Timisoara 1988
6.11.94 Prokofiev vs Oistrach, Moskau 1937
13.11.94 Kindermann vs Weill, Wien 1994
20.11.94 Georgiev Ki. vs Torre E., Leningrad 1987
27.11.94 Gurevich M. vs Rasuwaev, Moskau 1987
4.12.94 Degerman vs Cramling D., Stockholm 1985
11.12.94 Gerstner vs Machelett, Binz 1994
18.12.94 Romanischin vs Anikaew, Moskau 1973
25.12.94 Boekdruker vs Lewander, Fernpartie 1936

1995

8.1.95 Kasparow vs Gavrikov, Frunze 1981
15.1.95 Suba vs Portisch, Thessaloniki 1984
22.1.95 Gallagher vs Schweizer, Bad Zurzach 1995
5.2.95 Miles vs Morosewitsch, London 1995
12.2.95 Wagman vs Barle, Biel 1981
19.2.95 Barbulescu vs Stefanov, Dubai 1986
26.2.95 Pinter vs Negulescu, Warschau 1987
5.3.95 Prandstetter vs Ftacnik, Prag 1985
12.3.95 Sznapik vs Ostermeyer, Oslo 1983
19.3.95 Terzic vs Nurkic, Bosnien 1994
26.3.95 Michaltschischin vs Polajzer, Ptuj 1993
2.4.95 Schirm vs Hartmann, Berlin 1925
9.4.95 Troitzky vs Falk, St. Petersburg 1897
16.4.95 Stein vs Portisch, Stockholm 1962
23.4.95 Karpow vs Larsen, Tilburg 1982
30.4.95 Der unbekannte Meister vs Old Joe, London
30.4.95 Price vs Jesty, London 1921
7.5.95 Krylow vs Tarasow, UdSSR 1961
14.5.95 Smyslow vs Botwinnik, WM 1957
21.5.95 Müllner vs Kratky, Wien 1958
28.5.95 Hintikka vs Issakainen, Helsinki 1980
4.6.95 Saunina vs Tschechowa, Sotschi 1980
11.6.95 Brodski vs Tregubow, Wijk aan Zee 1995
18.6.95 Timman vs Waganjan, Nowgorod 1995
25.6.95 Ostojic vs Abravanel, Bethune 1982
2.7.95 Miles vs Seirawan, Sarajewo 1987
16.7.95 Dimitriew vs Jaschin, UdSSR 1965
23.7.95 Joseliani vs Hort, Prag 1995
6.8.95 Capablanca vs Fonaroff, Marc, New York 1918
20.8.95 Philidor vs Brühl, London 1788
27.8.95 Quadrio vs Santos, Lissabon 1995
3.9.95 Timman vs Mirza, Malta 1980
10.9.95 Polugajewski vs Gulko, UdSSR 1975
22.10.95 Mooey vs Eichhorn, Fernpartie 1980
29.10.95 Hess vs Musielak, Berlin 1980
5.11.95 Beljawski vs Kusmin, Moskau 1982
19.11.95 Domuls vs Naktinis, Daugavpils 1981
26.11.95 Kortschnoi vs Sokolov I., Wien 1995
10.12.95 Gusti vs Nutrizio, Milano 1958
17.12.95 Post vs Sopp, Pjärnu 1984

1996

14.1.96 Heinicke vs Wüstenhöfer, Berlin 1926
21.1.96 Weichert vs Neye, Fürstenwalde 1937
28.1.96 Kotronias vs Kalesis, Karditsa 1994
4.2.96 Pape vs Roth, Löbau 1924
25.2.96 Simagin vs Abramov, Leningrad 1946
3.3.96 Krejcik vs Vranovits, Wien 1954
10.3.96 Dückstein vs Fahrner, Staatsliga 1996
31.3.96 Andersson U. vs Nunn, London 1982
7.4.96 Olsen vs Jacobsen, Aarhus 1953
5.5.96 Karic vs Justin, Belgrad 1987
12.5.96 Stanec vs Fauland, Wien 1996
19.5.96 Gonzalez J. vs Pogorelow, Berga 1995
26.5.96 Spielmann vs Lissitzin, Moskau 1935
2.6.96 Aronin vs Tschechower, Leningrad 1948
9.6.96 Bronstein vs Geller, Moskau 1961
16.6.96 Dizdarevic vs Sermek, Makarska 1995
7.7.96 Donner vs Spanjaard, Amsterdam 196
14.7.96 Földi vs Florian, Budapest 1958
21.7.96 Speelman vs Kortschnoi, Reykjavik 1988
4.8.96 Krejcik vs N.N., Café Central Wien 1906
11.8.96 Lilienthal vs Schamkowitsch, Baku 1964
18.8.96 Epischin vs Kveinys, Wien 1996
25.8.96 Polak vs Glek, Wien 1996
1.9.96 Spielmann vs Yates, Semmering 1926
8.9.96 Arakhamia-Grant vs Smyslow, London 1996
15.9.96 Sznapik vs Ostermeyer, Oslo 1983
22.9.96 Ligterink vs Lobron, Ter Apel 1987
29.9.96 Chandler M. vs Littlewood, London 1996
6.10.96 Peng Zhao Qin vs Abdulla, Erewan 1996
13.10.96 Jefimov vs Glek, Borschomi 1984
20.10.96 Aljechin vs Subarew, Moskau 1915/16
27.10.96 Speelman vs Peng Zhao Qin, Erewan 1996
3.11.96 Rubinstein A. vs Hirschbein, Lodz 1927
10.11.96 Schroll vs Stanka, Wien 1996
17.11.96 Hamarat vs Firnhaber, Finale EM 1993-95
24.11.96 Magem Badals vs Karpow, Cap d'Agde 1996
1.12.96 Kalantarian vs Horvath, Budapest 1996
8.12.96 Kempinski vs Tirard, Medellin 1996
22.12.96 Schirow vs Akopjan, Oakham 1992

1997

12.1.97 Timman vs Ivkov, Genf 1977
19.1.97 Bernstein vs Capablanca, Moskau 1914
26.1.97 Adams vs Nunn, Hastings 1996/97
26.1.97 Johansson vs Ulibin, Stockholm 1997
26.1.97 Schirow vs Uhlmann, Dresden 1997
26.1.97 Rasa vs Sarkovs, Riga 1997
26.1.97 Dwoiris vs Ibragimow, Omsk 1996
26.1.97 Sandström vs Jensen, Stockholm 1997
2.2.97 Norwood vs Maier, Groningen 1988
9.2.97 Lalic vs Becerra, Linares 1997
16.2.97 von Ehlert vs Pohl, Riga 1901
23.2.97 von Ehlert vs Pohl, Riga 1901
2.3.97 Nikolic vs Topalov, Linares 1997
9.3.97 Ribli vs Sosonko, Tilburg 1984
16.3.97 Vogt vs Schmidt, Dresden 1985
6.4.97 Rotlewi vs Süchting, Karlsbad 1911
13.4.97 Rivera vs Fischer R., Varna 1962
27.4.97 Dunnington vs Daly, Rotherham 1997
4.5.97 Uhlmann vs Spasow, Cienfuegos 1973
11.5.97 Miles vs Nedobora, Sevilla 1994
18.5.97 Deep Blue vs Kasparow, 2. Partie New York 1997
18.5.97 Kramnik vs Kamsky, New York 1994
25.5.97 Yilmaz vs Kozul, Pula 1997
1.6.97 Nikolaidis vs Almasi, Budapest 1994
8.6.97 Larsen vs Petrosjan T., Santa Monica 1966
15.6.97 San Segundo vs Polgar Ju., Madrid 1997
29.6.97 Dörnte vs Richter, Berlin 1939
3.8.97 Mason vs Perrin, New York 1872
17.8.97 Janowsky vs David, Paris 1891
24.8.97 Menchik vs Graf, Semmering 1937
31.8.97 Dückstein vs Herzog A., Wien 1979
7.9.97 Stanec vs Schneider-Zinner, Wien 1997
14.9.97 Garcia vs Schirow, Villarrobledo 1997
21.9.97 Zielbauer vs Brand, Graz 1997
28.9.97 Cuellar vs Uhlmann, Leningrad 1973
12.10.97 Leko vs Piket, Tilburg 1997
19.10.97 Ivanov vs Baburin, Los Angeles 1997
26.10.97 Schramm vs Pfeffer, Alb 1991
2.11.97 van Wely vs Polgar Ju., Hoogeveen 1997
9.11.97 Hartlaub vs Carls, Bremen 1918
16.11.97 Popovic vs Pinter, Itävalta 1997
23.11.97 Syversen vs Pokorny, Fernpartie 1933
30.11.97 Christiansen vs Flear, Szirak 1987
7.12.97 Gelfand vs Lautier, Belgrad 1997
14.12.97 Timman vs van der Sterren, Gouda 1997
21.12.97 Neverow vs Karpeschow, St. Petersburg 1997
28.12.97 Polzin vs Trabert, Hamburg 1997

1998

4.1.98 Becher vs Farago, Budapest 1997
25.1.98 Bernstein vs Seidman, New York 1959/60
1.2.98 Polgar Ju. vs Anand, Wijk aan Zee 1998
8.2.98 van der Sterren vs Karpow, Wijk aan Zee 1998
1.3.98 Zaja vs Nikolac, Pula 1998
8.3.98 de Santis vs Leroy, Budapest 1994
15.3.98 Bauer vs Kinsmann, Clichy 1998
22.3.98 Miesowicz vs Slobodjan, Lodz 1937
29.3.98 Soultanbeeiff vs Borodin, Brüssel 1943
5.4.98 Langer vs Richter, Leipzig 1998
12.4.98 Egri vs Dede, Debrecen 1998
19.4.98 Cacho vs Buxade, Torrevieja 1997
26.4.98 Smejkal vs Adorjan, Vrnjacka Banja 1972
3.5.98 Sax vs van der Wiel, Biel 1985
10.5.98 Chevallos vs Möhring, Tel Aviv 1964
17.5.98 van Wely vs Kramnik, Monte Carlo 1998
24.5.98 Greco vs N.N., Italien um 1619
31.5.98 Marshall vs von Scheve, Monte Carlo 1904
7.6.98 Krylow vs Tarasow, Moskau 1961
14.6.98 Nataf vs Kortschnoi, Cannes 1998
21.6.98 Ward vs Asgeirsson, Reykjavik 1998
28.6.98 Vera vs Abiuso, Santiago 1998
5.7.98 Karpow vs Polgar Ju., Budapest 1998
12.7.98 Kiselewa vs Churtsidse, Niksic 1997
9.8.98 Zimmerman vs Brauneder, Oberwart 1998
16.8.98 Leroy vs Hausrath, Groningen 1996
30.8.98 Wehmeier vs Bischoff, Lippstadt 1998
6.9.98 Szabo L. vs Donner, Göteborg 1955
20.9.98 Timman vs Kasparow, Prag 1998
27.9.98 Steinitz vs Hirschfeld, London 1863
4.10.98 Schlechter vs Leonhardt, San Sebastian 1912
11.10.98 Spielmann vs Lissitzin, Moskau 1935
18.10.98 Stripunsky vs Cooke, New York 1998
1.11.98 Iljuschin vs Calzetta, Linares 1998
15.11.98 Capece vs Astengo, Genua 1998
22.11.98 Lamprecht vs Poljakova, Pardubice 1998
29.11.98 Geller vs Novotelnov, Moskau 1951
6.12.98 Marzano vs van der Werf, Porto San Giorgo 1998
13.12.98 Kücherer vs Heinrich, Schach-Blitzturnier 1954
20.12.98 Aljechin vs Schischko, Moskau 1919

1999

10.1.99 Garcia Martinez vs de la Paz, Manicaragua 1998
17.1.99 Fütterer vs Zinkl, Berlin 1897
24.1.99 Ljubojevic vs Padevski, Nizza 1974
31.1.99 Spielmann vs Zinner, Brünn 1927
7.2.99 Schirow vs Kramnik, Belgrad 1999
14.2.99 Tartakower vs Vidmar, Wien 1905/06
21.2.99 Bronstein vs Geller, Göteborg 1955
28.2.99 Maiwald vs Bockius, Bad Wörishofen 1994
6.3.99 Larsen vs Ljubojevic, Mailand 1975
13.3.99 Ljubojevic vs Panno, Buenos Aires 1980
20.3.99 Danielsson vs Blomberg, Schweden 1967
3.4.99 N.N. vs Schachautomat (Schlumberger), USA 1826
17.4.99 Gara A. vs Malada, Budapest 1999
24.4.99 Pachman vs Gunarsson, Vrnjacka Banja 1966
1.5.99 Sultan Khan Mir vs Bogoljubow, Prag 1931
8.5.99 Janowsky vs Schlechter, London 1899
22.5.99 Drasher vs Polka, Parsippany 1999
29.5.99 Smyslow vs Oll, Rostow 1993
5.6.99 Flores vs Fuentes, Peru 1998
19.6.99 Foulds vs Lang, Neuseeland 1956
26.6.99 Shredder vs Junior, Paderborn 1999
3.7.99 Bernstein vs Gorodine, Moskau 1909

10.7.99 Fritz 6 vs Polgar Ju., Frankfurt 1999
10.7.99 Fritz 6 vs Adams, Frankfurt 1999
24.7.99 Polgar Ju. vs Schirow, 6. Partie Prag 1999
31.7.99 Makogonov vs Tschechower, Tiflis 1937
7.8.99 Littlewood vs Roth, Havanna 1966
14.8.99 Milos vs Schirow, 3. Runde Las Vegas 1999
21.8.99 Mogilarow vs Felgaer, Oropesa del Mar 1998
28.8.99 Atlas vs Almasi, ö. Staatsliga 1999
4.9.99 Galliamova vs Xie Jun, 11. Partie Shenyang 1999
11.9.99 Karpow vs Taimanow, Leningrad 1977
25.9.99 Kristinsson vs Kinnmark, Halle 1967
2.10.99 Radjabow vs Kowaljow, Litohoro 1999
9.10.99 Ward vs Farndorn, Jersey 1999
4.12.99 Greco vs Unbekannt, Italien um 1620
31.12.99 Nußbaumer vs Weber, Aschach 1999

2000

8.1.00 Tschakojan vs Turkestanischvili, UdSSR 1971
15.1.00 Legki vs Dzhiuban, Tiflis 1980
29.1.00 Huss vs Schaerer, Nove Zamky 1999
5.2.00 Karatorosjan vs Kovacevic, Linares 2000
12.2.00 Gausel vs Östenstad, Gausdal 1999
19.2.00 Koltanowski vs Walpole, Blindsimultan Keswick 1937
26.2.00 Palecek vs Kantorik, Nove Zamky 1999
4.3.00 Gufeld vs Nesis, UdSSR 1956
11.3.00 Westerinen vs Cosma, Andorra 1999
18.3.00 Vilar vs Regan, Saint Vicent 1999
25.3.00 Campos Moreno vs Sargisian, Linares 2000
1.4.00 Marino vs Cramling P., Oviedo 1993
8.4.00 Hillarp Persson vs Hjartarson, Gausdal 1996
15.4.00 Benitah vs Maurer, Capelle la Grande 2000
22.4.00 Westerinen vs Loikkanen, Helsinki 1963
29.4.00 Ehlvest vs McShane, Reykjavik 2000
6.5.00 Portisch vs Polgar Ju., Budapest 1991
13.5.00 Svacina vs Müller H., Wien 1941
20.5.00 Olafsson vs Leitao, Capelle la Grande 2000
20.5.00 Karpow vs Schirow, Monaco 2000
20.5.00 Gleiserow vs Korneew, Malaga 2000
20.5.00 Gulko vs Adams, Internet Chess Grand Prix 2000
20.5.00 Machelett vs Brynell, Deutsche Bundesliga 2000
20.5.00 Ledger vs Tschernjaew, Hastings 2000
27.5.00 Sandner vs Müller, Bad Wörishofen 2000
3.6.00 Asendorf vs Schneider, Kleve 1999
10.6.00 Radovanovic vs Sperdokli, Korinthos 1999
17.6.00 Grujic vs Perunovic, Kragujevac 2000
1.7.00 Anand vs Schirow, Frankfurt Giants 2000
8.7.00 Milliet vs Bramme, Paris 1998
16.9.00 Brzozka vs Bronstein, Miskolc 1963
16.9.00 Meier vs Müller, Schweiz 1994
23.9.00 Botwinnik vs Euwe, 1948
18.11.00 Réti vs Tartakower, Wien 1910
18.11.00 Réti vs Bogoljubow, New York 1924
25.11.00 Nimzowitsch vs Tartakower, Karlsbad 1911
25.11.00 Post vs Nimzowitsch, Barmen 1905
25.11.00 Yates vs Nimzowitsch, Karlsbad 1923
2.12.00 Lasker Em. vs Breyer, Budapest 1911
2.12.00 Breyer vs Namer, Kaschau 1918

2001

5.1.01 Heiderbeck vs Lasker Em., Berlin 1889
5.1.01 Loman vs Lasker Em., London 1914
5.1.01 Walter vs Lasker Em., Mährisch-Ostrau 1923
10.2.01 Gutsche vs Richter, Berlin 1930
10.2.01 K. vs Richter, Berlin 1929
24.2.01 Weinzettl vs Hangweyrer, Wien 2001
24.2.01 Wukits vs Miniböck, Wien 2001
24.2.01 Horvath I. vs Szromba, Lienz 2001
7.4.01 Tietz vs Judd, Karlsbad 1898
7.4.01 Saveryumuttu vs Juhnke, BRD 1971
7.4.01 Lee vs Nocon, Los Angeles 1995
7.4.01 Portisch vs Larsen, Rotterdam 1977
1.12.01 Sergejewa vs Plachkinowa, Athen 2001
1.12.01 Cabrilo vs Todorovic, Belgrad 2001
1.12.01 Tozer vs Stovring, Kopenhagen 2001
1.12.01 Villamayor vs Megaranto, Bandur Seri Begawan 2001
1.12.01 Golubev vs Podinic, Bukarest 2001

2002

7.9.02 Eingorn vs Beljawski, Kiew 1986
7.9.02 Capablanca vs Janowsky, New York 1916
7.9.02 Vaisser vs Duric, Szirak 1985
26.10.02 Kramnik vs Deep Fritz, 6. Partie (Analyse) Manama 2002
16.11.02 Bonar Law vs Harley, London 1920
16.11.02 Marx vs Neumann, 1869
14.12.02 Kortschnoi vs Sequera, Curaçao 2002

2003

11.1.03 Glek vs Wolkow, Santo Domingo 2002
11.1.03 Stanec vs Androsch, Aschach 2002
11.1.03 Privman vs Bonin, Philadelphia 2002
25.1.03 Timman vs Topalov, Wijk aan Zee 2003
8.3.03 Leko vs Radjabow, Linares 2003
24.5.03 Schmid vs Petrosjan T., Saltsjöbaden 1952
27.12.03 Fichtl vs Blatny F., Prag 1956
27.12.03 Tchelebi vs Reilly, München 1958
27.12.03 Kestler vs Pesch, Traben-Trarbach 1956
27.12.03 Krahnstöver vs Seyferth, Bitterfeld 1957

2004

13.3.04 Kasparow vs Topalov, Linares 2004
13.3.04 Radjabow vs Kaparow, Linares 2004
13.3.04 Leko vs Kramnik, Linares 2004
2.10.04 Leko vs Kramnik, 1. WM-Partie Brissago 2004
31.12.04 Lilov vs Peev, Plovdiv 2004
31.12.04 Ni Hua vs Vladimirov, Tripolis 2004
31.12.04 Brockmann vs Petrosjan S., Kiel 2004
31.12.04 Granat vs Bentley, England 2004

2005

12.2.05 Polgar Ju. vs Svidler, Wijk aan Zee 2005
12.2.05 Anand vs Leko, Wijk aan Zee 2005
12.2.05 Karjakin vs Nikolic, Wijk aan Zee 2005
4.6.05 Adams vs Kramnik, Sofia 2005
4.6.05 Polgar Ju. vs Adams, Sofia 2005
4.6.05 Topalov vs Ponomarjow, Sofia 2005

11.6.05 Adams vs Leko, 1. Schnellpartie Miskolc 2005
11.6.05 Leko vs Adams, 6. Schnellpartie Miskolc 2005
30.7.05 Geller vs Anikaew, Moskau 1981
30.7.05 Stean vs Littlewood, London 1975
30.7.05 Richter vs Yewdokimow, St. Petersburg 1992
30.7.05 Krahnstöver vs Seyferth, Bitterfeld 1957
24.9.05 Hawkeye vs Oliveoyl, ICC Bullet 2005
24.9.05 Vaska vs Kennyd, ICC Bullet 2005
22.10.05 Leko vs Anand, San Luis 2005
22.10.05 Topalov vs Kasimdschanow, San Luis 2005

2006

8.4.06 Kuba vs Srienz, ÖMM Ansfelden 2006
5.8.06 Hillarp Persson vs Hansen, Malmö 2005
2.9.06 Tal vs Dorfman, Tbilisi 1978
9.9.06 Iwantschuk vs Kramnik, Dos Hermanas 1996
28.10.06 Mahia vs Quinteros, Buenos Aires 1980
28.10.06 Kotronias vs Kalesis, Karditsa 1994
30.12.06 Deep Fritz vs Kramnik, Bonn 2006
30.12.06 Thorfinsson vs Gunnarson, Fernsehpartie Island 2006
30.12.06 Ragger vs Amin, Jugendweltmeisterschaft Batumi 2006
30.12.06 Polgar Ju. vs Sokolov I., Hoogeveen 2006

2007

3.3.07 von Popiel vs Marco, Monte Carlo 1902
3.3.07 Deep Blue vs Kasparow, 2. Wettkampfpartie New York 1997
23.6.07 Babuschkin vs Postnikow, Fernpartie UdSSR 1969/70
28.7.07 Hou Yifan vs Kowalewskaja, Turin 2006
28.7.07 Arencibia vs Gashimov, Havanna 2007
28.7.07 Li Ying vs Laylo, Turin 2006
28.7.07 Wells vs Yeo, England 2006
28.7.07 Abdulla vs Chowdury, Dhaka 2007
15.9.07 Fraunschiel vs H. N., Wien 1991
15.9.07 Molnar vs N.N., Wien 1991
15.9.07 Fahrni vs N.N., Wien 1991
15.9.07 N.N. vs N.N., Wien 1921
17.11.07 Janowsky vs Rubinstein A., Karlsbad 1907
17.11.07 Laznicka vs Ponomarjow, Karlsbad 2007

2008

12.1.08 Aljechin vs Bogoljubow, Bad Pystian 1922
26.1.08 Fischer R. vs Soos, Skopje 1967
26.1.08 Fischer R. vs Hook, Siegen 1970
26.1.08 Reshevsky vs Fischer R., New York 1963/64
28.6.08 Kasparow vs Lautier, Moskau 1994
18.10.08 ehn vs ruf, Wien 1989
8.11.08 Anand vs Kramnik, 9. WM-Partie Bonn 2008
8.11.08 Anand vs Kramnik, 11. WM-Partie Bonn 2008

2009

10.10.09 Andruet vs Spassky, Deutsche Bundesliga 1988
10.10.09 Antonio vs Dao Thien Hai, Kuala Lumpur 2005
10.10.09 Wade vs Boxall, Bognor Regis 1963
10.10.09 Dashkanov vs Jussupow Moskau 1981

2010

20.2.10 ruf & ehn vs Grutter, Saas Fee 2010
1.5.10 Topalov vs Anand, 1. WM-Partie Sofia 2010
1.5.10 Anand vs Topalov, 2. WM-Partie Sofia 2010
22.5.10 Topalov vs Anand, 8. WM-Partie Sofia 2010
22.5.10 Anand vs Topalov, 9. WM-Partie Sofia 2010
22.5.10 Topalov vs Anand, 12. WM-Partie Sofia 2010

Schachvarianten
(Partien nach anderen als den klassischen Regeln)

Shuffle Chess

9.10.99 Lutz vs Jussupow, 1. Partie Jena 1999
9.10.99 Lutz vs Jussupow, 3. Partie Jena 1999
9.12.00 Volkmann vs Popovic, Wien 2000
9.12.00 Lendwai vs Trkulja, Wien 2000
7.7.01 Leko vs Adams, 4. Partie Mainz 2001

Progressivschach

10.11.01 Richner vs Illing, 9. Progressiv-Schach-Turnier 1991
10.11.01 Illing vs Müller, 9. Progressiv-Schach-Turnier 1991
10.11.01 Sicker vs Müller, 9. Progressiv-Schach-Turnier 1991
10.11.01 Stegmann vs Reimann, 8. Progressiv-Schach-Turnier 1990
10.11.01 Bär vs Vater, Deutschland 1987

Lawinenschach

22.7.06 Yearout vs Peters, England 1980

Poloschach

22.7.06 Pfannkuche vs Murkisch, Deutschland 1987

Taschenspringerschach

29.7.06 Buckley vs Richardson, Fernpartie 1989

Circeschach

29.7.06 Cohen vs Ishkanian, England 1973

»Chess Fever« von Wsevolod Pudovkin & Nikolai Shpikovsky (UdSSR, 1926)

LÖSUNGEN

Der folgende Lösungsteil umfasst alle Rätselauflösungen aus dem Kapitel »Register« (S. 52 bis S. 145). Die Auflösungen sind analog zu den Rätseln nummeriert.

1) 1.Tg1+! Tf6 Oder 1... Tb2 2.Ld3 matt bzw. 1... Kb1 2.Ld3 matt. **2.Lb5** matt.

2) 1.Sd2!! b4 Oder 1... c5 2.Ta2+ Kb4 3.La5 matt bzw. 1... Ka3 2.La5 b4 3.Ta2 matt. **2.Ta2+ Kb5 3.Ta5** matt.

3) 1.Te1!! exd6 Oder 1... exf6 2.Td1! f5 3.c4 matt bzw. 1... e6 2.Td1! e5 3.c4 matt und 1... e5 2.c4+ Kxd4 3.Td1 matt. **2.Sd2! exd2 3.e4** matt (Fritz Giegold 1971).

4) 1.Dh1! Tc-h8+ Oder 1... Txb7 2.Dxb7 matt. **2.Tc-h7** matt.

5) 1.Txb7!! Nicht 1.Te8? Db6! **1... De6+** Oder 1... Dc4+ 2.Tc7+ Dxd5 3.Ta7 matt bzw. **1... Dc6+ 2.Tc7 Dxd5** 3.Ta7 matt. 2.Td7+ Dxd5 Oder 2... Dc6+ 3.Lxc6 matt. **3.Ta7** matt.

6) 1.Th5!! f4 Oder 1... fxg4 2.Dxg5 Kb4 (2... Kd4 3.De5 matt) 3.Da5 matt. **2.Dxg5 Kd4** Oder 2... fxg3 3.Dd2 matt. **3.De5** matt (Fritz Giegold 1972).

7) 1.Tf5! Kh7+ Oder 1... Th7 2.Tb8 matt bzw. 1... g6 2.Lc4 matt und 1... Le3 2.Txg7 matt. **2.Tf8** matt.

8) 1.Tg5!! Ka6 Oder 1... Ka8 2.Kb6 beliebig 3.Tg8 matt bzw. 1... a3 2.Tg3 beliebig 3.Ta3 matt und 1... d4 2.Txb5 beliebig 3.Ta5 matt. **2.Kb8 Kb6 3.Tg6** matt.

9) 1.Sa2!! bxa2 Oder 1... Ke2 2.Sb4! Ke3 (2... Kd2 3.De1 matt) 3.Dd3 matt bzw. 1... Kd4 2.Lf2+ Kc4 3.Df1 matt, schließlich 1... Kd2 2.Kf3! bxa2 3.Le1 matt. **2.Dc2 Kd4/b1beliebig 3.Lf2** matt (Godfrey Heathcote 1904).

10) 1.Tf6! Lxe3+ Oder 1... Lxe7 2.Txe7 matt, 1... Ld4/a7 2.Df8 matt, 1... Ld6 2.Te5 matt, 1... Lb4 2.Tc3 matt und 1... La3 2.Txa3 matt. **2.Lxe3** matt.

11) 1.Tf5!! exf5 Oder 1... Ka4 2.Tf3 Ka5 3.Ta3 matt bzw. 1... Ka6 2.Tf7 Ka5 3.Ta7 matt. **2.g8D Ka4** Oder 2... Ka6 **3.Da8** matt. 3.Da2 matt.

12) 1.La4!! Kxf5 Oder 1... g6 2.Lc2 matt. **2.Sg6! Kxg6** Oder 2... Kg4 3.Ld7 matt. **3.Lc2** matt (Fritz Giegold 1974).

13) 1.Dd6+! Kxd6 2.Se8 matt.

14) 1.Kf7!! Kh6 Oder 1... g4 2.Lg6+ Kg5 3.Ld2 matt bzw. 1... h3 2.g4+ Kh6 (2... Kh4 3.Le1 matt) 3.Lg7 matt. **2.Lg6 h3** Oder 2... g4 3.Ld2 matt. 3.Lg7 matt.

15) 1.Dg4!! hxg4 Oder 1... Kg8 2.Tf8+ Kh7 3.Dg6 matt. **2.Tf7 Kg8 3.h7** matt (Fritz Giegold 1968).

16) 1.Dg6+! hxg6 2.Txh8 matt.

17) 1.Lh3!! f3 2.g4 f2 3.Lg2 matt.

18) 1.Kg3!! Sf5+/S beliebig 2.Dxf5+ Kxf5 3.Sg7 matt (Fritz Giegold 1975).

19) 1.Lf6+! Dxf6 2.De8 matt.

20) 1.Dh6!! Sd2+ Sonst 2.Dxg7 matt. **2.Txd2 gxh6 3.Sxh6** matt.

21) 1.La7!! f4 Oder 1... Ke4 2.Dg3 f4 (2... g5 3.De3 matt) 3.Dxf4 matt. **2.Sb6! Ke3 3.Dd3** matt (Sam Loyd 1876).

22) 1.Da6+! Kxa6 2.Sc5 matt.

23) 1.Ka5!! Nicht 1.Kb5? Tg8! 2.Kb6 Tc8. **1... e1D+** Oder 1... Tg7/Kb7 2.Se7+ Ka7 3.Sc8 matt bzw. 1... Tg8 2.Sd4+ Ka7 3.Sb5 matt. **2.Kb6! Db1+** Oder 2... Dg1+ 3.Sd4 matt bzw. 2... De7 3.Sxe7 matt. **3.Scb4** matt.

24) 1.Lg5!! Lxg5 Oder 1... Kxg5 2.Sf7+ Kg4 3.Df3 matt bzw. 1... e5 2.Df3+ Kxg5 3.Sf7 matt. **2.De5 Kxh6** Oder 2... Kh4 3.Dh2 matt. **3.Dh8** matt (Poul Hage 1959).

25) 1.Txf7+! Lxf7 2.Sf5 matt.

26) 1.Kd5!! Te1 Oder 1... Td2 2.Tg6! Td1 3.Dh8 matt bzw. 1... Kh2 2.De5+ Kh3 3.Dg3 matt und 1... Kh4 2.Df6+ Kh5 3.Dg5 matt. **2.Dxd3+ Te3 3.Dh7** matt.

27) 1.Da3!! bxa3 Oder 1... Kxc5 2.Dxb4+ Kb6 3.Dd4 matt oder 1... b2 2.Tc4+ bxc4 (2... Kxc4 3.Dxb4 matt) 3.Da7 matt und 1... Ke3 2.Db2 Kxf4 (2... e6 3.Dd2 matt) 3.Dc1 matt. **2.Tc3 g3 3.e3** matt (Konrad Erlin 1895).

28) 1.Ta1+! Nicht 1.Dxg7? Lc1! **1... Dxa1** Oder 1... Kxa1 2.Dxa3 matt. **2.Df7** matt.

29) 1.Tf1!! Lg5 Oder 1... Lf4 2.Dc4! L/beliebig 3.Dg4 matt bzw. 1... Le3/Lg7 2.Dd3! L/beliebig 3.Df3 matt. **2.Db5! L/beliebig 3.Dh5** matt.

30) 1.Ld4!! Kxh4 Oder 1... Kh6 2.Ta5 Kh7 3.Txh5 matt. **2.f4! exf3 3.Lf6** matt (Fritz Giegold 1952).

31) 1.Lxc6+! Dxd4 2.e7 matt.

32) 1.Da3!! a1D Oder 1... a1S 2.Ta8 Sc2 3.Da2 matt bzw. 1... Ka1 2.Tc1+ bxc1D+ (2... b1D 3.Dc3 matt) 3.Dxc1 matt. **2.Db3 Da2 3.Tc1** matt.

33) 1.Kd2!! e6 Oder 1... exf6 2.Lf4! Kf2 3.Le3 matt. **2.Tf4! Kxh2 3.Tf1** matt (Peteris Keirans 1931).

34) 1.Tf5+! Kxf5 2.d4 matt.

35) 1.Da7!! Droht 2.Dxc7 matt. Weder 1.Dc5? Kb8 noch 1.Kh8? Txc6. **1... Txa7** Oder 1... Kd8 2.Db8 matt. **2.Kf7 beliebig 3.Tg8** matt.

36) 1.Tg5!! Kxg5 Oder 1... g3 2.Sh3+ Ke4 3.Tf4 matt bzw. 1... Kg3 2.Txg4+ Kh2 3.Th1 matt. **2.Se4+ Kh4 3.Th1** matt (Fritz Giegold 1976).

37) 1.Sf6+! gxf6 2.Dg6 matt.

38) 1.Df4!! Dd6 Oder 1... Db6 2.Dd4 Dxd4 3.Tf8 matt. **2.De5 De6** Oder 2... Dxf6+ 3.Dxf6 matt bzw. 2... Dxe5 3.Tf8 matt. **3.Txe6** matt.

39) 1.Db1!! Kc4 Oder 1... f3 2.Kc2! Ke4 3.Kc3 matt. **2.Kc2! Kd4** Oder 2... d4 3.Db3 matt. **3.Db4** matt (Wolfgang Pauly 1904).

40) 1.Sc6+! Sxc6 Oder 1... Lxc6 2.Sc8 matt. **2.Dd7** matt.

41) 1.Tb6!! Dxb6 Oder 1... Dc8/Dc6/Dc4 2.Ta6+ Dxa6 3.Kxc2 matt bzw. 1... Df4+ 2.Kxc2+ Dc1+ 3.Txc1 matt und 1... Dxf7 2.Kxc2+ Ka2 3.Ta6 matt. **2.Kxc2+ Db1+ 3.Txb1** matt.

42) 1.Ta7!! axb3 2.Ta4! Kxa4 Oder 2... Kxc4 3.Sxa3 matt. **3.Sc3** matt (Fritz Giegold 1950).

43) 1.Lf8+! gxh5 2.Th6 matt.

44) 1.La1!! Kxg2 2.h8D Kf2 3.Db2 matt.

45) 1.Te6!! d5 Oder 1... Kh5 2.Sf2! d5 3.g4 matt bzw. 1... Kf5 2.Sh2! d5 3.g4 matt. **2.Te5! d4 3.Tg5** matt (Josef Cumpe 1923).

46) 1.Dg6+! fxg6 Oder 1... Kf8 2.Dxf7 matt. **2.h6** matt.

47) 1.Dc1!! Ld7 Oder 1... Le6 2.De3+ g3 3.Dxe6 matt bzw. 1... Lf5 2.Df4 g3 3.Dxf5 matt und 1... d2 2.Dc3+ g3 3.Dxc8 matt. **2.Dc7 d2** Oder 2... g3 3.Dxd7 matt. **3.Dh2** matt.

48) 1.Dxc5!! dxc5 Oder 1... Ke8 2.Df2! Kd7 3.Df7 matt. **2.b8T! Kd6 3.Td8** matt (Fritz Giegold 1977).

49) 1.Sxc7+! Lxc7 2.Lb5 matt.

50) 1.Da1!! Dh8 Oder 1... Dg8 2.Lxg8+ Kxg8 3.Dg7 matt bzw. 1... Df8 2.Lg6+ Kg8 3.h7 matt und 1... Dc3 2.Dxc3 f4 3.Dg7 matt. **2.Lg6+ Kg8 3.Da8** matt.

51) 1.Kf6!! cxd6 2.Ke7! dxc5 3.Sf6 matt (Richard Zangger 1902).

52) 1.Sxd7+! Sxe2 Bzw. 1... Se4, 1... Se6. **2.Sf6** matt.

53) 1.Ta2!! Weder 1.Ta3? Le6, noch 1.Ta4? Le4, noch 1.Ta7? Lf7. **1... Lg2** Oder 1... Lxa2 2.Le4 beliebig 3.g7 matt. **2.Le4! Lxe4** Oder 2... L/bel. 3.g7 matt. **3.Th2** matt.

54) 1.Ta4!! Kb5 2.Th4!! Ka6 Oder 2... Kxa4 3.Sc3 matt. **3.Lc4** matt (Fritz Giegold 1967).

55) 1.Sc6! bxc6 Oder 1... beliebig 2.Txb8 matt. **2.Da6** matt.

56) 1.Lg4!! Tg1 Oder 1... Th2+ 2.Dxh2 Ke1 3.De2 matt bzw. 1... h2 2.De3 Tg1 (2... Kg2 3.Lh3 matt) 3.De2 matt. **2.Df3+ Ke1 3.De2** matt.

57) 1.Td4!! Kxd4 2.Sc5! Kxc5 Oder 2... Ke5 3.Sc6 matt. **3.Se6** matt (Fritz Giegold 1969).

58) 1.Lf6+! Dxf6/gxf6 2.Dg3 matt.

59) 1.Kg5!! h6+ Oder 1... h5 2.Kh4 S/beliebig 3.Dc3 matt. **2.Kxh6 S/beliebig 3.Dc3** matt.

60) 1.Ta1!! e2 2.Sb1!! S/beliebig 3.Sd2 matt (Wolfgang Pauly 1927).

61) 1.Lh5+! Kxf5 2.Sd4 matt.

62) 1.Le8!! Weder 1.Kf8? g4 noch 1.Kf6? Sg4+. **1... g4** Oder 1... Sg4 2.Kf8 beliebig 3.Lg7 matt bzw. 1... Sf3 2.Kf6 beliebig 3.Lg7 matt. **2.Kf6 g3 3.Lg7** matt.

63) 1.Td1!! h5 2.Tc1! Kxd5 3.Lf5 Ke5 4.Tc5 matt (Friedrich von Wardener 1953).

64) 1.Tg3! fxg3+ 2.fxg3 matt bzw. **1... beliebig 2.Txh3** matt.

65) 1.Dh8!! Weder 1.Dh7? Lg2 2.Sd3 Kg1 noch 1.Dh6? Lb5! Noch 1.Tg5? Ld3! **1... Lg2 2.Sd3 Kg1** Oder 2... Lf1 3.Sf2 matt. **3.Da1** matt.

66) 1.Lh4!! b3 2.Le1! Kb4 3.Td4 matt (Peter Göhlert 1932).

67) 1.Dxh7+! Sxh7 2.g4 matt.

68) 1.Tb1!! Kg7 2.Db7+ Kh8 Oder 2... Kh6/Kf8 3.h8D matt bzw. 2... Kf6 3.Tb6 matt. **3.Db2** matt.

69) 1.Tc3!! Td1/e1/f1 Oder 1... Th1 2.Ta3! Th8+ 3.Lg8 matt bzw. 1... Tc1 2.Tc2! a3 3.Dg7 matt und 1... Tg8+ 2.Lxg8 a3 3.Txa3 matt, schließlich 1... Kxa2 2.Tc2+ Ka1 3.Db2 matt. **2.Ld5/Le6/Lf7 Td2 3.Tc1** matt (Jindřich Fritz 1950).

70) 1.Th3+! gxh3 2.Dg5 matt.

71) 1.Kf5!! Nicht 1.Kh5? oder 1.Kh3? wegen 1... Ld6. **1... Le5** Oder 1...L/beliebig 2.h8D+ Lb8 3.Dh1 matt. **2.h8D+ Lxh8** Oder 2... Lb8 3.Dh1 matt. **3.f8D** matt.

72) 1.Kg1!! Th6 Oder 1... Sh6 2.Da4! Sxf5 3.Txg4 matt bzw. 1... h6 2.Txg4+! Kxg4 3.De4 matt. **2.De4 Kh5 3.Dxg4** matt (Karl Ahlheim 1959).

73) 1.De8+ Kxe8 2.Lxg6 matt.

74) 1.Ta8!! b5 2.La7 Kxa3 3.Lc5 matt.

75) 1.b3!! Kc3 Oder 1... e3 2.Tc1 matt. **2.0–0–0! e3 3.Td3** matt (Edmund Fahrmeier 1965).

76) 1.Txh6+! gxh6 2.Lf7 matt.

77) 1.Se4!! Nicht 1.Tb2? Lb5! **1... Lxe4** Oder 1... Kb7 2.c8D+ Ka7 3.Tc7 matt. **2.Tb2 Lb7 3.Sb6** matt.

78) 1.La5!! Kxa5 Oder 1... Kxa3 2.Tg2! Ka4 3.Ta2 matt. **2.Tg6! Ka4 3.Txa6** matt (Fritz Giegold 1972).

79) 1.De1+! Txe1 Oder 1... Tf2 2.Dxf2 matt. **2.g3** matt.

80) 1.Lh8!! f6 2.Dg8 Ke5 3.De6 matt.

81) 1.Ta4! f6 2.Sb4!! Kxf4 3.Lh2 matt (Werner Weyding 1907).

82) 1.Sa3+! Kxa3 Oder 1... Kc5 2.Kd3 matt bzw. 1... Ka4 2.Kb2 matt. **2.Ta1** matt.

83) 1.Lb6!! Kb8 Oder 1... b3 2.Lc7 b2 3.Txa3 matt. **2.0–0–0 Sc4 3.Td8** matt.

84) 1.Dh6!! a2 Oder 1... Ka2 2.Df8! Ka1 3.Dxa3 matt. **2.Kd1 Kb1/Kb2 3.Dc1** matt (Godehard Murkisch 1972).

85) 1.Td6+! Txd6 Oder 1... Dd7 2.Dxd7 matt. **2.Se6** matt.

86) 1.g8S!! b5 2.Se7 Kxb4 3.Sc6 matt.

87) 1.Te5!! Kxe5 2.Kg5! Ke6 3.Te7 matt (Ado Kraemer 1953).

88) 1.Se6+! fxe6 2.Lxd6 matt.

89) 1.Tg8!! Lxg8 Oder 1... Ka2 2.Tb8 beliebig 3.a8D matt bzw. 1... g5 2.a8D matt. **2.a8D+ La2 3.Dh8** matt.

90) 1.Dxe5+!! Kxe5 2.Sf6! Kxf6 Oder 2... Kf4 3.Ld6 matt. **3.Lxd4** matt (Fritz Giegold 1976).

91) 1.Lg5+! Kxf7 2.Sd6 matt.

92) 1.Da8!! Sc5/Sa5 Oder 1... Sd6 2.Kxd6 g6/g5 3.Da1 matt bzw. 1... Sd8 2.Dxd8 g6/g5 3.Df6 matt und 1... g6/g5 2.Df8 beliebig 3.Df6 matt. **2.Lf7+ Kxh7 3.Dh1** matt.

93) **1.Tc1!! Se4** Oder 1... Le5 2.Td1+ Ld4 (wenn 2... Sxd1 3.Dg2 matt) 3.Sxf6 matt bzw. 1... Sc7 2.Dg2+ Se4 3.Sxc7 matt. **2.Db3!! cxb3** Oder 2... beliebig **3.Db7** matt. 3.c4 matt (Joseph G. Campbell 1862).

94) **1.De4! dxe4** Oder 1... Df4 2.Dxd5 matt bzw. 1... Tf5 2.Dxf5 matt. **2.d5** matt.

95) **1.Th8!! g6** Oder 1... g5 2.h3 g4 3.hxg4 matt. **2.h4 g5 3.hxg5** matt.

96) **1.Dg4!! hxg4** Oder 1... dxc6/d6/d5 2.Dc8 beliebig 3.Txh8 matt. **2.Tg8! Kxg8** Oder 2... beliebig 3.Tg7 matt. **3.h7** matt (Fritz Giegold 1969).

97) **1.Df8+! Lxf8 2.Sc7** matt.

98) **1.Lf3!! g1D** Oder 1... g1S 2.Tc2+ Kf1 3.Lg2 matt bzw. 1... Kf1 2.Lc5 beliebig 3.Td1 matt. **2.Th2+ Kf1 3.Le2** matt.

99) **1.Dd4!! cxd4** Oder 1... Kb7 2.Tf7+ Ka6 (2... Kc6 3.Tc7 matt; 2... Kb8 3.Dh8 matt) 3.Da1 matt bzw. 1... Kd7 2.Dg4+ Kc6/Ke8 (2... Kd8 3.Tf8 matt) 3.Dc8 matt. **2.Tf7! Kc5/d3 3.Tc7** matt (William Shinkman 1875).

100) **1.Ta5!** Droht 2.Tb5 und 2.Ld2 matt. **1... Sxa5** Oder 1... Kxa5 2.Ld2 matt bzw. 1... Sc4 2.Da4 matt. **2.La3** matt.

101) **1.Lh3!! a5** Oder 1... Kb8 2.Dxa6 Kc7 (2... Ka8 3.Dc8 matt) 3.Dc8 matt bzw. 1... Kc7 2.Dg4 Kd8 (2... Kb7 3.Dc8 matt) 3.Dd7 matt. **2.Da6+! Kxa6** Oder 2... Kc7 3.Dc8 matt. **3.Lc8** matt.

102) **1.La1!! exf2 2.Tb2! Kxe5 3.Te2** matt (Damien Grossi 1930).

103) **1.Ta5+! Kxa5** Oder 1... bxa5 2.Td6 matt. **2.Ta2** matt.

104) **1.Ld3!! Ta5** Oder 1... Txb2+ 2.Lc2 Ka2 3.Da5 matt bzw. 1... Tb3 2.Dc1+ Ka2 3.Db1 matt und schließlich 1... Tf5+ 2.Lxf5 Ka2 3.Da3 matt. **2.Dc1+ Ka2 3.Lc4** matt.

105) **1.Lg8!! Ke4** Oder 1... e4 2.Te7! Kxg5 3.Te5 matt. **2.Tf7! Kd5 3.Tf4** matt (Anselm Eder 1958).

106) **1.Th2! gxh2 2.g4** matt.

107) **1.Dg3!!** Nicht 1.Dxc7? b1D! **1... Lb4** Oder 1... b1S 2.Dxc7 beliebig 3.Db6 matt bzw. 1... Ka7 2.Dxc7+ Ka8 3.Db7 matt. **2.Dxc7 beliebig 3.Db7** matt.

108) **1.Kh3!! f4 2.Dh4! Kxe3** Oder 2... Kxe5 3.De7 matt. **3.De1** matt (Herbert Engel 1969).

109) **1.Lf6! Dg4** Oder 1... D/beliebig 2.Dg3/Dg5 matt bzw. 1... e3 2.Dc4 matt. **2.Db8** matt.

110) **1.Tg1!! Sc7** Oder 1... Sd6 2.bxa8D+ Se8 3.Dh1 matt bzw. 1... Sab6 2.b8D Sd7 3.Dh2 matt. **2.bxc8D+ Se8 3.Dh3** matt.

111) **1.Dh1!! Kxa5** Oder 1... Ka6 2.Dd5 a3 3.Sb4 matt bzw. 1... a3 2.Dd5+ Ka4 (2... Ka6 3.Sb4 matt) 3.b3 matt. **2.Dc6 a3** Oder 2... a6 3.Dc5 matt. **3.b4** matt. (Bohumil Rezac 1941).

112) **1.f4+! Kxf4 2.Td3** matt.

113) **1.Te8!! Lb7** Oder 1... Tb7 2.Da6+ Kb8 3.Dxb7 matt bzw. 1... Tb6 2.Df2 Kb8 3.Dxb6 matt oder 1... Tb5+ 2.Dxb5 Ld7 3.Db7 matt und 1... Ta8 2.Da6+ Lxa6 3.Txa8 matt. **2.De7 Ka8 3.Dxb7** matt.

114) **1.Le3!! hxg4 2.Lc1! gxf3 3.Lb2! Ke5/Kd4 4.Tc5** matt. (Fritz Giegold 1976).

115) **1.Tf5+! Kxf5 2.Lh3** matt.

116) **1.Te7!! Kd6+** Oder 1... Kc5+ 2.Teb7+ Kc4 3.Tc1 matt bzw. 1... Lb7 2.Tbxb7 Kd6 (2... Kc5 3.Tec7 matt) 3.Te6 matt. **2.Teb7+ Kc6 3.T1b6** matt.

117) **1.De4!! Thxe4** Oder 1... Lxe4 2.Lc7! Lxc6 (falls 2... Txc7 3.Tb8 matt und falls 2... Lxc7 3.Ta7 matt) 3.Tb8 matt bzw. 1... Le5 2.Lc7! usw. **2.c7! Lxc7** Oder 2... Txc7 3.Tb8 matt. **3.Ta7** matt (Knud Hannemann 1925).

118) **1.Tb8!** Nicht 1.Tc8? Lc2! **1... Lxh7** Oder 1... Lb7 2.Lg2 matt bzw. 1... Lxh1 2.h8D matt. **2.Ld3** matt.

119) **1.Dc7!! Kb5** Oder 1... Kxa3 2.Dc3+ Ka4 3.Lc6 matt bzw. 1... Ka5 2.Dc5+ Ka4 3.Db4 matt. **2.Lc6+ Ka5** Oder 2... Kc4/Kc5 3.La4 matt. **3.b7** matt.

120) **1.Kc3! e5 2.Td4+!! exd4+ 3.Kc4 d3 4.cxd3** matt (P. R. Homma 1939).

121) **1.Sxf6+! gxf6/Kh6 2.Dh1** matt.
122) **1.f4!!** Weder 1.Td5? Lf4 noch 1.Td1? Kh2. **1... Lxf4 2.Td1 Lh2** Oder 2... Le3 3.Dh3 matt. **3.Df3** matt.

123) **1.0–0!! Kh4** Oder 1... Sf8 2.Txf8 Kh4 3.Lc7 Kg3 (3... Kh5 4.Th8 matt) 4.Sf3 matt bzw. 1... Sf6 2.Sg6 Sd5 3.Lxg5 Sxe3 4.Lf4 matt. **2.Kf2! g3+ 3.Ke1 Kh5 4.Th1** matt (Kurt Timpe 1955).

124) **1.Th6+! Lxh6** Oder 1... Th5 2.Dg4 matt. **2.Dh3** matt.

125) **1.Lh7!! Sxg8** Oder 1... Sg6+ 2.Txg6 Kxb1 3.Tg1 matt bzw. 1...Sf5+ 2.Kh3 Sh6 3.Ta8 matt. **2.Sc3 S/beliebig 3.Ta2** matt.

126) **1.Lg2! f3 2.Lf1!! exf1/beliebig 3.Df8+! Kxf8 4.Sd7** matt (Fritz Giegold 1969).

127) **1.Dxg6+! Kxg6 2.Lh5** matt.

128) **1.Kh2!! Kc1** Oder 1... Ke1 2.Se3 d1D 3.Sg2 matt. **2.Sc3 d1D 3.Sa2** matt.

129) **1.Lb6!! cxb6 2.Td5!! exd5+ 3.Kb4 Kxd4 4.Sf5** matt (Fritz Giegold 1982).

130) **1.La5+! Kxa5 2.Tc4** matt.

131) **1.Da1+!! Kxa1 2.Kc2 f1D 3.Sb3** matt.

132) **1.Th7!** Droht 2.Te7+. Jedoch nicht 1.Th3? Lxf2. **1... Lg7 2.Th3! Ld4 3.Te3+!! Lxe3 4.f3** matt (Albert Holzer 1959).

133) **1.Sb6+! cxb6** Oder 1... Kb8 2.Td8 matt. **2.c7** matt.

134) **1.Sa4!!** Weder 1.Le1/g1? Sd1 noch 1.Le3? Sd3 noch 1.Sa8 Sa4. **1... Sxa4** Oder 1... Sd1 2.Txd1 bzw. 1... Sc4 2.Txc4. **2.Txa4 Tg8** Oder 2... Kg8/Th7 3.Ta8 matt **3.Th4** matt.

135) **1.Td2!! cxd2 2.Th4! d1/beliebig 3.Lxd1 Kxd3 4.Sc5** matt (Fritz Giegold 1972).

136) **1.Txh6+! gxh6 2.Lf6** matt.

137) 1.Th1!! Droht 2.Le4 nebst 3.Th4 matt. 1… Kf5 Oder 1… Lxe6 2.Th4+ Kf5 3.Le4 matt. 2.Sh4+ Kxe6 Oder 2… Kg4 3.Lf3 matt. 3.Te1 matt.

138) **1.Le6! c6 2.Ld5!! cxd5 3.Ka5 d4 4.cxd4** matt (Albert Holzer 1959).

139) **1.Tc7! Kxc7** Oder 1… beliebig 2.Dxa7 matt. **2.Dxa7** matt.

140) **1.h8L!! Lg2** Oder 1… Lf1 2.Le5 Ld3 3.Dh2 matt. **2.Ld4 Lf3 3.Dg1** matt.

141) **1.Kf5!! e6+** Oder 1… e5 2.Kg6! e4 3.Lxe4 Kg4 4.Lf5 matt. **2.Kg6! e5 3.Le4 Kg4 4.Lf5** matt (Fritz Giegold 1956).

142) **1.Dd8! Lc7** Oder 1… Lxb7 2.Da5 matt bzw. 1… b4 2.Dd4 matt. **2.b8D** matt.

143) **1.De2!! fxe5** Oder 1… f5 2.Txh4+ gxh4 (2… Kxh4 3.Dh2 matt) 3.Kf4 matt bzw. 1… Lg3 2.Kxg3 Se7 3.Dh2 matt. **2.Txg5+ Lxg5** Oder 2… Kxg5 3.Dxe5 matt. **3.Kg3** matt.

144) **1.Lf5!! fxg5 2.Ta1 g4 3.Lb1 Kxf1/Ke1/Kd1 4.Ld3** matt (Fritz Giegold 1973).

145) **1.Te4+! Kxe4 2.Te6** matt.

146) **1.e8T!! Kxa5** Oder 1… Kc5 2.a8D Kd6 (2… Kb5 3.Dd5 matt bzw. 2… Kd4 3.Da7 matt) 3.Dc6 matt. **2.a8S! Kb5 3.Te5** matt.

147) **1.Lg8!! g3 2.0–0! g2 3.Tf7! Ka2 4.Ta7** matt (Carl Bilfinger 1955).

148) **1.Dg6+! Kxg6 2.Le4** matt.

149) **1.Kb2!! a1D+ 2.Txa1 h1D 3.Dxh1** matt.

150) **1.Se1!! fxe1D** Oder 1… f1D+ 2.Sf3+ Kh3 (2… Dxf3+ 3.Kxf3 Kh3 4.Th5 matt) 3.Th5+ Kg2 4.Th2 matt. **2.Txe1 Kh3** Oder 2… Kh5 3.Te6 Kh4 4.Th6 matt. **3.Te2 Kh4 4.Th2** matt (Wilhelm Maßmann 1936).

151) **1.Sh6+! Txh6 2.h3** matt.

152) **1.Da7!! f4 2.Lf3 Dh7+** Oder 2… D/beliebig 3.Dxg1 matt. **3.Dxh7** matt.

153) **1.Sg2!! hxg2 2.Tg3!! hxg3 3.Lg1 gxh2 4.Lxh2** matt (Georg Ernst 1935).

154) **1.Sb3+! axb3 2.Ta1** matt.

155) **1.Dg5!! g1D** Oder 1… Ke1 2.Dxg2 f1D 3.Dd2 matt bzw. 1… g1S 2.Lg2+ Ke2/e1 3.Dd2 matt. **2.Db5+ Ke1 3.De2** matt.

156) **1.Th1!! gxh1/beliebig 2.Lxh1! g2 3.Kxg2 Sxd6 4.Tb8** matt (Albert Renn 1968).

157) **1.Sd3+! exd3 2.f4** matt.

158) **1.Th3!! Kg5** Oder 1… Kf4 2.Te5 g5 3.Te4 matt bzw. 1… Kg4 2.Txg6+ Kf4 3.Tg4 matt bzw. 1… g5 2.Teh6+ Kf4 3.Tf6 matt. **2.Ke5 Kg4 3.Txg6** matt.

159) **1.Td7!** Nicht 1.Th7? Se6 2.Kh1 Sg7. **1… Se6 2.Kh1!! Sg5 3.Lg8 S/beliebig 4.Tf7** matt (Godehard Murkisch 1964).

160) **1.Lxg5+! Dxg5 2.Tf7** matt.

161) **1.Sg5!! exf4** Oder 1… h3 2.Sg3+ Kh4 3.Sf3 matt bzw. 1… hxg5 2.Lxg5 h3 3.Sg3 matt. **2.Sh3 f3 3.Sf4** matt.

162) **1.Tc5! bxc5** Oder 1… fxe4 2.Lxe5 matt. **2.f8L!! fxe4 3.Lxe5+! Kxe5 4.Ld6** matt (Friedrich Ziak 1984).

163) **1.Df6+! Lxf6** Oder 1… Tg7 2.Dxg7 matt. **2.Sf7** matt.

164) **1.Da2!! c3** Oder 1… f3 2.Df2+ g3 3.Dd4 matt bzw. 1… g3 2.De2 f3 (2…g2 3.Sf5 matt; 2… h2 3.Dh5 matt) 3.De4 matt und 1… Kg3 2.Sf5+ Kf3 3.Sg5 matt. **2.Sf5+ Kh5 3.Df7** matt.

165) **1.Te1!! e5** Oder 1… e6 2.f4 e5 3.Txe5 matt. **2.Tf1!! e4 3.fxe4+ Ke5 4.f4** matt (Leonid Kubbel 1908).

166) **1.Dxa6+! bxa6 2.Lc6** matt.

167) **1.Td1!! g4 2.Ld2 La4 3.La5** matt.

168) **1.La4!! Kd3** Oder 1… Kf1 2.Lb5 matt. **2.Lb3! Ke4** Oder 2… Ke2 3.Lc2 Kf1 4.Ld3 matt. **3.Lc4 Kf5 4.Ld3** matt (Franz Palatz 1936).

169) **1.Sd5+! cxd5/1… Kb8 2.Dd6** matt.

170) **1.b8L!! Ke7 2.h8L! Kf8** Oder 2… Kd8 3.Lf6 matt. **3.Ld6** matt.

171) **1.Sb4!! axb4+ 2.Kb2!! b3 3.Lf4 Kxf4 4.Tf6** matt (Fritz Giegold 1968).

172) **1.Sgf6+! gxf6 2.Sxf6** matt.

173) **1.Dh8!! e2** Oder 1… e4 2.Txg1+! Kxg1 3.Da1 matt. **2.Dxh2+! gxh2 3.Sf2** matt.

174) **1.Th7! g4 2.Th2!! gxh2+ 3.Lxh2 g3 4.b8S** matt (Fritz Giegold 1968).

175) **1.Le5+! Sxe5** Oder 1… Kf5 2.De4 matt bzw. 1… Kg6 2.Dg5 matt. **2.Dg5** matt.

176) **1.Lc6!! bxc6** Oder 1… Ke1 2.Sf3+ Kd1 3.Lxa4 matt bzw. 1… e1D 2.Lg2+ Kg1 3.Sf3 matt und 1… e1S 2.Lb5+ Sd3 3.Dd1 matt. **2.Sf3 e1D 3.Sh2** matt.

177) **1.Tg4! Tf8+ 2.Kg3 Tf4 3.Kh3!! Txg4** Oder 3… Tf/beliebig 4.Se4 matt. **4.Sf3** matt (Franz Palatz 1932).

178) **1.Ke3! Lc2/Ke1** Oder 1… Kc1 2.Ke2 matt. **2.Dh1** matt.

179) **1.Lh5!! a5** Oder 1… g3 2.Lxf3 bel. 3.Le2 matt bzw. 1… Sf7 2.Lxf7 bel. 3.Lc4 matt. **2.Le8 bel. 3.Lb5** matt.

180) **1.Tg1!! fxg1D+ 2.Lxg1 f2 3.Lh2! f3 4.Lc7** matt (Ignaz Herzfeld 1974).

181) **1.Sc7! Txc7** Oder 1… Lxc7 2.Dg7 matt. **2.Dd8** matt.

182) **1.Th6!! g2** Oder 1… Ke4 2.Th4+ Kd3 (2… Kd5 3.Db3 matt bzw. 2… Kf5 3.Dg4 matt) 3.Df1 matt bzw. 1… Kg5 2.Th4 Kxh4 (2… Kg6 3.Dh5 matt bzw. 2… Kf5 3.Dg4 matt) 3.Lf6 matt und 1… Kf5 2.Df3+ Kg5 3.Le3 matt. **2.Th4+ Kg5 3.Dh5** matt.

183) **1.Sb3!! cxb3 2.Le4 b2 3.Lf3! Kf5 4.Tf7** matt (Fritz Giegold 1976).

184) **1.Dh1! 0–0–0** Oder 1… Lb8 2.Dh8 matt bzw. 1… Lc5 2.Dxa8 matt. **2.Db7** matt.

185) **1.De6!! a6** Oder 1… c4 2.Kc3 Lb3 3.T8xb5 matt bzw. 1… cxb4 2.Db6+ axb6 3.Ta8 matt und 1… Kxb4 2.De1+ Kc4 3.De4 matt. **2.Tc4 bxc4 3.Db6** matt.

186) **1.Te3!! fxe3+ 2.Kd1! Kxc3 3.Dc5+! dxc5** Oder 3… Kb2 4.Dc1 matt. **4.dxc5** matt (Fritz Giegold 1974).

187) 1.Db7! Kxh7 Oder 1... g5/g6 2.Sxg6 matt. **2.Dh1** matt.

188) 1.Ta2!! g1D Oder 1... g1S 2.Kg3 axb3 3.Le2 matt bzw. 1... Ke1 2.bxa4 g1/beliebig 3.Lb3 matt und 1... Kg1 2.Kg3 Kf1 3.Le2 matt. **2.Le2+ Kf2/g2 3.Lf1** matt.

189) 1.Kc7!! Ka5 2.Lf6! Ka6 3.Ld8 Ka5 4.Kb7 matt (Théodore Herlin 1845).

190) 1.Ta8! Kxa8/Lb6 Oder 1... Kb6 2.Db5 matt bzw. 1... Lb8 2.Da6 matt. **2.Df3** matt.

191) 1.b4!! Kxb4 Oder 1... c4 2.Dxa7 Kxb4 3.De7 matt bzw. 1... cxb4 2.Dg8 g2 3.Db3 matt und 1... Lxb4 2.Dxa7+ La5 3.Dxa5 matt. **2.Dh8 Ld8** Oder 2... c4 3.Df8 matt bzw. 2... Kc4 3.Dh4 matt. **3.Dc3** matt.

192) 1.Lh2!! f4 2.Lg3!! fxg3 3.Tf1! Kxe6 4.Lg4 matt (Kurt Bacmeister 1975).

193) 1.Kd6! Nicht 1.Kc5? Lg1! **1... Lg1** Oder 1... Lxg3+ 2.Sxg3 matt bzw. 1... Sd2 2.Dxh2 matt. **2.Dxf3** matt.

194) 1.Txg2 Db2+ Oder 1... Da8 2.Db8!! Dxf3 (2... Dxb8+ 3.Tg8 matt) 3.Dxh2 matt bzw. 1... Da2 2.Dg8!! Dxg8+ 3.Txg8 matt. **2.De5!! Dxe5+** Oder 2... Dxg2 3.Da1 matt. **3.Tg7** matt.

195) 1.Ta5!! Nicht 1.Tg5? a5 2.Tg3 a4 3.Th3 patt. **1... a6 2.Txa3 a5 3.c4! a4 4.Th3 a3 5.Th1** matt (Josef Halumbirek 1930).

196) 1.Td3! Sb3 Oder 1... Sb4 2.Sc5 matt bzw. 1... Sc/beliebig 2.Ta3 matt. **2.Sc3** matt.

197) 1.Dg8!! Sa7 Oder 1... Ta7 2.Da2 matt bzw. 1... Sxd6 2.Dxa8 matt. **2.Db8! Txb8+** Oder 2... Sc8 3.Db7 matt. **3.cxb8S** matt.

198) 1.Df3!! Ke5 Oder 1... Kc5 2.Df2+ Kb4 3.Db2+ Ka5 (3... Kc5 4.Db6 matt) 4.Da3 matt. **2.g4! Kd4** Oder 2... Ke6 3.Df8! Ke5 4.Dd6 matt. **3.Dg3! Kc5 4.Dd6** matt (Michael Szabo 1943).

199) 1.Tf5! Droht 2.Da4 matt. **1... Ta8** Oder 1... Se5 2.Tf4 matt. **2.Dd5** matt.

200) 1.Tce6!! Da5 Oder 1... Dd6 2.Dc6! Dxc6 3.T1e5 matt bzw. 1... Db5 2.Db1+! Dxb1 3.T1e5 matt bzw. 1... Db8 2.Dc5+ nebst 3.Dxe5 matt, schließlich 1... Dxe1+ 2.Dxe1 nebst 3.De4 matt. **2.Dxf4+! Kxf4 3.Tf1** matt.

201) 1.Ta3!! b4 2.Ta4! b3 3.Th4! Kxh4 4.Sf3 matt (Fritz Giegold 1967).

202) 1.Df4! L/beliebig Oder 1... Kf6 2.Txe6 matt bzw. 1... Kh5 2.Lf7 matt. **2.Dg5** matt.

203) 1.Tb4!! Th2 Oder 1... Tg4 2.Kf8! Txg7 (2... Txb4 3.Sg5 matt) 3.Th4 matt. **2.Tg4 Th1** Oder 2... Te2 3.Th4 matt. **3.Sf8** matt.

204) 1.Th3!! Se6 Oder 1... Ta/beliebig 2.Sd6 matt bzw. 1... e4 2.Th5 matt und 1... Tg/beliebig 2.Sa3 matt. **2.Sa3+! Txa3 3.c4+ Kxb4 4.Sc6** matt (Karl Junker 1976).

205) 1.Th5! Txh5 Oder 1... Kxa7 2.Ta5 matt bzw. 1... Tb7 2.Da3 matt. **2.Db6** matt.

206) 1.Tg4!! e5 Oder 1... e6 2.Lxf6 e5 3.Lg7 matt bzw. 1... f5 2.Sxf5+ Kh5 3.Tg5 matt. **2.Tg8 f5 3.Lg5** matt.

207) 1.Dg1!! Kxe4 Oder 1... Kf5 2.Kd5! Kf4 3.Dg3+ Kf5 4.Sd6 matt bzw. 1... Kf3 2.Kd3 Kf4 (2... f5 3.Dg3 matt) 3.Dg6 Kf3 4.Dg3 matt. **2.Df2 f5 3.Dg3 f4 4.Dd3** matt (Sam Loyd 1856).

208) 1.Dh5! Le6 Oder 1... Lb3 2.Db5 matt bzw. 1... Se5/Sh8 2.Te6 matt. **2.Tf8** matt.

209) 1.Kc4!! Ka7 2.Dc7 Ka6 3.b8S matt.

210) 1.Tb8+ Ka7 2.Ta8+!! Kxa8 3.Lb7+ Ka7 4.Lb6 matt (al Adli um 900).

211) 1.Dd8! Lxb4 Oder 1... Kxb4 2.Dd4 matt bzw. 1... axb4 2.Da8 matt. **2.Dd1** matt.

212) 1.Sd5!! Lg3 Oder 1... 0–0–0 2.Sb6+ Kb8 3.Txb7 matt bzw. 1... Td8 2.Sxf6+ Kf8 3.Se6 matt und 1... Ta6 2.Kg6 Kd8 3.Th8 matt. **2.Se6 Ld6** Oder 2... Le5 3.Te7 matt. **3.Sxf6** matt.

213) 1.Sh7+ Ke8 Oder 1... Kg8 2.Tf8+!! Lxf8 3.Sf6+ Kh8 4.Th7 matt. **2.Tf8+!! Lxf8 3.Sf6+ Kd8 4.Td7** matt (Bonus Socius um 1300).

214) 1.Tg7! Txg7 Oder 1... Sf7+ 2.exf7 matt bzw. 1... Tf8 2.Te7 matt. **2.Sxg7** matt.

215) 1.Dc5!! Txc5 Oder 1... beliebig 2.Ld8 matt. **2.Ld8+ Kb5 3.Sd6** matt.

216) 1.Tff6!! Le7 Oder 1... Lc7 2.Tfd6! Lxb6 3.Txb6 Kxh2 4.Th6 matt bzw. 1... Lxf6 2.Txf6 Kxh2 3.Th6 matt und 1... Kxh2 2.Th6+ Lh4 3.Txh4 matt. **2.Tbd6! Lxd6** Oder 2... Lf8 3.Txf8 Kxh2 4.Th6 matt. **3.Txd6 Kxh2 4.Th6** matt (Sam Loyd 1868).

217) 1.Da8! Dxa8 Oder 1... Kg1 2.Da1 matt bzw. 1... Df3 2.Dxf3 matt. **2.Tf1** matt.

218) 1.c4!! a1D Oder 1... Ka1 2.Le5 Kb1 3.Tf1 matt bzw. 1... a1L 2.Lh6 gxh6 3.Tf1 matt und 1... a1S 2.Td5 Sc2 3.Td1 matt. **2.Lg5 Da5 3.Tf1** matt.

219) 1.g6+! Kh8 2.g7+ Kh7 3.Txh6+!! Txh6 4.Sg5 matt (Philipp Stamma 1737).

220) 1.Tg1! hxg1D/Kh8 Oder 1... h1D 2.Txh1 matt bzw. 1... Tc8 2.Dxg7 matt und 1... Kh6 2.Dg6 matt. **2.Dh5** matt.

221) 1.Kf4!! h6 Oder 1... h5 2.Txh5+ Lh7 3.f7 matt bzw. 1... Lf7 2.Td8+ Lg8 3.f7 matt. **2.f7+ Kh7 3.f8S** matt.

222) 1.Tb4+ Ka5 2.Ta4+!! Kxa4 3.Sc5+ Ka5 4.b4 matt (Auguste d'Orville 1842).

223) 1.Te8+! Dxe8/Txe8 2.Dxg7 matt.

224) 1.Ld2!! Sxe7 Oder 1... Sh6 2.Lb4 Sf7 3.d7 matt. **2.d7+ Kf8** Oder 2... Kd8 3.La5 matt. **3.Lh6** matt.

225) 1.g8L!! Nicht 1.g8D? a1L!! **1... a1D** Oder 1... a1L 2.Lc4 La4 (2... Le4 3.Ld3 matt) 3.Lb3 matt bzw. 1... a1S 2.Lh7 Sb3 3.Txc2 matt und 1... Ta1 2.Lh7 Kb1 (2... Tb1 3.Txc2 matt) 3.Txd1 matt. **2.Lb3 Dxa3 3.Txc2** matt (Milos Tomasevic 1950).

226) 1.Dc6 axb6 Oder 1... bxc6 2.Tb8 matt bzw. 1... cxb6 2.Dxc8 matt und 1... Lxd7 2.Dxb7 matt, schließlich 1... a6 2.Txa6 matt. **2.Da4** matt.

227) 1.Sfd5 b1D 1... c1S 2.Se3+ Ke1 3.Sbc2 matt oder 1... Kc1 2.Sd3+ Kb1 3.Sc3 matt bzw. 1... Ke1 2.Sd3+ Kf1 3.Se3 matt. **2.Se3+ Ke1 3.Sd3** matt.

228) 1.Sf6!! Kxf6 2.g8S+!! Ke5 Oder 2... Kg5 3.h3 e5 4.Sf3 matt. **3.g7 Kxe4 4.Txe6** matt (Friedrich Ziak 1998).

229) 1.Txf7! Txf7 Oder 1... Td/beliebig 2.Txh7 matt. **2.Tg8** matt.

230) **1.Kb1!!** Nicht 1.Tg6? Th1+. **1... Lh5 2.Tg6! Lxg6+** Oder 2... L/beliebig 3.Sf7 matt. **3.Sxg6** matt.

231) **1.Da1!! d3** Oder 1... e3 2.Dh1+! e4 3.Dh5+ e5 4.Df7 matt bzw. 1... c3 2.Da2+! c4 3.Da5+ c5 4.Da8 matt. **2.Dc3! e3 3.exd3 e4 4.dxc4** matt (Carel Mann 1907).

232) **1.Tb5! f3** Oder 1... Lxd5+ 2.Dxd5 bzw. 1... La6 2.Sc7 und 1... Lc6 2.Da1 matt. **2.Sb6** matt.

233) **1.Ta2!!** Weder 1.Tc2? Dc7 noch 1.Td2? Dd6! Noch 1.Tg2 Dg3 und 1.Tf1 Da8. **1... Dc8** Oder 1... Dc7 2.Ta8+ Db8 3.Txb8 matt. **2.Th2+ Dh3 3.Txh3** matt.

234) **1.La6+!! Kxb8 2.Kd6! Ka8 3.Kc7 d5 4.Lb7** matt (Peter August d'Orville 1842).

235) **1.Le3! Sd7** Oder 1... Sxc6 2.Txg8 bzw. 1... Tg7 2.Da2 matt. **2.c7** matt.

236) **1.c5!! Kd7** Oder 1... Kf7 2.c8L Kg8 (2... Ke8 3.g8D matt) 3.Le6 matt. **2.g8L Kc8** Oder 2... Ke8 3.c8D matt. **3.Le6** matt.

237) **1.Da6!!** Nicht 1.Df6? Lb5. **1... b5** Oder 1... Lb5 2.Dxb5 Kg2 3.Df1 matt. **2.Df6! gxf6 3.Sf2** matt (Stefan Eberle 1955).

238) **1.Ld8+! Txd8 2.Dxa7** matt.

239) **1.Ld4+! Kxd4 2.De3+! Kxe3 3.Sf5** matt.

240) **1.Th2!! Kxh2** Oder 1... Kxh4 2.Kf4! h6 3.Th1 h2 4.Txh2 matt bzw. 1... h6 2.T2xh3+ Kg2 3.Ke2! Kg1 4.Tg3 matt. **2.Kf2! h6 3.Txh5 Kh1 4.Txh3** matt (Sam Loyd 1859).

241) **1.Sf5! Sfe5** Oder 1... Sf6 2.Sxf6 matt bzw. 1... Sde5 2.Sf6 matt. **2.Sd6** matt.

242) **1.Lf6+!! Lxf6 2.Dxh7+ Kxh7 3.Th5** matt.

243) **1.Df7!!** Weder 1.Db7? Ld4! noch 1.Thxh2? Lxh2 2.Db7 Le5! **1... Te6** Oder 1... Le6 2.Df6+ Te5 (2... Ld4 3.Dxd4+) 3.Df1+ usw. **2.Thxh2! Lxh2** Oder 2... Sf2 3.Db7 usw. **3.Db7! Le5 4.Dxh1** matt (Hans Vetter 1918/19).

244) **1.Kd6! Kxb6/Sd3/Kb5 2.Sc6** matt.

245) **1.Dg6+!! fxg6** Oder 1... Kh8 2.Sxf7 matt. **2.hxg6+ Kh8 3.Sf7** matt.

246) **1.Da6!!** Droht 2.Dxd6+ Lf6 3.Sf8 matt. **1... Lb4 2.De2! Lxe2 3.Sh3** Droht 4.Sxf4 matt. **3... Tf3 4.h5** matt (Hans Vetter 1918/19).

247) **1.Kh6! Lxg6** Oder 1... Lg8 2.Txg8 matt. **2.Sxg6** matt.

248) **1.Dg7+!! Kxg7 2.Sf5+ Kg8 3.Sh6** matt.

249) **1.b6!!** Nicht 1.Sg8? wegen 1... Lh4. **1... Lxb6 2.Sg8 Ld8 3.Tc7!! Lxc7 4.Sxe7** matt (Knud Hannemann 1920).

250) **1.Te5! Lxd6** Oder 1... Ta8 2.Lxe7 matt bzw. 1... Lxh4 2.Txe8 matt. **2.Tf5** matt.

251) **1.Da5+!! Kxa5 2.axb7+ Kb6/Kb5 3.b8D** matt.

252) **1.Le2!!** Droht 2.Th7+ nebst 3.Lxh5 matt. **1... Txe2 2.Sc6** Droht Sd8-f7 matt. **2... Tce4 3.Sxe7!!** Nicht 3.Sd8? d4! **3... Txe7 4.Lxf4** matt (Walther von Holzhausen 1919).

253) **1.exf8L! Kf7 2.d8S** matt.

254) **1.Dxf7+!! Sxf7 2.Lxf7+ Kd8 3.Se6** matt.

255) **1.Kb5!! Tb8+** Oder 1... c2 2.Lc5+ Kd5 3.Tf5 matt bzw. 1... Ke4 2.Lf4+ Kd4 3.Dxc4 matt und 1... c6+ 2.Kxc4 Th4+ 3.Lf4 matt. **2.Kc6!! Tb6+** Oder 2... Lc5 3.Lxc5 matt. **3.Lxb6** matt (Emil Palkoska 1921).

256) **1.Le3!** Droht 2.Dg1 matt. **1... Dg6 2.Dxh3** matt.

257) **1.Sg6+!! Sxg6** Oder 1... Dxg6 2.Dxd8+ De8 3.Dxe8 matt. **2.Dxh7+ Kxh7 3.Th5** matt.

258) **1.Kb2!! Shg3** Oder 1... Sfg3 2.Dxf2+! Sxf2 3.Sexg3 matt bzw. 1... a5/a6 2.Db6!! cxb6 3.Sd6 matt und 1... Ld3 2.g4+ Kxe4 3.Lxd5 matt, schließlich 1... Lxe4 2.g4 matt. **2.De3! Sxe3 3.Sexg3** matt (Erich Zepler 1920).

259) **1.h6+! Kxh6 2.Lf8** matt.

260) **1.Se7+ Kh8 2.Sg6+!! hxg6 3.hxg3** matt.

261) **1.Kb1!!** Droht 2.c4 nebst 3.Sc3 matt. **1... Tf6 2.b5!!** Auf 2.c4? kann jetzt 2... Dh7! folgen. **2... Th6** Oder 2... Tf5 3.c4! Sg6 4.Sc3 matt. **3.Lf3+ Kxf3 4.Txf2** matt (Herman Mattison 1920).

262) **1.Ta8! d3** Oder 1... Txa8 2.Dxa8 matt. **2.Dh8** matt.

263) **1.Sg6+ Kh7 2.Txg7+!! Txg7** Oder 2... Kxg7 3.Tc7 matt. **3.Th8** matt.

264) **1.Sa8!! Txc8** Oder 1... Txa8 2.bxa8S! Kd7 3.Txd8 matt bzw. 1... Kd7 2.Tc7+ Ke8 3.Te7 matt. **2.bxc8T! Kd7 3.Txd8** matt (George Hume 1923).

265) **1.Tc5!** Droht 2.Dh7 matt. **1... Lg6** Oder 1... g6 2.Dh3 matt. **2.Df4** matt.

266) **1.d8S!! T/beliebig 2.Db7+ Txb7 3.Sc6** matt.

267) **1.Lh8!! e5** Oder 1... f3 2.Le6+! Kxe6 3.Td8 e2 4.Sg5 matt. **2.Lxe5 Kxe5** Oder 2... e2 3.Sg6 e1D 4.Sf6 matt. **3.Td8 f3 4.Sg6** matt (Miroslav Havel 1923).

268) **1.Dc2! Txc2 2.Ta8** matt.

269) **1.Ta8+!! Kxa8 2.Sd7 beliebig 3.Ta4** matt.

270) **1.Te6!! d5** Oder 1... Kf5 2.Sh2! d5 3.g4 matt bzw. 1... Kh5 2.Sf2! d5 3.g4 matt. **2.Te5! Kg3** Oder 2... d4 3.Tg5 matt. **3.Tg5** matt (Josef Cumpe 1923).

271) **1.Td6+! Sxd6 2.Se7** matt.

272) **1.g4+!! Txg4** Oder 1... Kh4 2.Th3 matt. **2.Th3+ Th4 3.g4** matt.

273) **1.f3!! La1** Oder 1... Lxf6 2.fxe4 Sb2 3.Le2+ Sd3 4.Lxd3 matt. **2.Lxf7 Sb2** Oder 2... Se5 3.Lxe5 Lxe5 4.Lc4 matt. **3.fxe4 Sxa4 4.Lc4** matt (Knud Hannemann 1924).

ruf & ehn in Island, 1990

DANK

Dieses Buch hätte nicht ohne die großzügige Unterstützung vieler entstehen können. Für ihre Geduld, für Ermutigungen, für Unterstützungen vielfältigster Art, unzählige Anregungen und für so manches freundschaftliche Remisangebot in den letzten zwanzig Jahren gilt unser besonderer Dank

Margit Almert, Josef Ausky, Gerald Bast, Valeri Beim, Gernod Beckhuis, Gábor Békési, Hermann Bermadinger, Dietmar Blasl, Eva Blimlinger, Ecke Bonk, Oscar Bronner, Jürgen Brustkern, Gabriele Csulich, Helmut Csura, Werner Datler, Gerhard Degen, Andreas Dückstein, Hans-Christian Eberl, Thomas Eder, Bernd Ellinghoven, Jörg Engels, Elfriede Faber, Kurt Feichtinger, Brigitte Felderer, Robert James Fischer, Alexandra Föderl-Schmid, Angela Fössl, Michael Franz, Marlene Fuhrmann-Ehn, Robert Galbavy, Johannes Gaigg, Thomas Glavinic, Ingrid Graf, Marie-Therese Gudenus, Peter Hell, Christian Hesse, Ernst Hohenecker, Barbara und Hans Holländer, Roman Horak, Herbert Huber, Mischa Jäger, Monika Kaczek, Armin Karner, Anatoli Karpow, Stefan Kindermann, Theresia Klugsberger, Samo Kobenter, Gebhard Koberger, Thomas Mally, Koichi Masukawa, Rudolf J. Melzer, Christian Meyer, Klaus Opl, Hans Petschar, Helmut Pfleger, Peter Plener, Susanna Poldauf, Wolfgang Preis, Markus Ragger, Vera Ribarich, Ewald Riedl, Martin Riedner, Renate Ritscher, Ulrich Schädler, Hannes Schmidl, Christoph Schneider, Oliver Schopf, Aloys Schweighofer, Reinhard Seidl, Anja Seipenbusch, Rosa Simek, Gerfried Sperl, Nikola Stajcic, Bruno Steiner, Walter Strommer, Felix, Lena und Maresi Strouhal, Alexej Suetin, Franz Thannhausser, Brigitte Trost, Leopold Unzeitig, Rainer Vesely, Otto Vodep, Werner Vogl, Richard Wagner, Andrej Waldegg, Andreas C. Weber, Klaus Wenda, Ken Whyld, Garreth Williams, Christoph Winder, Georg Winkler, Edward Winter, Nadja Woisin, Manfred Zollinger.

ME, ES

Bildnachweis

Cover: Hans-Christof Stenzel: C'est la vie Rose, 1976 (ddp-Images GmbH); S. 4: Foto: Carl Mydans 1962, Time & Life Pictures, GettyImages 56572318; S. 6: Fotograf unbekannt, Sammlung Michael Ehn (Wien); S. 10, S. 52, S. 146, S. 172: Wsevolod Pudovkin »Chess-fever«, 1926 (Screenshots: Gábor Békési); S. 16, 18, 20, 34: Oliver Schopf (Der Standard); Diagramme: Michael Ehn.

Sollten trotz intensiver Recherche nicht alle Inhaber von Urheberrechten ausfindig gemacht worden sein, sind wir selbstverständlich bereit, Rechtsansprüche im üblichen Rahmen abzugelten.

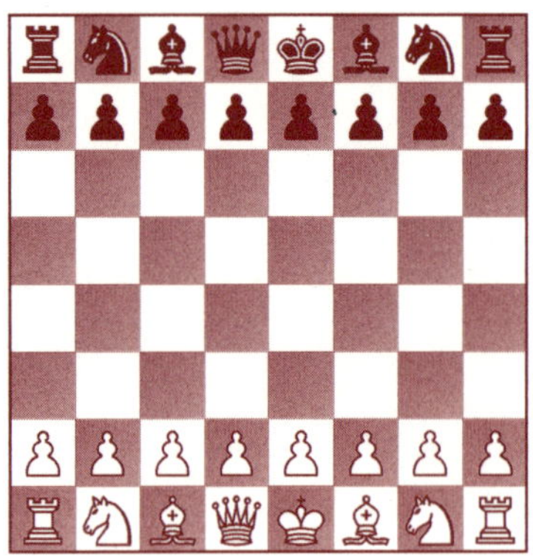